OCCIDENT

Simon Liberati est l'auteur d'une dizaine de livres, dont *Anthologie des apparitions* (2004), *Jayne Mansfield 1967*, prix Femina 2011, *Eva* (2015) et *Les Rameaux noirs* (2017).

Paru au Livre de Poche :

CALIFORNIA GIRLS

EVA

LES RAMEAUX NOIRS

SIMON LIBERATI

Occident

ROMAN

GRASSET

ISBN : 978-2-253-24089-1 – 1re publication LGF

1

Quand mes bras font le tour de toi je presse
Mon cœur contre une gentillesse
Qui depuis longtemps a disparu du monde

W.B. YEATS

La suite overdose… Derrière ce nom prometteur se cachaient trois petites pièces de guingois au sommet d'un hôtel étroit, serré entre un antiquaire et un marchand de vin au coin des rues de Beaune et de Verneuil. L'établissement était anonyme, sans étoile, on l'appelait *l'hôtel de Beaune.* Ma première taulière, une Algérienne à lunettes noires, aimait les fleurs fraîches qu'elle arrangeait chaque jour en bouquet sur le bureau du hall près de la sonnette en cuivre. Elle avait décoré les chambres avec de vieux posters de stars hollywoodiennes. J'ai connu ensuite une blonde discrète qui confiait la réception à une Russe. Les fleurs disparurent.

En six ans j'ai essayé toutes les chambres, ma favorite resta la suite overdose. On finit par me la réserver. Je recevais chez moi ceux que Paris voulait bien me confier passé une certaine heure. Je disposais des téléphones de toutes sortes de commerçants ouverts jusqu'au matin, d'un personnel habitué à nos frasques et même, derrière le hall, au fond du rez-de-chaussée, d'un bar lilliputien tapissé de moire rouge. Trois banquettes, cinq chaises et un frigidaire, succursale que j'étais libre d'ouvrir à l'occasion. En haut, les soirées se prolongeaient le lendemain, parfois jusque dans l'après-midi. Il m'est arrivé de fermer vers cinq heures du soir.

Certaines de ces nuits ne m'ont pas quitté et je pense mourir avec elles, serrées sur mon cœur comme des fleurs séchées, des souvenirs idiots qu'on garde par superstition. Mes amis d'alors étaient drôles – du genre de ceux qu'on perd en route –, je faisais salon presque chaque semaine, le mardi en général.

Pierre Angélique, surnommé « le petit Pierre » pour le distinguer d'un autre Pierre plus petit mais plus vieux, était un fidèle irrégulier. Quand il n'était pas parti autour du monde exposer ses photos pictorialistes, Pierre honorait notre rendez-vous du mardi, à son heure comme un chat. Il n'avait aucune conversation mais une présence agréable.

Un jour vers huit heures du matin, il faisait beau, la fin du printemps. Je me souviens qu'on avait tous passé un moment grimpés sur le toit de zinc de l'hôtel à prendre les premiers rayons du soleil avant de redescendre par la lucarne. Les Daladier s'étaient écroulés sur le matelas de la chambre avec Kiwi et la Shabbanu, deux reliques du Montana, la boîte de nuit voisine. Madame Daladier, ainsi surnommée parce qu'elle descendait d'un homme politique d'avant guerre, avait sa tête des bons jours : un museau pointu sans menton qui aurait pu être ingrat mais la faisait ressembler à la souris d'une gravure anglaise. Elle était à demi anglaise d'ailleurs, très romanesque, très libre de mœurs, dévoyée même, pleine d'argent à l'époque. Un sac à main rempli de billets froissés avec quoi elle voulait toujours tout payer, il fallait l'en empêcher. Elle l'aurait jeté par la fenêtre aussi bien pour rire.

Avec madame Daladier nous causions littérature, *Liaisons dangereuses*, monsieur Daladier affirma qu'il n'existait plus de femmes comme la marquise de Merteuil, Pierre l'interrompit :

— Détrompe-toi, j'en connais une.

Il était du genre silencieux alors on l'écouta.

— Raconte !

Madame Daladier adorait parler femmes.

— Poppée…

— Poppée ?

— Oui, Poppée.

— La brunette que tu as amenée dîner chez l'Italien l'autre jour quand Alain n'était pas là ?

— Oui.

— Celle qui a une tête à porter des dessous noirs… Tu rigoles ?

— Les apparences sont trompeuses.

Pierre se tut. Il venait de se rappeler un rendez-vous avec un collectionneur. Il commanda un taxi et ne desserra plus les dents. Il se contentait de sourire aux questions de la Daladier. En m'embrassant pour me dire au revoir, il me dit à l'oreille « viens me voir au studio, Alain, je te la présenterai… toi je suis sûr qu'elle t'amusera ».

Pierre et moi nous avions en commun d'habiter la campagne. La sienne se trouvait à Paris, près du boulevard de Montmorency. Je n'avais qu'à prendre le métro pour lui rendre visite, souvent le mercredi après-midi avant de rentrer dans la mienne, dans le Nord-Est à Mortefontaine. J'aime le seizième arrondissement, surtout le quartier d'Auteuil où j'ai vécu autrefois chez une femme.

J'admirais Pierre d'avoir su discipliner sa vocation très jeune. Pratiquant la photographie à la manière d'un artiste du XIXe siècle, il avait imposé ce que je m'efforçais de réussir en peinture : un recours post-moderne à une esthétique ancienne. Il s'inspirait comme moi d'une longue tradition pour la détourner au service d'une recherche contemporaine. Sauf que mon sincère désir de réveiller les forces du passé était pour lui une posture, un artefact. Aussi avait-il plus de succès que moi.

Son studio installé au milieu d'un jardin de curé dans un castel anglo-normand à toit pointu donnait l'illusion de visiter l'atelier d'Emerson ou de Kühn. Il s'agissait d'un décorum, Pierre m'avait expliqué qu'en plus du traditionnel appareil à chambre, il se servait de tous les moyens modernes pour obtenir les effets brumeux, le sépia piqué des pionniers du genre pictorialiste.

Au milieu de ces cuivres, de ces cuirs et de ces trompe-l'œil défraîchis, je tombais sur de très jolies filles, des modèles venus d'Asie ou d'Europe centrale que Pierre utilisait pour ses compositions, et aussi parfois comme compagnie d'un mois ou d'une semaine. Dans la bande tout le monde le disait homosexuel, mais il ne désarmait jamais et nous présentait sans cesse de nouvelles trouvailles très jeunes, étrangères et renfrognées. Ce n'était pas l'argent de Pierre qui les attirait car il était d'une radinerie extraordinaire, plutôt des promesses de rencontres, le charme de notre compagnie, sa maison biscornue ou simplement le champagne, la vodka, le reste.

L'après-midi où je lui ai rendu visite, une semaine ou deux après la soirée overdose, une petite poupée m'a ouvert la porte. Moins élancée, plus brune que les modèles de Pierre, elle portait une robe blanc optique qui faisait ressortir sa peau mate. Son visage était dessiné en trois gracieux coups de pinceau avec de grands yeux noirs et une épaisse chevelure bouclée à la Maria Schneider.

« Poppée », elle se présenta d'un ton moqueur. La voix de Poppée, son allure, sa gouaille paisible, sa façon de s'asseoir en jouant les dames du monde m'agacèrent et m'excitèrent. Pierre restait enfermé dans son atelier et je reniflai un guet-apens. Il y avait une de mes toiles au mur. Une Vierge à l'enfant encadrée par Pierre d'un somptueux bois doré du XVIIIe siècle qui soulignait trop à mon avis l'archaïsme délibéré du tableau. Poppée me complimenta, elle semblait me considérer comme un débutant prometteur. Je la soupçonnai de le faire exprès. Je n'avais pas le succès de Pierre mais je n'étais pas un inconnu. J'étais représenté par la galerie X à New York, plusieurs musées avaient mes œuvres dans leur catalogue. Manifestement, ça ne lui suffisait pas.

— Enfin franchement la Sainte Vierge c'est une blague… Vous y croyez ?

Je préférai ne pas répondre. À côté de mes tableaux, Pierre collectionnait les météorites. Toujours en propriétaire, Poppée m'expliqua que l'une d'entre elles, une nouvelle acquisition exposée sur une colonne de bois néogothique dans la lumière triste du demi-jour, avait une grande valeur. À l'écouter, il s'agissait d'une « hammerstone », un fragment céleste tombé sur un objet terrestre manufacturé, ici les ruines d'une pêcherie au Groenland. La cicatrice de l'impact donnait au caillou noirâtre une valeur supplémentaire. À la manière dont elle prononça la somme en dollars, je la soupçonnai de vouloir m'impressionner. L'argent avait l'air de beaucoup lui plaire. Je remarquai un léger accent étranger, rocailleux et nasal.

Pierre entra dans la pièce et vint m'embrasser avec la déférence charmante qu'il affichait à mon égard. Il ordonna à la petite d'aller ouvrir une bouteille. Je me demandai une fois de plus quels liens les unissaient.

À peine fut-elle sortie que Pierre se pencha à mon oreille.

— Elle t'adore, elle me parle de toi sans cesse.

Je chuchotai.

— Mais qui est-ce ?

— Je t'expliquerai…

Poppée revint avec le champagne et Pierre nous montra les derniers tirages géants qu'il s'apprêtait à envoyer à la Biennale de Moscou. C'était une série de jeunes filles aveugles, toutes extrêmement belles. « Des aveugles de naissance », précisa-t-il. Poppée eut un rire espiègle et demanda à Pierre s'il ne leur avait pas crevé les yeux lui-même pour la photo, puis elle ajouta sur un ton plus sérieux et plus intime : « Umberto adore cette série. »

À l'expression attentive de Pierre je saisis qu'il s'agissait de son plus gros client, Umberto Brentano, un industriel italien avec qui cette Poppée était donc liée. Je dressai l'oreille car Brentano faisait partie des plus importants collectionneurs d'art contemporain au monde.

Je commençais à démêler que la jolie brunette avait son mot à dire dans le business de mon ami lorsqu'elle en arriva à évoquer son métier : curator indépendant. Ce qui ne signifie rien de précis... Pierre m'expliqua qu'ils avaient un projet ensemble : un recueil de photos.

Je racontai à Pierre le dernier potin de notre bande : madame Daladier avait répudié monsieur Daladier. Poppée fit la moue. Elle avait dû garder un mauvais souvenir de leur rencontre. Comme beaucoup d'excentriques, la Daladier agaçait ceux qui avaient entendu parler d'elle et qui la subissaient sans vraiment la connaître. Poppée prit un petit air pincé et vint se caler contre moi sur un divan de velours tabac. À travers mon pantalon, je sentais la chaleur de sa jambe. Elle devait être fiévreuse, sa température me semblait plus élevée que la moyenne. Je me demandai si elle avait la grippe.

Elle avoua qu'elle n'avait pas l'habitude du champagne l'après-midi et appuya plus ferme son genou contre ma cuisse. Aussitôt je me levai pour aller aux toilettes.

J'avais ce jour-là des soucis urinaires provoqués par

une mauvaise drogue et je restai un long moment à m'efforcer de pisser.

Quand je revins Pierre était seul.

— Elle est partie ?

— Oui, elle s'ennuyait de toi.

— Mais c'est qui ?

— La marquise de Merteuil.

— Arrête ! On dirait un petit faune du baron von Gloeden.

Pierre rit sans mot dire, toujours mystérieux, et m'attira dans une partie retirée de son antre, là où il travaillait au milieu d'assistants discrets et soumis. L'atmosphère était différente, plus contemporaine. Au long des murs peints en gris s'alignaient des œuvres sous verre empaquetées dans du papier bulle. Il y en avait des dizaines étiquetées, portant au marqueur noir des adresses du monde entier, musées, fondations, collections privées. À cette heure les assistants étaient partis. Sur un bureau laqué blanc une télévision diffusait un reportage. Nous avons regardé les images du procès de Saddam Hussein. Pierre avait photographié des âniers en Irak. Il me raconta qu'ils donnaient de la vodka à boire à leurs ânes pour les aider à gravir les côtes. Je regardai les images avec lui, le ciel jaune sur les autoroutes de Bagdad, l'avocat américain de Saddam, un rouquin en short qui avait l'air d'un agent de la CIA. Je le dis à Pierre qui me répondit du tac au tac sans lâcher l'écran des yeux :

— Il faudrait demander l'avis de Poppée, elle doit savoir…

— Pourquoi ? Elle est de la CIA ?

— Plutôt du Mossad ! Elle est israélienne.

Pierre m'expliqua qu'il avait montré à Poppée une vidéo de moi en train de parler à des étudiants des Beaux-Arts de la méthode des van Eyck sur YouTube et qu'elle était tout de suite tombée amoureuse.

— Ah bravo !

C'est une de mes répliques quand je ne sais pas quoi dire, « Ah bravo », ça ne coûte rien et ça fait toujours plaisir. J'étais embarrassé que Pierre essaye ainsi de me coller cette femme sur les bras. Jouer les entremetteurs était peut-être une manière pour lui de vivre son homosexualité. J'attirai son attention sur le ciel de Bagdad. Un jaune de Naples très lumineux.

— Elle ne te plaît pas on dirait.

— Qui ? L'espionne israélienne ?

— Elle n'est pas vraiment espionne, c'est plus compliqué que ça, elle est intéressante. Elle nous invite à dîner.

— Où ça ?

— Chez elle.

Le dîner eut lieu quinze jours plus tard. Au vu du crédit que Pierre accordait à la créature, je m'attendais à un de ces appartements de riches étrangers où il lui arrivait de me traîner. Un grand truc blanc dans le huitième arrondissement avec de l'art contemporain et un majordome de location. J'eus la surprise de débouler dans un logis d'intellectuel près du Panthéon, avec un plancher tordu, quelques meubles anciens et des objets d'art populaire assez bien choisis. La plus belle pièce était un cheval polychrome qui avait dû servir d'enseigne à un maquignon. Il y avait beaucoup de livres. Un mari aussi, près des étagères. Très jeune me sembla-t-il, blond avec l'air sérieux. D'origine allemande, mais aussi francophone que sa femme, il était professeur de philosophie à la Sorbonne. Je n'avais pas dormi depuis deux jours, je portais une veste de costume trouée, une chemise qui sentait la transpiration, j'étais bouffi mais j'avais apporté un bouquet de fleurs blanches joliment composé par une fleuriste chinoise du quartier.

Effondré dans un fauteuil, je me demandais ce que je fichais là. On me servit du champagne rosé dans un verre de couleur.

Le dîner était très décontracté. Poppée portait un minishort en jean, le mari, en sandales, avait l'air de venir de la plage, quant aux invités ils étaient deux pour le moment. Un homme et une femme. La femme attendait son mari. Le type me disait quelque chose, il me semblait l'avoir vu récemment dans un endroit moins charmant que ce trois pièces de la rue Saint-Jacques. Il était rouquin mais bronzé – un hâle qui ressemblait à de la saleté –, et parlait avec un fort accent américain. La femme avait une quarantaine d'années, elle discourait sur la situation d'une minorité dont j'ignorais tout aux Philippines.

Je n'aime pas l'humanitaire. Il se trouve que j'ai passé quelques mois dans cette partie du monde. Je concédai deux trois répliques à propos de Manille et de ses embouteillages puis je m'endormis comme cela m'arrive parfois en début de soirée si je bois du champagne et si j'ai fait des abus les jours précédents.

Quand j'ouvris les yeux il y avait de nouveaux invités.

Nous sommes passés à table. Je n'avais pas la moindre idée de qui étaient mes voisins. Un grand type à cheveux gris parlait de la vie littéraire, il avait l'air de s'y connaître. Poppée s'affairait en cuisine. J'étais dans l'axe du plan de travail. Son short révélait des fesses rondes comme des pommes. J'avais l'impression qu'elle remuait anormalement son bassin étroit en découpant le rôti, une danse qui pouvait bien s'adresser à moi.

Pierre n'était pas là. Le maître de maison m'apprit qu'il avait eu un empêchement de dernière minute. Le rôti était délicieux. Je l'arrosai de beaucoup de vin rouge. À force, je finis par comprendre que le mari de la femme de quarante ans, un grand maigre à tête d'ourson, arrivé pendant que je dormais, souhaitait me commander les images d'un livre pour enfants qu'il préparait. Vexé, je lui dis que je n'acceptais jamais ce genre de travail et je partis aux toilettes. Ensuite j'allai visiter la salle de bains du couple. Tout était bien rangé, le lavabo étincelait. Il y avait une odeur agréable, les affaires de la petite étaient alignées comme dans une boîte à poupée.

Au moment où j'allais sortir elle pointa son nez, je l'attrapai par la taille, l'attirai près de la baignoire et lui ordonnai à voix basse de mettre ses invités et son mari dehors. Elle ne sourit pas, ne s'effraya pas non plus, me repoussa avec un air ingénu et me dit que c'était impossible. Je la lâchai.

Je revins à table. Mon téléphone sonna et je restai un moment en ligne avec Victoria et Sonia, deux amies. Après, je ne sais plus, je ne me souviens pas du tout du dessert.

Victoria et Sonia me rappelèrent, elles insistaient pour que je les rejoigne à un autre dîner plus marrant chez un coiffeur célèbre. J'avais entendu des voix crier mon prénom derrière elles… « Alain ! Alain ! » Pierre était là-bas. J'ai inventé un prétexte, j'ai laissé les autres finir sans moi et j'ai filé en taxi jusqu'au boulevard Malesherbes. Je revenais dans le huitième, ce qui était au fond mon idée de départ.

J'ai toujours été comme ça, on peut essayer de m'attirer là où je ne veux pas aller mais je finis toujours par retrouver le droit chemin. Le dîner chez le coiffeur était mieux. Sonia et Victoria s'étaient sauvées entre-temps mais il restait une femme que j'adorais, Ellen. Elle avait presque soixante-dix ans, en pleine forme, mince, ravissante, prête à faire la fête jusqu'à plus d'heure. On a joué au portrait chinois sous un gros lustre vénitien, il y avait aussi deux petites Tchèques très bêtes et une aristo anglaise très riche, surnommée « la Duchesse », à qui j'ai roulé une pelle. Au cours de la soirée j'ai demandé à Pierre pourquoi il m'avait fait inviter au dîner d'avant chez ces intellectuels. Je lui ai raconté l'histoire du livre pour enfants. Il a ri et a répété que Poppée me voulait du bien. Il m'a dit : « Remercie-la, envoie-lui un mot pour t'excuser, tu vas voir elle peut t'aider. »

Pierre ne parlait jamais pour ne rien dire et en matière d'intrigues j'avais tendance à lui faire confiance. S'il s'agissait de me présenter à Brentano, je ne comprenais pas pourquoi il n'avait jamais rien organisé lui-même. Cette fille ne faisait pas le poids et dans mon ivresse je n'étais même plus sûr d'avoir bien entendu le nom du collectionneur la première fois. En tout cas au dîner il n'en avait pas été question.

— Toi, tu es trop gentil avec tout le monde, tu finiras par te pendre !

C'était la belle Ellen qui me vannait. Je lui ai balancé un croûton de pain.

Après avoir vu l'aube dorer les coupoles de l'église Saint-Augustin en compagnie de mon nouvel ami coiffeur, je repris un taxi jusqu'à la rue de Beaune, fis mon paquetage et décampai dans ma Morris.

L'art était mon seul rempart contre le désordre. J'avais la chance d'être porté par la certitude intime d'être un bon peintre, les incroyables difficultés rencontrées pour en arriver là m'avaient donné foi dans mon talent. J'avais vécu plusieurs vies, brûlé mes vaisseaux à chaque fois. Il m'avait fallu beaucoup de temps pour trouver ma voie et à quarante-cinq ans passés, j'étais déjà vieux pour un jeune artiste. Autant dire que j'avais mûri mon affaire et que ma ligne était nette. Les difficultés techniques de la peinture traditionnelle donnaient à ma démarche une méthode et une liberté qui me préservaient.

En conduisant, exalté par l'alcool et les drogues que mon sang combattait, je regardais le ciel de nacre et la nature au bord de la nationale. Je me faisais une joie de retrouver le grand nu qui m'attendait.

Aussitôt arrivé à Mortefontaine dans ma cambrousse, je jetai par terre mes vêtements puant la cigarette et les nuits blanches, pris une douche glacée et revêtis ma tenue de peintre, en gros la même qu'à Paris, un jean blanc et des bottes, mais réservée à l'autre vie. Je poussai la porte de mon atelier, une pièce ordinaire à l'origine, un peu plus grande que les autres, mais qui avait pris avec les années une charge magique. Elle était orientée au nord et s'ouvrait sur le jardin par une large verrière dont les montants rouillés découpaient au carré un paysage limité à un bout de gazon, des buis et un vieux mur.

Au milieu de l'atelier, un grand châssis rectangulaire était voilé d'un drap qu'éclairait la lumière du matin. Je l'ôtai en prenant garde de ne pas faire basculer le tableau serré par un chevalet à manivelle. Le premier regard sur l'œuvre en cours était décisif. Les fautes d'anatomie ou de valeurs ne restent notables que quelques secondes avant de s'évanouir dans l'accoutumance. Je fixai sans ménagement le corps de femme alangui sur un vieux fauteuil crevé devant un rideau déchiré orné de perles comme une robe ancienne.

C'est à la promptitude de décision, à la sûreté d'œil, au recueillement immédiat dans cet autre monde qu'ouvre un tableau, que se jaugent les bonnes journées. Une nuit de sommeil aide à cela, le rite monastique a ses vertus, mais aussi le lavage de cerveau que provoquaient mes soirées de bringue. La dose de courage utile à réussir le tour de passe-passe nécessaire à un bon tableau, venait des risques personnels que je savais prendre avec ma santé mentale ou physique. À l'arrière-plan du nu, les perles du rideau me semblèrent bien peintes, elles dansaient en trompe l'œil dans la lumière du matin. Le corps, lui, manquait de relief. Les forêts que j'avais traversées en voiture pour venir, les différents bruns qui marquaient les profondeurs des troncs sous le feuillage, m'incitèrent à renforcer les ombres pour détacher la chair du velours éteint. Par maladresse, je fis une tache sur le front de la figure féminine, sur un coup d'inspiration je transformai cet accident en une couronne de lierre comme en portent les nymphes.

Lorsque mon vieux téléphone de bakélite se mit à grésiller à mes pieds, j'avais corrigé l'essentiel. Une heure de travail intense me laissa retomber, épuisé, dans mon fauteuil. C'était Pierre qui voulait me donner l'adresse mail de la brunette. Il ne lâchait pas prise, je me demandais quel intérêt il trouvait à ce rôle.

— Elle couche avec ton collectionneur ?

— Tu lui demanderas.

Pierre eut un petit rire. Il ajouta d'un ton méprisant :

— Et elle est à toi quand tu veux. Elle m'a appelé ce matin, folle de rage…

Je me souviens que je restai un moment à regarder les rosiers, qui pendaient devant la verrière sous la lourde lumière de juin. De gros bourdons les remuaient, inchangés depuis des siècles comme le cœur des femmes.

Épuisé, satisfait de ce que je voyais, j'avais envie d'un thé brûlant et d'œufs au jambon.

Après déjeuner la seconde séance fut plutôt bonne. Je travaillais le corps d'Anne-Marie, mon modèle, et en même temps le fond et les ombres grises du drap qui la dénudait. Ce travail au gris, un gris obtenu par un mélange de terre d'ombre et de blanc, un gris sans noir, avait une sobriété qui tirait cette peinture vers un style austère, celui des religieuses de Port-Royal peintes par Philippe de Champaigne. J'ai toujours en tête une référence précise quand je peins, ce qui m'évite de me perdre dans l'ivresse de la sensation. La toile s'était redressée il y a plus d'une semaine. Quand je parle de « redresser », je veux dire que ma peinture arrivait à fonctionner quoiqu'elle manquât encore d'étoffe. La lumière baissait tard à ce moment de l'année mais je commençais à fatiguer. Bientôt viendrait l'heure de me reposer.

Trois semaines plus tard, j'avais bien avancé mon nu janséniste au rideau perlé mais je n'avais toujours pas couché avec Poppée. Je résistais, non par vice mais parce que j'étais occupé ou trop fatigué pour entamer une nouvelle liaison. Un mail hâtif envoyé le lendemain avait eu l'effet prévu et nous avions pris rendez-vous. Je me souviens d'un verre au bar du Lutetia et d'un cinq à sept manqué à l'hôtel où elle avait trouvé porte close parce que j'étais occupé ailleurs.

Ces contretemps finirent par créer l'attente et l'occasion, juste avant qu'elle ne parte en vacances.

La suite overdose était située en haut d'un escalier dérobé montant du dernier palier desservi par l'ascenseur. La mécanique de l'ascenseur se trouvait derrière une porte en bois à l'intérieur de la suite. Chaque fois qu'on utilisait la cabine j'entendais la poulie fonctionner, un bruit caractéristique qui me rappelle mon enfance, le grincement et les heurts qui m'annonçaient le retour de ma mère. S'il s'arrêtait un étage plus bas, j'étais déçu, mais très vite l'attente recommençait.

Quand j'entendis le claquement de la porte au sixième suivi du bruit de petits talons autoritaires sur les marches de bois de l'escalier, je me levai et me postai derrière la porte. On frappa, je restai immobile quelques instants, le temps qu'on s'inquiète.

Elle portait un blouson de cuir noir clouté, une robe débardeur bleu lavande et des bottes en daim frangées. Je lui servis du vin pioché chez le caviste d'en bas. Un bourgogne, irancy ou montagny. Durant les années qui suivirent, j'achetai pour elle toujours les mêmes vins. Comme nous devions le découvrir, nous avions en commun un penchant pour la routine. Entre nous, tout fut posé dès les premiers instants. À peine l'avais-je embrassée qu'elle était sur le lit. Le contraste entre son insolente petite personne et une nudité brutale de marché aux esclaves provoqua une belle érection. Le mari aussi y était pour quelque chose, la vie heureuse que j'avais entrevue, l'odeur de ménage bien tenu de cet appartement, tout cela venant se faire baiser dans une chambre d'hôtel qu'on devait juger un peu minable, car je l'imaginais choisir de jolies locations pour les vacances, râler quand ça n'était pas assez bien, bref, en moins de cinq minutes, quand je sentis jouer et craquer sous mon poids les articulations de ses hanches comme sur un chevalet de torture, j'eus de la peine à retenir mon sperme que je sentais monter, me chatouiller si agréablement. J'en étais là quand elle me dit, avec un visage que je ne lui connaissais pas, un visage secret, caché derrière l'autre, qui lui allait mieux et que je fixai soudain avec beaucoup de tendresse :

— Fais attention, Alain, je n'ai pas pris de précautions.

À ces mots, je faillis crier de plaisir et tout lâcher

dans son ventre. Je me retins par je ne sais quel respect pour cette innocence que j'avais vue passer. Je lui fis des baisers sur la joue, je la redressai et l'assis sur moi pour ralentir ma jouissance. Et puis je la caressai soudain, sans bouger, avec une douceur dont je ne me serais jamais cru capable avec elle. Tout en la forçant je la cajolai et la couvris de petits coups de langue et de caresses sur ses belles boucles noires. Les yeux qu'elle me fit voir à ce moment étaient désarmés. Après que j'eus joui sur ses cuisses, elle commit l'imprudence de me remettre en elle.

Ensuite nous avons parlé comme de vieux amants. Il y avait une simplicité biblique dans ses étreintes et dans son abandon.

Je lui demandai pourquoi elle s'appelait Poppée. Elle me répondit que son vrai nom était Esther mais que sa mère la surnommait ainsi parce qu'elle avait été conçue à Pompéi. Le mot « conçue » dans sa bouche avait quelque chose de trouble.

La description de ce moment banal n'a pas d'intérêt. Pourtant, des années plus tard, j'ai du plaisir à en parler. Comme si ce secret simple et ordinaire m'avait pesé tout ce temps-là. Je dors mieux, je me sens plus heureux d'avoir décrit ce désir si fort, nos gestes, nos postures et, ce bonheur fixé, je me sens libre de pouvoir dire : « Voilà, peut-être – car je n'en suis pas sûr –, l'origine de bien des souffrances et de quelques joies. Tout un roman. »

Je ne supportai pas longtemps une telle intimité et je poussai Poppée dehors dès huit heures et demie pour retrouver la frénésie que mes séjours à Paris m'imposaient comme un devoir à accomplir.

C'était le dernier soir de la saison, la plupart de mes amis allaient partir en vacances, j'étais prêt à rentrer dans cette période de solitude que j'aimais car je m'imaginais peindre mieux que d'habitude, seul à la campagne. Pierre avait déjà filé à l'autre bout du monde, je ne pus donc commenter la soirée avec lui. Madame Daladier par contre, les yeux battus suite à des excès répétés, ne se priva pas de questions salaces sur Poppée, à quoi je répondis sans trop de fioritures mais sans lâcher une vérité qu'elle devinait.

Suivit un matin radieux où j'allai suivant mon habitude prendre un petit déjeuner au Voltaire, le bistro du quai. Un des rares endroits où l'on servait encore de la confiture maison avec du pain blanc ordinaire, parisien, à la croûte un peu sèche. Je traversai ensuite le pont du Carrousel pour me rendre à l'entrée des Lions du pavillon de Flore, voir les salles romaines, en hommage à celle que j'avais honorée la veille à la lueur de la lampe. En route je m'arrêtai devant une esclave de Delacroix. Les longs cheveux bouclés, la posture abandonnée, ces touches hâtives balancées à coups de brosse, les rouges pompéiens me réarmèrent dans mon envie de peindre. Je n'allai pas plus loin, je n'en avais plus besoin.

L'été passa très vite. J'avais des commandes, trois grandes toiles que je travaillais en même temps. Dans l'enthousiasme, j'entamai une série de caprices, treize pointes sèches inspirées par Poppée. Pierre ne s'était pas trompé, elle me servait déjà à quelque chose. La pointe sèche réclame une tête bien claire et la fermeté d'une main reposée. Je vivais comme un moine, j'étais inspiré, heureux autant que je pouvais l'être. Je trouvais même le temps de marcher dans les bois et de m'occuper de mes amours.

Je m'aperçois que j'ai négligé de parler de ma vie amoureuse, comme si Poppée m'avait déjà trop absorbé. J'avais alors depuis des années une maîtresse régulière nommée Lukardis. Blonde, haute sur jambes, Lukardis portait une fine tête d'oiseau sur un corps dont l'élégance tenait à une anorexie féroce. C'est le seul être que j'ai vu se nourrir toute une journée d'un verre d'eau et d'un carré de chocolat, encore y touchait-elle à peine. Sa tournure d'esprit était aussi légère que son corps. Elle avait bon cœur mais la sécheresse de l'aristocratie et un égoïsme aussi souverain que le mien la poussaient à rire d'à peu près tout, sans doute parce qu'elle avait de belles dents. Lukardis s'était mariée bien avant de me connaître avec un financier. Le vaudeville durait depuis des années. On m'a souvent reproché de n'aimer que les femmes riches et casées, reproche à quoi je réponds toujours : il n'y a qu'elles qui aient voulu de moi. J'ajouterai que j'apprécie sexuellement les filles bien élevées, car j'ai l'impression de baiser les sœurs ou les mères des bourgeois qui m'ont méprisé au collège quand j'avais treize ans.

Comme elle était jalouse, je lui avouais facilement mes fautes. Je n'allai pas jusqu'à lui parler de toutes les autres femmes, mais ces années passées dans l'ombre l'avaient amenée à beaucoup pardonner. Une complicité qui n'interdisait pas les disputes. Cet été-là, nous nous fâchions souvent pour des bêtises. Privé de sexe, j'étais insupportable. Je n'arrêtais pas de la harceler au téléphone et de déranger ses vacances en famille avec des cris et des menaces de suicide.

Pas d'autre intrigue à part Poppée qui m'envoya quelques messages au début des vacances puis cessa brusquement tout courrier. Son silence me laissa indifférent, occupé que j'étais à travailler et à torturer sa rivale. Le plaisir physique qu'elle m'avait donné n'était pas de nature à survivre à une longue absence.

La rentrée relança mes mauvaises habitudes parisiennes, ainsi que mes rendez-vous hebdomadaires avec Lukardis qui assurait la matinée de la suite overdose. Tous les mardis, nous recommençâmes à déjeuner, à nous bagarrer, à rire et à faire l'amour jusque vers trois ou quatre heures de l'après-midi. Poppée par contre restait silencieuse.

Un soir vers sept heures, je me souviens que je sortais de chez un couple d'Américains, une enveloppe d'argent liquide dans les poches, avance sur une chambre d'enfant à décorer de panneaux inspirés par les bergeries du XVIIIe siècle. Un appartement superbe au quai d'Orsay visité dans cette belle lumière de fin de journée où la Seine semble joyeuse et maritime sous le drapeau français du Grand Palais… Je venais de laisser un message à un dealer et de réserver la « table des concierges » chez Caviar Kaspia, place de la Madeleine, pour fêter ça. Soudain j'entendis grincer l'escalier de bois et un toc toc autoritaire.

C'était Poppée. Serrée dans un blouson court en fourrure et un jean bleu délavé, elle semblait sortie du *Dernier Tango à Paris*. Je me sentais heureux de vivre ce soir-là, je fus charmant avec elle et je vis dans ses yeux une tendresse inattendue qui fit monter encore ma bonne humeur.

Je viens de me relire. Je trouve une gaieté forcée à ce qui précède. Je me dis que ce n'est pas possible et que ça ne pouvait pas être aussi joyeux. J'ai tendance à enjoliver ma vie, mais je crois bien que les dates concordent, j'eus en effet cette commande de chambre d'enfant à l'automne cette année-là…

… le jour où Poppée m'annonça qu'elle était enceinte.

Elle ne le dit pas tout de suite, elle attendit qu'on ait fait l'amour. Elle se fit prier, cachant son visage dans ses mains. Me suppliant : « Je ne veux pas te perdre… Alain je ne veux pas te perdre. »

J'étais embêté, j'avais réservé à huit heures et demie. Je ne savais pas quoi faire. La petite pleurait dans mes bras, je lui faisais des baisers pour la calmer. J'ai bon cœur, mon égoïsme me rend insupportable la souffrance des autres, et en même temps j'ai horreur d'être en retard. Puis le dealer n'arrêtait pas de rappeler. Par peur qu'il me lâche, je finis par lui répondre.

— Oui Karim, à neuf heures je serai à la Madeleine.

Voilà les premiers mots que j'ai prononcés quand j'ai appris que j'allais être père pour la première fois de ma vie. Peut-être… À ce moment très primitif de notre relation, je pouvais soupçonner tout le monde à part le Saint-Esprit, même le mari…

— Tu es enceinte de...

— Oui.

Poppée regardait autour d'elle, l'air un peu jaloux.

— Le lit était défait tout à l'heure, tu as eu de la visite avant moi ?

Je ne m'étais même pas lavé depuis la visite de Lukardis. Les draps puaient son parfum.

— Non non… Et tu vas le garder ?

— Oui ça fait très longtemps que nous voulons un enfant avec Peter.

— Avec qui ?

— Mon mari…

J'avais oublié le prénom du mari. C'est vrai que le philosophe s'appelait Peter. Encore un nouveau Pierre dans ma vie. Pour un confort de mémoire je l'appelai dans ma tête « Peter le philosophe ».

— Mais je ne veux pas te perdre Alain, je suis amoureuse de toi.

Le lit de la suite overdose était fait d'un matelas posé sur un bâti en bois recouvert de tapis, souvenir de l'époque beatnik laissé par la vieille Algérienne. Je cherchai à attraper ma montre que j'avais laissée sur le tapis près d'une lampe en cuivre arabisante.

— Tu es pressé ?

— Oui, j'ai rendez-vous avec un collectionneur.

— Je peux te déposer en taxi. Embrasse-moi je t'en prie, j'étais tellement angoissée. Tu voudras bien qu'on se voie encore ?

Je n'avais jamais touché à une femme enceinte mais l'idée ne m'était pas désagréable, surtout si elle était enceinte d'un autre. Cette perspective me rapprocha de Poppée et nous avons baisé une seconde fois.

Dans le taxi, je regardai son profil se détacher sur le ciel émeraude et les grands arbres noirs des Tuileries. Je posai la main sur sa joue, elle se tourna vers moi. Son visage était à contre-jour, une masse noire couronnée de boucles. Elle me regardait, quand je sentis tomber des larmes sur ma main, je l'attirai contre mon épaule. J'étais ému par elle et par l'étrangeté de la situation. Nous nous connaissions si peu.

Notre intimité soudaine n'avait rien de bourgeois. Je ne me sentais pas pris au piège comme un homme peut l'être dans ce genre de situation. Elle ne me demandait rien au fond sinon de continuer à lui faire l'amour.

Ses larmes créaient une sorte d'écran mouillé entre nos deux peaux. Je la serrai plus fort et pour la première fois je me persuadai que l'enfant était de moi, qu'elle allait le garder et que pour me garder aussi, quelque temps au moins, elle n'avouerait jamais la vérité. Je suis ainsi fait que je ne considère pas les suites possibles de mes actions, préférant jouer bille en tête toutes les parties qu'on m'offre. Au moment où les colonnes sombres de la Madeleine se dressèrent par-dessus les vitrines éclairées des fleuristes, un pacte était conclu.

Six semaines plus tard, je fus interpellé par la police en flagrant délit dans une affaire de drogue. On avait trouvé plusieurs grammes de cocaïne ainsi que le reliquat cn argent liquide de la chambre d'enfant dans mes poches, on me soupçonna d'être le dealer de mon petit cercle. C'était ma première inculpation pour ce type de délit. Après deux jours de garde à vue et une perquisition, je fus lavé du soupçon de trafic, l'usage de stupéfiant seul fut retenu contre moi. Le juge décida de ne pas me déférer en comparution immédiate mais m'obligea à des soins, une astreinte thérapeutique avec une jolie Mauricienne au nom imprononçable dont je fus, je crois, le premier patient.

L'arrestation me choqua après coup. Les premières minutes après ma sortie du Palais de Justice, j'étais ivre de ma liberté retrouvée. Je me souviens qu'en titubant sur le quai des Orfèvres, j'appelai mes deux favorites. Lukardis était occupée à regarder la télé en compagnie de ses filles, elle se moqua à mi-voix de mes malheurs en me chantant « les portes du pénitencier » et me renvoya au lendemain car elle n'avait pas le temps de me parler, son mari étant à portée d'oreille.

Quant à « la mère de mes enfants » comme je la

surnommais désormais, elle ne répondit pas. Je me souvins qu'elle dînait en ville avec son collectionneur, Umberto Brentano, en compagnie de Pierre Angélique qui ne décrocha pas non plus. De retour rue de Beaune, les ennuis recommencèrent. Ne me voyant pas revenir, la patronne avait loué ma chambre, la dernière libre de l'hôtel, mes affaires et la note m'attendaient sur la banquette du bar. Les clés de ma voiture avaient été perdues dans l'aventure et par extraordinaire, aucun autre ami ne répondait présent ce soir-là.

J'avais très envie de rentrer chez moi, de prendre une douche pour me débarrasser de l'odeur aigre de la garde à vue et de retrouver mon atelier dévasté par la perquisition des gendarmes, mais une difficulté aussi bête que cette clé de contact perdue me semblait insurmontable. Impossible d'appeler l'assurance ou le dépanneur, impossible aussi de me décider à prendre une chambre dans un autre hôtel. Celui qui ne connaît pas les redescentes de drogue ne comprendra peut-être pas un tel enfantillage mais j'étais désarmé... une cloche.

Le temps avait changé avec la nuit, il se mit à pleuvoir, je grelottais. Incapable de m'abriter dans un café je regardais les vitrines des antiquaires autour de ce qui avait cessé d'être mon domicile. J'essayai de m'accrocher à une ou deux peintures anciennes, mon remède contre le désarroi, mais tout se passait comme si j'avais été congédié de ma propre vie. Je n'étais plus capable de regarder un tableau, je n'avais plus de talent, plus rien. J'étais devenu un petit enfant abandonné par sa mère et pourtant je voyais ma tête d'adulte, mes traits tirés dans les reflets des vitrines. Même le fait d'aller chercher une autre chemise dans mon sac, de demander ne serait-ce qu'une serviette à la réception de l'hôtel, était devenu une tâche insurmontable. J'errai dans les rues, trempé, m'éloignant peu à peu de mes repères. Je croisai un couple avec un bébé et je me mis à pleurer. À plus de quarante ans, j'étais un oiseau sur la branche. Que font les oiseaux la nuit quand il pleut ? J'aurais aimé me réfugier dans une église, car j'ai gardé un vieux fond religieux de mon éducation catholique mais toutes étaient fermées. Je pensai à une vague relation, Gabrielle, une jeune actrice qui avait essayé dernièrement de se suicider en avalant des médicaments en plein après-midi dans le chœur de Saint-Germain-des-Prés. Nous avions les mêmes vices, et les mêmes amis. Quand je l'avais lue dans la presse, l'histoire m'avait fait rire de ce rire que nous affichions tous, mais au fond j'avais eu pitié d'elle comme d'une sœur, et plus encore maintenant. Soudain je songeai à cet enfant qui allait naître un jour ou l'autre. En pensant à lui, je me sentis bizarrement moins mal.

Un peu plus tard le téléphone sonna dans ma poche, c'était Poppée. Au lieu de plaisanter comme Lukardis, elle se mit à m'engueuler. Une rage violente de fille du Sud. J'entendais qu'elle était dans la rue, qu'elle avait dû sortir de son dîner chic, que son temps était compté mais qu'elle le prenait quand même. Elle hurla puis raccrocha. Je me sentais déjà mieux. Le téléphone sonna une seconde fois, elle avait réservé une chambre dans un hôtel et m'ordonna d'aller me laver et y dormir.

Le lendemain, elle me rejoignit vers dix heures, avant sa journée de travail. Elle portait son petit blouson en fourrure mais elle ne me donna pas le temps de jouer les Marlon Brando. Commença une scène épouvantable. C'était la première fois depuis longtemps qu'une femme me parlait ainsi. Je découvris qu'elle avait l'accent israélien quand elle s'énervait et des principes extrêmement solides. Elle m'apprit qu'un cousin qu'elle aimait beaucoup était mort d'une overdose et cette colère me renseigna plus sur ses sentiments à mon égard que sur les risques que je prenais en toute connaissance de cause. Je suis ainsi fait que je ne tiens pas à la vie. Ému par cette démonstration d'affection et d'une forme de naïveté que je respecte, je lui dis en souriant :

— Ma chérie tu sais bien, je me fiche de tout.

— Alain, tu n'as pas le droit de nous faire ça !

Nous ? Je crus un instant qu'elle parlait d'elle et de son mari. Puis je pris conscience de ses seins gonflés que j'avais envie de toucher. Elle venait de retirer son blouson, je sentais des ondes de chaleur. Cette femme avait la fièvre en permanence.

Après l'amour, j'eus la bonne fortune de retrouver ma clé de contact au fond de ma botte, elle avait dû glisser de ma poche trouée…

Tout à ma joie, je regardai Poppée nue sur les draps blancs, son ventre ne s'était pas encore arrondi mais son visage avait rajeuni.

— Tu sais qu'Umberto voudrait visiter ton atelier. Si tu veux je l'emmènerai chez toi dans un mois, à son retour de Chine.

Umberto Brentano… La Daladier me l'avait décrit comme le type même de l'Italien grisonnant coureur de minettes. Duplicité ou folie ? Comment pouvait-elle à la fois être amoureuse de moi, coucher par ambition et jouer les femmes d'intérieur avec un mari modèle dont j'avais appris par Pierre qu'il vivait sa paternité avec fierté lui aussi ? Qu'en serait-il dans quelques semaines, quand elle serait vraiment grosse ? Tous ces mystères me faisaient oublier ma propre misère et le rangement qui m'attendait en rentrant après le passage de la gendarmerie.

À partir de ce jour-là, Poppée prit un étrange ascendant sur moi. Touché par son geste et par sa colère, je lui promis d'arrêter de me droguer et de me mettre au travail.

Une résolution que je tins trois semaines, très soutenu par ses messages et ses attentions. Le temps de poser les bases d'une nouvelle série intitulée *Victimes*, en hommage à Balthus. De simples nus allongés sur une table recouverte d'un drap.

Mine de rien Poppée m'avait incité à ce dépouillement formel. Après une première visite de mon atelier, elle m'avait fait part de son admiration avec des mots sincères et précis. J'avais percé la raison de sa froideur ironique du premier jour. Elle était réticente devant certains de mes tableaux inspirés trop directement par l'imagerie chrétienne. « J'ai peur que tu te fermes des portes... » Un collectionneur américain m'avait fait la même remarque. Le catholicisme, qui aurait pu passer pour une provocation décadente durant les années 1970 ou même 1980, était désormais interdit dans certains cercles comme celui du marché de l'art.

La première de mes *Victimes* fut dressée en deux séances, c'était un grand nu très sobre, rose et noir sur un drap blanc. Le travail du blanc m'a toujours plu.

Voilà un exercice de peinture pure des plus exigeants. Le jeu des ombres résume toute l'histoire de l'art. Des drapés grecs jusqu'aux abstraits, voire à certaines matières conceptuelles. J'y vois aussi l'histoire de mes nuits, de mes souffrances, de mes plaisirs. Tout tient dans un drap et si je pose un corps dessus, un corps de femme dont les ombres rougeâtres ou bleues tirent la chair hors du tissu comme fut tirée la femme originelle de l'ivoire d'une côte noyée de chair, c'est toute l'histoire de l'humanité et de la représentation qui se met en jeu, un matin de soleil ou de brume dans un atelier de campagne, au milieu des tables encombrées, des fauteuils crevés dont la bourre ressemble au sexe de ma mère, des tapis anciens, déchirés, dont le motif mal discernable prépare mon œil, pendant qu'il se repose, à travailler les côtes d'un plissé, la frange rosée d'une aréole ou d'une lèvre.

Poppée vint me voir en train. Nous passâmes un après-midi à faire l'amour. J'eus la brève illusion que tout pouvait devenir plus simple entre nous si je corrigeais mon mode de vie. Elle dut sentir ma bonne foi car elle se donna plus qu'à l'ordinaire. Abandonnant définitivement l'ironie des premiers temps elle me parla de ma carrière avec la fermeté d'un instructeur militaire. Elle avait l'intention de faire monter ma cote lors de prochaines ventes. À mesure qu'elle me parlait, cette sollicitude chez une femme enceinte qui sentait la sueur et l'odeur de l'amour prenait l'aspect trivial d'une de ces discussions de boutiquiers à la Balzac que j'ai en horreur et en même temps sa sensualité et son intelligence me captivaient. Je me sentais en sécurité dans ses bras. Mon avenir était en de bonnes mains.

Quand je la déposai sur le quai de la gare, elle m'appela pour la première fois « mon amour ». Je rentrai troublé.

De retour à la maison, tout me parut vide et morne. C'était la fin de l'automne, le crépuscule, des compagnies de corneilles commençaient à se rassembler sur les grands tilleuls. Je les entendais s'invectiver. Depuis trois semaines je n'avais pas mis les pieds à Paris. L'hôtel de Beaune et mes amis s'inquiétaient. Je bus un fond de vodka, puis je passai un coup de fil à la réception, puis à Karim, mon dealer. Lukardis, mon troisième appel, sauta de joie quand elle sut que nous reprenions nos séances dès le lendemain matin. Poppée partait dans sa belle-famille en Allemagne le soir même, rien à craindre, je ne risquais pas de la rencontrer entre le Flore et mon hôtel. Ce qui ne m'empêchait pas de me sentir coupable.

En voiture pour Paris, dans le bruit de motocyclette de la Morris, je repensai à Poppée et à son emprise. Mes scrupules me semblèrent ridicules. Pourquoi lui faire confiance ? En dépit de son aplomb, sous des airs légers et directs elle était très mystérieuse. Elle en savait bien plus sur moi que moi sur elle. Ses bonnes intentions restaient vagues et sa raison sociale opaque. Elle œuvrait dans plusieurs centres d'art contemporain, mais impossible de savoir vraiment à quoi. Ses jugements souvent teintés de dédain étaient tranchés. D'un directeur de musée que je croyais à la mode, elle me lâchait sans appel qu'il était « fini ». De tel artiste autrichien elle me laissa un jour entendre qu'il allait être couronné par une enchère importante à Londres et le lendemain c'était le cas. Pour la politique, même sagacité cynique, elle semblait au fait de toutes sortes de secrets de couloirs. Comment savait-elle ça ? Je pensais à l'époque qu'elle tirait ses informations des alcôves où elle traînait. Mais enfin dans son état ça commençait à bien faire. L'hypothèse du Mossad était bien sûr une blague de Pierre Angélique. Elle ne parlait presque jamais de sa famille et encore moins d'Israël. Une seule fois, de son service militaire pendant la première guerre du Golfe, en 1991. Elle retournait parfois là-bas voir sa mère et son jeune frère. Elle était fâchée avec son père. Quant à son mari, il devenait dans sa bouche une simple litote : « L'homme qui vit près de moi. » J'en venais à imaginer que Peter était peut-être gay et qu'ils se chevillaient l'un à l'autre pour leurs carrières. Toujours avare de paroles, Pierre Angélique m'avait dit sur un ton blasé que c'était un « apparatchik ». Certes, mais de quelle confrérie ?

— Elle se vante, Umberto ne viendra jamais dans ton atelier, par contre il va t'acheter des œuvres, beaucoup d'œuvres.

Nous étions attablés à la Costa d'Amalfi, un petit restaurant italien situé près de mon hôtel. Pierre Angélique venait de nous rejoindre avec une nouvelle amie qui mesurait un mètre quatre-vingt-cinq et avait l'air d'avoir treize ans. La Daladier était à New York mais son ex-mari, toujours soigneusement lugubre, tenait son poste avec une nouvelle fiancée. Il y avait aussi l'autre Pierre, le vieux, dit le Chinois, assis près d'un de mes rares amis de collège nommé Frédéric Moreau, et d'autres que j'oublie. Ma bande habituelle, principalement masculine, une sorte de club où les femmes étaient admises mais ne faisaient que rarement l'objet de la conversation.

L'oracle de Pierre Angélique fut noyé dans le boucan général. Dans le feu des retrouvailles nous parlions tous en même temps et l'écho de nos voix avait chassé tous les autres clients du restaurant. À ce moment, je reçus un message de Francfort :

Mon chéri. Je me couche enfin avec le bébé qui grandit d'heure en heure dans mon ventre. Je suis heureuse de te savoir tranquille à la campagne, avec tes tableaux. C'était merveilleux aujourd'hui. Dors bien mon chéri et surtout travaille bien demain matin je t'aime. Pop

Je regardai autour de moi presque honteux. Tout ce que j'avais pensé dans la voiture était défait par la simplicité pourtant évidemment contrefaite de ce message. Depuis l'affaire de la garde à vue, Poppée me traitait comme si j'étais le père de son enfant et que nous vivions ensemble. Contre tout réalisme, malgré notre séparation physique, malgré son mari et tout le reste, dans les rares moments que nous partagions, au téléphone, par SMS, elle jouait les petites mamans attentives et moralisatrices.

Je voulais ranger le téléphone dans ma poche sans pourtant y parvenir. Avais-je peur d'elle ? Poussé par la cocaïne qui me donne le goût de la trahison, je lui répondis sur le même ton, un truc du genre « *ma chérie je suis si heureux de ton message. Je suis déjà au lit avec un bon livre. J'entends la chouette chanter dans le jardin. Baisers fous* ».

La chouette était l'invention d'un compagnon de beuverie. Ce mensonge marqua un tournant dans notre relation. Sans m'en rendre compte, j'entamais une partie de dupes qui allait durer bien plus longtemps que prévu. J'étais encore persuadé à l'époque que nos jours étaient comptés, que Poppée n'allait pas tarder à me quitter. Il y avait une ambivalence dans mon comportement, je cherchais à me rassurer dans cette liaison ordinaire, celle d'un petit couple moyen attendant la naissance d'un enfant, placée dans un contexte qui lui enlevait tout pouvoir d'obligation. Légalement irresponsable, j'étais libre de filer à tout instant. Cette liberté m'attachait à ce foyer fictif, à ces intrusions d'une femme sérieuse doublée d'un être secret, impalpable, dont les mobiles m'échappaient. N'ayant pas à supporter les visites au médecin, les travaux d'aménagement de la future chambre d'enfant, l'inscription à la crèche, les responsabilités ordinaires d'un père de famille, j'en goûtais en amateur les impressions rassurantes. Tout n'était pas morbide dans ma vie puisque j'allais avoir une descendance. Mes débordements étaient corrigés par la crainte que j'avais de décevoir cette fausse petite maman si attentive à mon équilibre.

Le monde où je vivais était souvent triste. Plus tard, après la Costa d'Amalfi, nous sommes allés au Montana, vide comme certains soirs de semaine. L'ex-monsieur Daladier passait les disques. Nous buvions au bar. Il n'était pas encore minuit. Une femme seule, soûle, rôdait sur la piste. Nous avons reconnu dans la pénombre Kate, une célèbre modèle anglaise amie du patron. Lui n'était pas là. Aux chiottes ou dans son bureau. Il n'y avait que la bouteille de vodka à sa table au fond. Lassée de sa solitude, la belle fille soûle a invité le Chinois à danser avec elle. Le Chinois, soixante ans, un ventre comme un obus moulé dans un pull marin, n'avait jamais dansé de sa vie ; il a refusé. Elle s'est mise à l'injurier en anglais avec des mots très grossiers. Il a rougi. On en riait encore trois heures plus tard. Quelle veste ! Qui pourrait nous croire ? Un top-modèle blackboulé par un vieux Chinois grognon en pull marin avec un gros ventre dans une boîte vide. Vu les états dans lesquels cette femme se mettait, ça ne devait pas être la première fois que ça lui arrivait. Quant à moi, avec ma fiancée enceinte et mariée, c'était pas mal non plus. Quelle vie… Je regardai une nouvelle fois le SMS de Poppée, celui du bébé qui grandissait… J'étais fasciné. La drogue sûrement. Dehors, les toits de zinc brillaient sous la pluie de novembre. Demain matin, comme à chaque redescente, j'aurais envie de me suicider. Mais il y aurait Lukardis et puis Poppée et leurs petits messages. Une structure familiale comme une autre.

La peinture ne marchait pas tous les jours. J'ai traversé cet hiver-là des moments difficiles. La visite d'Umberto Brentano restait un projet sans date, les Américains étaient repartis en Amérique en me laissant de l'argent vite dépensé, mais peu d'espoir sur l'issue de cette commande. Inquiet comme tous les bavards, je craignais même que mon histoire de police, colportée par de bonnes âmes, ne les ait refroidis. La chambre d'enfant suspendue dont les esquisses traînaient quelque part dans l'atelier résumait avec ironie mon marasme. Poppée continuait de venir à nos rendez-vous à la suite overdose, et parfois à la campagne en train, de plus en plus ronde, de plus en plus excitante. Les séances qui prolongeaient celles que j'accordais à Lukardis suivant un rythme immuable, avec le vin rouge et les habituelles conversations sur l'art, la culture ou la vie politique, me laissaient à la fois captif et perdu. Le rapport trivial que nous entretenions, fait d'habitudes, de petits coups de téléphone, de questions banales, de jalousie, reposait sur un délire.

Il lui arriva une seule fois de percer le trompe-l'œil d'un coup de poignard. Un soir, à la campagne, elle m'annonça que les médecins arrivaient maintenant à déterminer à quelques heures près le moment exact de la conception. Les éléments qu'elle me livra me permirent de calculer que l'enfant avait été conçu le jour où nous avions couché pour la première fois ensemble. Je lui demandai si elle était bien sûre qu'il n'était pas de moi… Un vrai sourire éclaira le visage juvénile qu'elle affichait après l'amour.

— Enfin chéri, tu ne m'avais pas dit que tu voulais un enfant !

Je la regardai intensément, bus une gorgée de vin et me dis à moi-même « toi, tu vas payer très cher ce que tu viens de me dire ». C'était comme dans une pièce tragique de l'Antiquité, je me sentais habité par une force mauvaise, un désir de ruine et de malheur.

Je me crus méchant alors que je n'étais peut-être que lâche, triste, frustré de cet enfant ou piégé par une force hostile qui avait bien mesuré ma faiblesse, s'en servait et en jouissait au passage, peut-être même quand je lui ferais l'amour une deuxième fois, la quatrième pour moi de la journée après les deux séances de Lukardis, tout à l'heure. Par extraordinaire, les deux s'étaient succédé à la campagne, comme à Paris et dans le même ordre. Les femmes ont de ces mystères communs peut-être liés à la lune ou aux planètes qui leur échappent à elles-mêmes.

Son instinct d'intrigante dut l'instruire qu'elle avait poussé le bouchon trop loin. Mon regard m'avait trahi. Elle se blottit dans mes bras et me dit que je lui faisais peur. « Ma douceur inquiétante », comme elle disait joliment avec la précision de langage d'une étrangère… Je caressai ses boucles sans sourire, mon regard brillant posé sur elle je la voyais jouer l'ingénue, se blottir dans mes mains comme un agneau qu'elle n'était pas. Elle demanda à voir mon travail. Je lui répondis que je n'étais pas très content de l'avancement de mes *Victimes*. L'absence de mon modèle Anne-Marie, alitée par une sciatique, me laissait travailler dans le vide, ce que je n'aime pas, même si mon art conserve de l'autonomie par rapport au réel. Je ne voulus pas ouvrir la porte de l'atelier et Poppée continua à siroter son vin l'air soupçonneux.

— Tant pis… Tu as toujours la série de pointes sèches ?

— Oui, je ne les ai pas données à ma galerie. J'ai le projet d'en faire un album.

— Umberto veut un album d'une vingtaine de planches. Des encres plutôt que des gravures. Il prépare un ensemble d'art graphique contemporain pour sa collection.

C'était la première fois en six mois qu'elle ouvrait son jeu. Je la regardai l'air rêveur. Son ventre commençait à cambrer son dos et ses seins en poire étaient tendus au point d'éclater.

— Il est prêt à payer l'ensemble cent mille euros.

C'était nettement au-dessus de mes prix ordinaires. La somme n'était pas non plus absurde. Visiblement, elle connaissait son affaire.

— Il ne vient pas visiter l'atelier ?

— Pas pour le moment. Tu sais, il ne faut pas jouer avec sa patience, il n'aime pas ça. Tu as intérêt à accepter aujourd'hui et à t'y mettre tout de suite. Il veut l'album dans un mois. Pour Noël.

Je n'aimais pas trop le ton qu'elle prenait mais j'avais besoin d'argent.

— Tu couches avec lui ?

— Alain, tu es malsain… Tu es fou… Tu ferais mieux de travailler et d'arrêter la drogue. J'ai une amie qui t'a vu mardi dernier à Saint-Germain, tu étais complètement défoncé. Tu sais que ça me rend très malheureuse.

Elle se leva pour se rhabiller. Je voyais son reflet dans la grande glace vénitienne qui surmonte la cheminée de la chambre. Toute petite, on aurait dit mes pointes sèches. Elle se tourna vers moi.

— C'est idiot d'être autodestructeur. On pourrait vivre ensemble des choses merveilleuses.

— Ensemble… Avec ton mari?

— Il ne compte pas de la même manière. Je t'ai expliqué. Dis-moi, comment je pourrais habiter à la campagne chez un drogué ou dans une chambre d'hôtel avec ta cour de copains ?

Je n'avais pas la moindre intention de vivre avec elle, même sur la lune qui brillait par le carreau derrière les tilleuls, mais je me tus. Le chèque d'Umberto Brentano m'était devenu soudain indispensable, alors que dix minutes plus tôt je n'y songeais pas puisqu'il n'existait pas.

Un piège s'ouvrait largement devant moi. Était-ce vraiment prémédité de sa part ? Cherchait-elle simplement à me garder ? J'aurais pu profiter de ma colère pour m'éloigner. Ma galerie me soutenait, certes un peu mollement, mais les Américains du quai d'Orsay m'avaient rappelé le matin même. J'aurais pu décider de refuser la commande, la mettre dehors et ne plus jamais entendre parler d'elle ni de ses combinaisons. Nous étions quittes, un peu de plaisir partagé et tout était dit. Au fond de ma mémoire, la place de cet enfant naturel n'aurait pas été encombrante. Un trophée quelque part... Une illusion peut-être... Inoffensive. Mais le goût du jeu fut plus fort. Cette petite phrase, « Chéri tu ne m'avais pas dit... » qui en aurait fait fuir un autre réveillait une envie mauvaise. L'argent exerce sur moi une véritable attraction à partir du moment où il est à ma disposition, quand je sens qu'un léger effort peut m'assurer de quoi voir venir. Je ne garde rien, je ne fais aucune économie mais j'aime gagner et j'aime le commerce où des âmes sont engagées. Profiter des sentiments des autres, d'une situation, voire d'un piège qu'on me tend pour tirer mon épingle du jeu me procure un plaisir très doux et très violent. Je peux passer des nuits à construire des machines de ce genre. Cette femme enceinte adultère, obscène, jolie et méprisante, cherchait à me corrompre et me provoquer avec l'argent d'un troisième homme. Qui sait, peut-être était-ce lui, le futur destinataire de l'enfant ?... Ou alors s'efforçait-elle sincèrement de m'aider ? Voulait-elle se rendre utile, me forcer à me corriger, nous faire un petit trousseau de manière à quitter l'autre et à se mettre avec moi, le grand artiste, l'homme d'avenir qu'elle voulait bien voir en moi si j'arrêtais la drogue ? Ou alors le mari tirait-il les ficelles ? Il faut se méfier des fausses dupes... Peut-être était-il l'amant du vieux collectionneur et m'avaient-ils choisi tous trois pour se reproduire, avec Poppée dans le rôle du ventre ? Ce qui était sûr, c'est qu'à cinq mois de grossesse, les milliers d'euros pouvaient vite se transformer en des sommes bien plus importantes. Je la regardai se rhabiller avec plus d'insistance, elle sentit mes yeux sur elle et se retourna vers le lit, un peu inquiète :

— À quoi penses-tu mon chéri ?

En compensation de ce marché, Poppée commença à prendre ses aises. Non contente des cinq à sept, elle déposa chez moi une nuisette de satin noir, des pantoufles vénitiennes, des accessoires de toilette. Plus son état devenait intéressant, plus le mari semblait lui laisser la bride sur le cou. Il lui arrivait de dormir à la campagne au moins une fois par mois en plus des séances hebdomadaires à l'hôtel de Beaune.

J'eus à cette période une montée de tendresse envers elle. Était-ce la simple joie d'avoir une femme à la campagne ou une affection plus viscérale ? Je la câlinais de mille manières, j'avais les attentions d'un jeune père pour son épouse. Elle était gourmande, je suis bon cuisinier, je lui préparais de somptueux petits déjeuners servis sur un plateau d'argent ancien. Muffins fraîchement grillés, fruits rouges à la crème fraîche, omelettes aux herbes, rien n'était trop bon pour cette créature qui s'était installée dans ma vie de temps à autre, comme en ménage. Si ma vie ne fut qu'une succession de jeux, celui-là, le plus cruel, nous réserva des moments heureux – je les avais presque oubliés mais voilà qu'en écrivant ils me reviennent. Nous parlions beaucoup. Ma tendresse l'apprivoisait et la rendait loquace. Elle se révélait bien plus profonde et surprenante qu'il n'y paraissait au premier abord. Issue d'une famille désunie, durement éduquée par un père « fasciste israélien », puis par une mère professeur issue d'une vieille lignée juive italienne, intelligente comme un démon, elle avait acquis par beaucoup de lectures nombre de vraies connaissances. « J'apprends très vite », me disait-elle. Moi j'apprends lentement. Je possède une curiosité d'autodidacte et une culture d'antiquaire. Je ne suis pas un intellectuel, je manie mal les abstractions et les concepts nécessaires à justifier mon travail, mais j'ai retenu toutes sortes de détails intéressants sur les tableaux que j'aime et la technique des vieux peintres. En retour de mes longues improvisations sur Corrège ou Watteau, elle me lisait en italien à voix haute quelques merveilles du *Paradis* de Dante sur lequel elle avait fait un mémoire d'esthétique à l'école. Elle discernait en lui l'influence cabalistique mêlée de platonisme. Ouvertement laïque, amatrice de philosophie et de poésie, elle se moquait de l'isolement farouche des juifs orthodoxes mais elle parlait peu de ses convictions, je ne les découvrais qu'au hasard de nos lectures, à la dérobée. De conversation en conversation nous en vînmes au travail. Elle voulait m'aider à construire un discours intelligent sur ma démarche, exercice indispensable selon elle. Je ne pouvais pas me contenter de peindre, il fallait que j'élabore une théorie. Pour la contrarier, je lui assurais que j'avais la foi du charbonnier, un bon tableau était pour moi une opération surnaturelle qui m'échappait complètement. En riant elle me traitait de sauvage. Ce qui lui plaisait au fond, car elle était superstitieuse et croyait à la magie, « souvenir de Babylone », disait-elle. Après cette concession elle revenait à la charge de plus belle en me poussant à renier la naïveté qui m'empêchait d'avancer. D'après elle il valait mieux être lucide que sincère, un mot qu'elle exécrait.

Malgré toute la haine qui nous sépare aujourd'hui, je ne peux pas oublier nos matinées de camarades de lit passées derrière le givre des fenêtres. Chaudement heureux comme les proies d'un enchantement, maléfice qui avait à courte vue les égards d'un conte pour ses héros. Le songe d'une nuit d'hiver.

Elle prit des vacances en décembre. Peter l'accompagnait-il ? Sûrement, mais elle en fit un mystère que je ne cherchai pas à percer.

Lorsque je retrouvai la solitude derrière la porte de mon atelier, près du poêle où brûlaient les bûches glanées pendant mes promenades en forêt, je commençai à mener plusieurs tâches à la fois. Celle pour quoi j'étais payé m'occupait le soir à la lumière de la lampe, sur une table d'architecte ancienne à contrepoids de fonte, acquise grâce à l'avance d'Umberto Brentano. Les *Victimes* quant à elles résistaient, elles ne m'étaient pas encore tout à fait offertes. J'y travaillais le jour à partir de dix heures jusqu'à trois heures de l'après-midi quand la lumière baisse en cette saison. Mon modèle n'étant toujours pas rétabli, je souffrais de trop dessiner au chiqué. La chair me manquait à tout point de vue.

Ensuite, c'étaient de longues promenades en compagnie d'un chien de rencontre, un bâtard noir à la gueule rouge que j'appelais Nox. Il était venu à moi en plein bois un jour de glaces. Il m'avait suivi. D'où sortait-il ? De chez un voisin probablement, mais je préférais l'imaginer échappé de l'enfer. Il était silencieux, fidèle et peu caressant. Il sentait mauvais et me traçait toujours à distance. Je le trouvais quelquefois devant ma porte avant qu'il ne disparaisse.

J'aime la campagne en hiver. J'ai un goût de dessinateur pour le bois des arbres mis à nu par la chute des feuilles dont le tapis noirâtre craque sous les pieds. La forêt qui cerne ma maison a le pittoresque de Fontainebleau avec une nuance de mélancolie supplémentaire. De grands bois de pins plantés par les exploitants ménagent sur certaines pentes des arrière-plans très romantiques. Quand il neige, je m'amuse à imaginer les Vosges, le Ballon d'Alsace ou la Forêt-Noire. Le lavis rose ou orangé, le mélodrame céleste des soirées d'hiver sur quoi se profilent les branches tombantes des épineux, la lumière grise, vaporeuse des sous-bois me font imaginer des allégories où la Mort et le Diable jouent leurs rôles de compères.

Parfois, je prenais la vieille Morris pour aller charger des réserves de bois sec. Ces corvées accomplies à la nuit tombante en compagnie de Nox qui allait et venait dans la pénombre m'apportaient un grand apaisement, apparenté dans mon esprit à l'ordre millénaire, celui des fondateurs capétiens de mon village mais aussi des druides et même des hommes qui les ont précédés. Ce genre d'intuition ramène l'homme à sa dimension essentielle. L'étrange paternité que m'imposait Poppée et dont je savais la perversité sans pour autant lui nier toute innocence s'associait dans ma tête de fou à la nature ; je n'avais pas tort, cette folie de femme avait du naturel.

Un bip de mon téléphone me rappelait sa présence, c'était encore un de ces petits messages qu'on adresse à un mari absent. Et je lui répondais d'autant plus gentiment que je ne lui mentais pas. Les inventions du soir de la Costa d'Amalfi étaient devenues réalité. La chouette chantait vraiment dans un arbre voisin. Alors que je chargeais mes fagots dans le coffre désarticulé de ma vieille auto, je me disais que j'avais la belle vie, à ma manière. Ce mariage de contrebande vécu dans un décor d'ombres me permettait le plus grand luxe et le plus simple, celui des enfants : le mélange du rêve et de la réalité. La nature, la nuit, l'étoile Vénus elle-même jouaient avec moi, j'incarnais durant quelques secondes un père de fantaisie ramenant le bois chez lui pour réchauffer la chaumière en attendant l'arrivée de l'enfant.

Pour parfaire le spectacle, je mettais des lieder allemands sur l'autoradio et roulais poussivement sur les pavés de grès disjoints du chemin forestier.

Tenu au rôle du Paraclet, je jouais à saint Joseph. Un sentiment original dont je n'avais vu la trace dans aucun livre. Un sentiment suspect puisqu'il reposait sur un mensonge.

Le diable se réveillait à mesure que les ombres descendaient des sapins et éteignaient le fond de vapeur opale rayé par les troncs. Mes fantaisies sexuelles d'homme privé de femme tournaient vite au sadisme et la très grande excitation que me provoquait la compagnie de Poppée venait aussi de la faiblesse où l'avait fait tomber son état. Je ne sais pas si d'autres jeunes pères connaissent une passion qui fut dans mon cas amplifiée par l'adultère et la séparation, mais j'imaginais en lui faisant l'amour ou lorsque je pensais à elle à distance toutes sortes de tortures. Les souvenirs des *120 journées de Sodome* et de *La Nouvelle Justine* me remontaient, les supplices que Sade réserve aux femmes enceintes se déroulaient dans mon imagination, alors que la Morris tanguait en grinçant sur les pavés et qu'un nouveau SMS s'affichait : « *Mon chéri je pense à toi très fort, je t'aime* ».

En rentrant je contrôlais mon excitation en travaillant mes encres au coin du feu. La chaleur du bois, le grattement de la plume, les griffures du métal sur le papier, le sujet que je dessinais étaient des exutoires d'autant plus efficaces qu'ils me rapportaient de l'argent. Penché sur mon pupitre, je ressentais une ivresse dangereuse. Le diable niché dans l'ombre du poêle arrivait parfois à me distraire grâce à l'idée même de ce profit. Soufflant sur les fagots, me montrant l'or du feu, il agitait le vent de la vanité, l'impression de bien faire. La toute-puissance de maîtriser à la fois mon travail et ma vie me conduisait à un débordement de forces tel que je n'arrivais plus à dessiner. J'avais besoin de jouir tout de suite. Prisonnier volontaire je n'avais qu'à bouger pour me libérer. Un de ces soirs-là, mon imagination chauffa tant que je dus interrompre mon travail à la plume et filer à Paris retrouver un dealer. Petite gourmandise de drogué, aller-retour à fond la caisse entre la campagne et les cafés de la rue Myrha, voyage éclair que j'appelais dans mon jargon un « go fast ». Tel fut mon réveillon de Noël cette année-là.

Plus encore que mes virées parisiennes, les nuits de défonce solitaire passées à la campagne m'ébranlaient profondément. Sans les limites imposées par le monde extérieur, chambre à rendre, personnel qui frappe à la porte, rendez-vous professionnels ou train à prendre, les excès me laissaient désemparé face à un travail refroidi, d'autant plus difficile à réchauffer qu'il m'attendait dans la pièce voisine.

Des trois grandes toiles en cours, l'une était avancée, trop peut-être. J'avais traîné dessus, j'y étais revenu certains matins, plutôt dans l'espoir de me rassurer qu'avec la véritable intention d'injecter un trait nouveau, une trouvaille réelle qui se paye si cher. À chaque fois que je partais sur une nouvelle toile, je croyais réussir ce que j'avais manqué jusqu'ici. Pendant les premières séances, tout allait vite, surtout sur les grands formats. Puis la machine ralentissait et l'enlisement menaçait. Au lendemain du go fast je crus déceler à certains signes que le tableau, si prometteur au départ, était fichu. Il s'était enlisé. Peut-être à cause de la sciatique du modèle, de l'aller-retour à Paris ou pour des causes plus profondes qui tenaient à mon état moral d'avant la crise.

Je me souviens que j'ai jeté mon matériel à travers l'atelier et que je me suis mis à hurler.

Toutes mes superstitions remontaient, j'aurais juré que la petite Poppée avait le mauvais œil, que cette histoire d'enfant était une horreur, que la commande à honorer m'avait retiré toute fraîcheur sur mon vrai projet, les travaux du soir, la série de pointes sèches ayant dangereusement émoussé mes exigences du matin. Derrière ces premières idées désespérantes se cachaient une cavalerie d'autres perspectives plus noires encore. La peinture telle que je la pratiquais, toutes ces huiles, ces essences datant d'un autre âge, cette fameuse térébenthine que Duchamp moquait déjà cent ans avant moi et qui puait si fort me devenaient odieuses. Ainsi que les chiffons souillés qui servaient au frottis et qui traînaient par terre comme de vieux pansements ou du papier toilette usagé. Toutes les terres, les ocres, les couleurs éteintes m'évoquaient les différentes nuances des excréments ou du sang menstruel. L'envie de suicide par arme à feu me prenait. J'avais un pistolet dans un tiroir, un Colt .45 automatique, un peu mieux entretenu que ma Morris puisqu'il servait moins souvent. Je le tenais prêt, il m'arrivait de le sortir du foulard de soie déchiré dont je l'enveloppais et de le regarder.

Comparée à la faiblesse de mon tableau, la beauté de cet objet, ouvragé avec précision et intelligence, suivant des règles techniques visant l'efficace et le strict nécessaire, me rendait encore plus triste. Je pensais aux dessins industriels, à la précision de certains travaux à la plume et levant les yeux sur le chevalet, je voyais ce grand panneau rectangulaire plein de masses incertaines, cette chair rose comme du cervelas voletant maladroitement sur des blancs sans reliefs, un médiocre drapé, du barbouillage crayeux.

Je criais « Je vais me tuer, je vais me tuer… ». Je me suis toujours demandé à quoi rimaient ces menaces. Des paroles en l'air… Je pouvais même pousser l'enfantillage jusqu'à m'adresser à un Dieu que je ne priais plus depuis longtemps. « Seigneur, pitié je vous en supplie ! » Combien de fois me suis-je entendu dire cela dans mon atelier ou les matins de nuit blanche dans la suite overdose.

Je posai le pistolet et sortis en titubant dans le jardin sous un soleil d'hiver, faussement printanier comme il arrive à cette saison de l'année. En pantoufles et robe de chambre – dans mon désarroi je ne m'étais pas changé pour peindre –, je m'assis sur un petit escalier de ciment contre un buisson que l'hiver avait en partie dépouillé. J'avais planté ce rosier l'été dernier à peu près au moment où Poppée avait dû tomber enceinte. Le parallèle me sauta aux yeux. Ce végétal pour lequel j'avais développé des trésors d'attention avait exactement le même âge que l'embryon. Peut-être vivrait-il plus longtemps ? C'était une touffe de verdure sans grande valeur mais je l'avais aidé à traverser la sécheresse d'août avec toutes sortes de soins, d'épouillages et d'arrosages. Ces idées que baignait la douceur du soleil d'hiver me rendirent moins sombre, je me sentais revivre. Dos à la verrière de l'atelier, je laissai mon regard errer sur la nature. Pour la première fois, je ne pensais pas à moi ou à Poppée mais à lui, mon enfant à naître en tant que personne humaine, organisme vivant qui allait devoir survivre, apprendre et arriver un jour à l'âge que j'avais aujourd'hui. Tout m'annonçait que je ne suivrais pas complètement cette évolution. Poppée n'avait pas la moindre intention de me laisser choisir, et aurait beau jeu de me reprocher en temps utile de ne pas l'avoir fait. Je connaissais trop bien son caractère et ma faiblesse pour imaginer d'autres voies. Peut-être aurais-je dû la forcer ? Personne ne pourra jamais me le dire. L'idée que cet autre allait vivre me rendait heureux, même de loin. L'effondrement provoqué par la mauvaise marche de mon tableau était moins douloureux. Grâce à lui en quelque sorte. Je me mis à pleurer, effet d'un lendemain de cocaïne mais aussi d'une part d'émotion vraie et tout à fait inconnue jusqu'alors.

En rentrant dans l'atelier je constatai que ces bons sentiments n'avaient pas opéré de miracle. Mon tableau était toujours aussi moche.

Je ne me décidai pourtant pas à lacérer la toile, seule méthode pour se débarrasser de ce genre de parasite : un tableau raté sur lequel j'insiste peut me faire perdre beaucoup de temps. À défaut de courage, je balançai d'un coup de pinceau une grosse quantité de noir sur la figure trop travaillée, puis je le saisis par le châssis et le retournai contre le mur dans une réserve où s'entassaient des ratages précédents.

Je passai le début de la soirée sous la lampe à avancer mes dessins à la plume, qui marchaient mieux. Puis je me fis une soupe. Pour me reposer en continuant à travailler, je m'exerçai jusque tard dans la nuit à copier des bas-reliefs romains.

Ni Poppée ni Lukardis, qui avait disparu pour les fêtes dans le château de son père – celle-ci était vraiment d'un autre temps –, ne donnèrent de leurs nouvelles durant les jours suivants. Je ne cherchai pas à les joindre. Depuis que j'avais lâché ma *Victime*, j'étais pris d'une crise d'humilité. Impossible de renouer avec les couleurs, je voulais recommencer le travail au plus simple niveau. Abandonnant les livres d'héliogravures où j'avais copié mes sarcophages romains, je ressortis un moulage en plâtre d'un bas-relief grec, une Victoire attachant sa sandale, et je m'attaquai à en reproduire le drapé à l'aide de plumes, de lavis et de rehauts de craie blanche. En une journée je produisis trois grisailles d'une sobriété rassurante. Pendant mon travail j'écoutais sur ma chaîne stéréo de vieux enregistrements de violon datant d'avant la guerre où Yehudi Menuhin encore enfant emploie toute sa grinçante virtuosité à jouer la musique de Bach. On peut trouver ça trop expressif mais j'aime ce sentimentalisme hâtif, tzigane, presque désaccordé. Un soir avant la nuit, à la place de la corvée de bois, j'allai ramasser des branches de houx, de bouleau et une tresse de ces fleurs grises que produit la viorne, et je composai avec des fruits d'hiver une nature morte que je voulais reproduire le lendemain en grisaille sur une toile vierge. Puis sans raison, je me soûlai à la vodka jusqu'à tomber par terre.

Réveillé en pleine nuit la bouche sèche et les mains tremblantes, je vis la lune qui brillait entre les branches des arbres. Le feu s'était éteint, j'avais froid. Dans le désordre triste de mon atelier, j'eus la certitude que la naissance de cet enfant, encore lui, pouvait être dangereuse pour moi. Depuis quelques jours, mes agissements m'étaient obscurs. C'était comme si on avait volé mon âme pour la donner à quelqu'un d'autre. Aujourd'hui je pense que c'est à ce moment-là, à peu près au cinquième mois, que la conscience de l'être qui se concevait à l'intérieur de Poppée commença de se détacher du néant, à écouter et percevoir. Je le sentais me défier à travers l'espace. J'avais conscience de vivre des moments mystérieux, dont l'homme ordinaire, le père légal, est peut-être conscient mais qu'il refoule. Ma fureur était autre, puisque l'objet m'était retiré avant même que j'aie le choix de le reconnaître. Elle se retournait contre moi. Je regardai dans la nuit les marches de ciment où je m'étais posé deux ou trois jours plus tôt, et ce que j'avais pensé à ce moment-là bascula dans une émotion contradictoire. Il fallait que j'arrête avec cette histoire. Je devais rompre, une fois achevés les dessins commandés par Umberto Brentano.

Sans que j'en aie conscience, occupé à briser les liens, je glissais dans le piège que le silence de Poppée rendait plus efficace. Insidieusement, j'étais en train d'abandonner mes œuvres libres, les *Victimes*, pour me consacrer à un travail de commande, plus facile, qui serait forcément, même si je ne le voyais pas à ce moment-là, suivi d'un autre. En rentrant de l'argent, je pensais me libérer d'elle alors que je devenais son obligé. Ce marché m'interdisait surtout d'être sincère : même si je choisissais de ne pas me séparer d'elle, mon attachement pouvait passer pour de l'intérêt. Rien de plus facile que de me reprocher ma bassesse… La stature de Brentano rendait ma situation encore plus complexe, jamais jusqu'à présent je n'avais été soutenu par un collectionneur de ce niveau. Renoncer à ma chance était idiot. J'étais assez vieux pour savoir qu'une occasion pareille ne se présente jamais deux fois.

Ce genre de pensées qui se mordent la queue apparaissaient fréquemment dans mes insomnies alcooliques. Elles durèrent jusqu'à l'aube où je m'endormis enfin dans mon lit.

Je fus réveillé par le grésillement du téléphone. Lukardis annonçait sa visite.

Elle arriva avec des cadeaux, une pile d'assiettes anciennes, un pull-over chaud pour l'hiver et un chandelier, souvenir de son père. J'étais son « vieux clochard », une sorte de pauvre, objet de bonnes œuvres qui lui servait aussi de compagnon de lit. Tout ce qui venait d'elle était ainsi à la fois charmant et un peu insultant.

Faire l'amour me remit d'aplomb comme un bain dans la Baltique. Je ne sais pourquoi la conversation d'après porta sur Umberto Brentano. Lukardis était liée par la branche avec toutes les familles industrielles, elle m'apprit un secret d'alcôve : l'homme d'affaires était homosexuel. Pour elle, c'était avéré et cette préférence expliquait son ouverture d'esprit et aussi certains liens. Voilà qui contredisait les ragots de la Daladier.

Je dormis bien, et au matin je retournai du mur ma *Victime* restée en pénitence depuis Noël. À force de frottage, j'arrivai à lui rendre un semblant de vie. La trace de peinture noire balancée sous l'effet de la rage, en la grattant, prit la forme d'une croix vénitienne, un talisman de confrérie que je possède dans mon barda. Réorganisé autour de la croix noire qui semblait lui pendre au cou, rehaussé par quelques traces de vraie chair, sans doute celle de Lukardis imprimée dans mon œil, le nu frémit de nouveau. Mes travaux de grisaille me servirent à retaper le drap et, au crépuscule, j'avais ressuscité l'espoir.

L'année s'ouvrit sur plusieurs projets. Le couple d'Américains me relança pour sa chambre d'enfant. Je remis à Poppée la commande Brentano, ma galerie new-yorkaise me confirma une exposition pour l'année prochaine. Des Russes de Saint-Pétersbourg dégotés à la Saint-Sylvestre par mes amies Victoria et Sonia voulaient bâtir une réplique du vieux restaurant Lapérouse sur les bords de la Neva dont chaque cabinet serait décoré par un artiste. J'étais sur les rangs avec le peintre américain John Currin.

Poppée qui détestait toute opportunité où elle n'avait pas son mot à dire m'annonça qu'après sa grossesse elle s'occuperait à plein temps du projet de fondation Brentano. Un énorme chantier dans lequel son rôle à venir restait aussi flou que ses fonctions passées. Une façon de m'appâter qui m'apparut grossière.

Je passai deux mois écartelé entre mes *Victimes*, au nombre de trois désormais, et mon chantier du quai d'Orsay. Heureusement, il ne s'agissait pas de vraies fresques mais de panneaux indépendants que je travaillais à la campagne un jour sur deux, en alternance avec les *Victimes*. Ma modèle, Anne-Marie, vivait dans le village voisin, il lui arrivait de passer les après-midi de samedi et de dimanche avec ses deux nièces qui posaient pour les silhouettes d'enfants de mes scènes pastorales, les visages s'inspirant de ceux des petits billionnaires américains.

Mon emploi du temps n'oubliait jamais les fêtes du mardi soir et je trouvai même le moyen de prévoir un saut à New York pour retrouver Pierre et la Daladier.

Poppée désormais très enceinte montrait de plus en plus d'inclination pour l'amour physique. Je n'aurais jamais imaginé qu'une grossesse aussi avancée me ménage de telles séances. Ce mélange permanent de nos fluides corporels provoquait chez moi un trouble inconnu. J'étais son homme, elle était pleine de moi, elle se donnait totalement et pourtant dormait ailleurs et continuait de jouer les futures mamans parfaites et d'acheter des layettes et des couffins chez Bonpoint avec son mari et ses amies. Il m'arrivait de la regarder dans les yeux quand j'entrais en elle pour voir qui elle était vraiment mais je n'ai pas percé le mystère. Elle avait pris plusieurs kilos, son visage restait joli, seuls ses chevilles et ses pieds avaient enflé d'une manière qu'elle jugeait inesthétique. Je n'étais pas d'accord. J'adore les pieds de femme et les siens d'une pointure inférieure à trente-cinq avaient gagné un *baby fat*, des fossettes et une allure de putti italiens ou de nouveau-né de Rubens. Son ventre nous limitait à la position de la levrette que sa pudeur jusqu'ici nous avait interdite. L'enfant même participait à nos bestialités et je l'imaginais ballotté par nos coups de reins. Son impuissance, sa fragilité, l'impudeur du flacon me faisaient jouir d'autant mieux. Je voyais les cheveux bouclés de la mère posés sur l'oreiller qui cachaient sa face telle une peau de bouc jetée sur une possédée.

Entre les orgasmes la jalousie rendait Poppée difficile à vivre. Si je peux appeler « vivre » les quelques heures que je passais en sa compagnie chaque semaine et les innombrables coups de téléphone, textos et autres messages qui servaient de relais à son désir permanent. Les femmes adultères se montrent souvent très jalouses de leur amant, mais la grossesse aiguisant la crainte d'être rejetée, en dépit de toutes les preuves du contraire, rendait Poppée d'autant plus agitée qu'elle aurait eu du mal à me suivre même si son ménage lui en avait laissé la licence. C'est à ce moment qu'elle prit un congé maternité, et le fait d'être toute la journée rue Saint-Jacques à tourner en rond entre un couffin encore vide, les tâches ordinaires et le téléphone le tout en baladant son excès pondéral d'un fauteuil à un autre n'arrangeait pas ses souffrances.

Mes nouvelles perspectives où elle n'avait pas son mot à dire, les mardis de débauche qu'elle devinait tout en me laissant croire qu'elle me faisait confiance, la rendaient ombrageuse et pleine de soupçons. Le vernis craquait, sa nature violente ne cessait d'exploser, en particulier au téléphone. Je pense que la présence du mari à ses côtés, les attentions et les efforts qu'il fournissait, en dépit de la fatigue philosophique et des responsabilités qui incombent à un jeune père de famille, la rendait encore plus nerveuse. La mauvaise conscience que, toute intrigante qu'elle soit, elle nourrissait à l'égard de cet homme, la crainte de me voir filer à l'anglaise une fois qu'elle aurait accouché, la passion sincère qu'elle ressentait pour moi, d'autant plus fort que je menaçais de lui échapper réunissaient tous les tourments de l'enfer dans le cadre étriqué de ce trois pièces cuisine.

Moi aussi j'étais jaloux. Je me plaignais de ma solitude alors même que je quittais les bras d'une autre et que j'allais retrouver mes copains pour faire la fête. Un petit SMS amer par-ci, une jérémiade téléphonique par-là m'aidaient à me calmer. Mais elle était trop fine et trop inquiète pour se laisser si vite rassurer. Et si elle donnait parfois dans ce qu'elle appelait injustement « mes sketchs », je crois démêler aujourd'hui qu'il s'agissait seulement pour elle de se ménager et de ne pas trop souffrir. Avec ce goût du jeu qui la caractérisait, elle testa mes sentiments en aggravant mes souffrances, par un voyage à Venise qu'elle fit étant déjà fort enceinte. Ce cadeau d'amoureux de son mari, qu'elle m'annonça un vendredi soir, était censé me clouer sur le gril de saint Laurent. Me plaignant d'une main, j'achetai de l'autre un billet pour New York, la semaine suivante.

Je lui avais raconté que, désespéré par cette trahison, je partais pour une retraite de quelques jours dans un couvent du Tarn-et-Garonne où j'avais une parente. Le couvent était l'idée d'un complice de soir de drogue. Ma thébaïde imaginaire n'était pas couverte par le réseau satellite, mon téléphone pourrait rester coupé pendant les trois jours de mon escapade à New York.

Au retour, elle me rejoignit à la campagne. À son

visage fermé je compris que j'étais percé à jour. Dans les couloirs de l'aéroport JFK, il m'avait bien semblé reconnaître Geoffrey, l'Américain mal bronzé du premier dîner chez elle. Je ne m'étais pas trompé. La colère la défigurait. Le masque de grossesse la vieillissait, épaississait ses traits. Une froideur atroce m'envahit. Je regardais cette sorcière enceinte qui m'insultait. Mon mépris la calma comme le venin d'une araignée. Nous n'arrivâmes pas à faire l'amour.

L'heure du dernier train était passée. Je proposai de la raccompagner à Paris en voiture. Cet élan m'était dicté par un motif matériel. J'avais fait des travaux sur la Morris grâce au premier versement d'Umberto Brentano, je venais de récupérer la voiture et je voulais essayer le moteur.

Préoccupé par le bon fonctionnement des cylindres, j'écoutai d'une oreille. Puis agacé par un geste qu'elle fit de frapper mon bras pour attirer mon attention, je me retins de lui donner une raclée. J'arrêtai brutalement la voiture sur le bas-côté et je vis la peur dans ses yeux, ce qui m'excita. Par cruauté, je lui parlai pour la première fois de Lukardis. Reprenant la route, les yeux fixés sur le pinceau des phares, je lui racontai en détail ma liaison, insistant sur la haute naissance de Lukardis et sur le goût que j'avais pour son naturel et sa légèreté.

— Tu l'aimes, alors ?

La voix de Poppée me sembla toute petite. Celle d'une enfant qu'on va abandonner. Je la sentis se tasser sur le siège avant comme si je l'avais vraiment frappée.

— Oui, je l'aime plus que je ne t'aimerai jamais…

En disant cela, je reconnus en moi deux sentiments contradictoires. L'ivresse de la méchanceté et une sorte de tristesse amère. Celle d'un enfant qui vient de détruire un jouet ou de frapper son animal favori.

Arrivée devant sa porte, rue Saint-Jacques, Poppée descendit de la voiture pliée et flageolante et claqua la portière comme on ferme un livre qu'on n'ouvrira plus.

Le premier effet de notre rupture fut un soulagement. Cette femme avait pris un empire sournois sur ma vie. Les coups de téléphone quotidiens qu'elle passait sous des prétextes variés, la surveillance dont je me sentais l'objet à Paris lorsque je ne répondais pas à ses diverses sollicitations, cette grossesse dont elle m'imposait le déroulement comme un devoir, alors qu'à l'écouter je n'y étais pour rien, même si certains de ses comportements plaidaient le contraire, les nuances enveloppantes de son inquiétude, les invasions de sa tendresse, cet art qu'elle avait de se mêler de tout, de tramer sa toile, surveillant en secrétaire le bon déroulement de mes rendez-vous professionnels, même lorsqu'ils ne la regardaient en rien, les petites intentions, les cadeaux dont elle me harcelait, la manière dont elle me scrutait tous les mercredis à Paris pour voir si je m'étais défoncé la veille, tout cela me travaillait nerveusement. Mes excès avaient pris de l'ampleur depuis qu'elle était dans ma vie. En sept mois j'étais passé de deux grammes à presque dix grammes de cocaïne par semaine. Je buvais quotidiennement des litres de vin, les bouteilles vides de Ricard, de whisky et de vodka encombraient mes containers de tri. Et puis tout le monde me l'assurait, même mes dealers et même la Daladier malgré son goût des paradoxes : cette histoire d'enfant était malsaine. Qu'il soit de moi ou d'un autre, il venait polluer mon esprit aux moments les plus inopportuns. La seule à rester modérée sur la question était ma psychothérapeute judiciaire, la jeune et jolie Mauricienne au nom imprononçable. Elle m'avait simplement confié qu'elle trouvait ma vie « fatigante ».

Je dormis très bien pendant une semaine. Mon travail y gagna. J'avais l'impression d'avoir échappé à un cauchemar.

Un incident vint troubler cette paix. Un SMS de Poppée arriva un soir où je regardais la télé à la campagne. « *Alain je suis tombée dans l'escalier j'ai très mal au ventre viens me chercher stp Peter est à l'étranger.* » Je le lus, je l'effaçai et j'allai me chercher un verre de vin blanc à la cuisine et une portion de saucisson et je revins devant la télé.

Monstre pour monstre, je me sentais entrer dans une dimension nouvelle. Peut-être condamnée par le droit pénal quoique…

Cette nuit je dormis encore mieux que les autres.

Au réveil, l'ivresse retombée, je me sentis coupable. Il était arrivé à certaines femmes de me traiter de salaud, et je m'avouai ce matin-là qu'elles avaient raison. Mon égoïsme, ma froideur, ma dureté me troublaient. Aucun message sur mon téléphone… Poppée mentait-elle effrontément ou bien s'était-elle vraiment fait mal ? En me mettant au travail je compris que je ne m'inquiétais pas tant pour elle que pour l'enfant.

Il m'arrive souvent de parler à voix haute, un des effets du célibat. Je prononçai donc le mot « enfant » en même temps que j'accomplissais la besogne agréable de faire fondre la cire d'abeille dans l'huile pour préparer mon médium. Entendant résonner ma voix je compris que je déraillais et je ris. Heureusement, j'avais rompu avec cette folle. Je n'arrivai pas à savoir si c'était la crainte de séquelles sur l'enfant qui me tourmentait ou le souci d'y être mêlé, même de loin. Me connaissant, j'aurais privilégié la seconde hypothèse mais ce n'était pas tout à fait cela… quand même, il y avait autre chose. Pour éviter de trop fouiller, je me mis au travail. La lâcheté réclame parfois, elle aussi, des efforts.

Une de mes méthodes s'inspire du fameux crachat de Léonard de Vinci. Sur certains formats moyens, il m'arrive de me lancer à l'huile avec un jus léger à base de terre de Sienne et de chercher dans les mouvements du hasard un sens à l'image que me suggèrent les ombres, les manques où apparaissent le blanc de la toile et le jus plus clair qui trame le liant. Je suis un peu comme ces voyants qui lisaient autrefois dans le marc de café. Léonard a écrit des choses célèbres là-dessus que les Surréalistes ont reprises.

Pour me changer de mes *Victimes* et de mes bergeries, j'attaquai une grande toile presque carrée d'environ 120×100. J'écrasai une boulette de terre de Sienne dans mon huile liée de cire au fond d'une assiette, rapprochai une vieille casserole pleine d'essence et commençai à tracer à l'aveugle avant de retravailler la masse à coups de frottis au chiffon.

Au bout d'une demi-heure, j'assistai à l'apparition d'une figure sinistre qui pouvait par certains égards me ressembler quoique son sexe fût incertain. Nue jusqu'à la ceinture, il ou elle tenait sur ses genoux – des genoux anatomiquement parfaits, dont le raccourci faisait ressortir la rotule blanche comme un os du saignement général de la toile – un enfant mort.

Cette Vierge en travesti à l'enfant mort avait une de ces charges presque magiques que seules les figures de hasard, l'inspiration d'une main torturée par l'idée fixe peuvent mettre au jour dans un moment de frénésie.

J'en tremblais d'émotion. Je sentais mon cœur vibrer comme jamais depuis longtemps, signe que j'avais réussi une image qui n'était pas une simple illustration mais qui se nourrissait d'un charme magique, d'une charge semblable aux vieilles idoles.

Je fis subir à cette esquisse déjà très poussée l'épreuve du miroir, c'est-à-dire que j'inspectai son reflet dans une grande glace posée sur un chevalet pour vérifier l'anatomie et le bon équilibre des figures. Le reflet se révéla aussi fort que l'original, ce qui est rare, le visage de l'enfant mort, noyé dans une sorte de draperie, était même encore plus lisible et me permettait de le perfectionner. Au-dessus de la tête de la figure assise (j'allais écrire de *ma* tête), apparurent deux petites figures flottantes évoquant des séraphins. En quelques coups de torchon, je les fis ressortir comme ces fresques antiques qu'on découvre en nettoyant un badigeon dans certains lieux oubliés. Ils avaient une drôle d'allure, plutôt diaboliques. Des séraphins déchus à la mine rougeâtre et incertaine.

Toute la fin de ma matinée se passa à admirer cette figure sortie de nulle part. De l'enfer probablement, comme le chien Nox qui grattait au carreau m'incitant à une longue promenade.

Le soir quand j'eus retiré mes bottes, j'y courus et fus presque surpris de la trouver encore ici, près du poêle éteint, puis lassé de la voir, occupé de mes commandes, je la retournai contre le mur. Elle avait dissipé mon malaise à la façon d'un procédé de désenvoûtement.

À ma grande surprise, la jeune psychothérapeute me dit que j'avais raison de me méfier de Poppée, lorsqu'on tombe dans un escalier, on téléphone, on n'envoie pas un SMS. Je conclus qu'elle était une menteuse avérée, et que rien de ce qui la concernait ne pouvait être pris au sérieux à part l'enfant, bien réel celui-là et qui allait naître dans deux mois sans que j'en sois averti ni même que j'en connaisse le sexe, puisqu'elle prétendait ne pas vouloir savoir. Même si je n'avais plus de nouvelles, j'étais sûr que mon entourage, à commencer par Pierre, se chargerait de m'annoncer l'heureux événement.

Un incident auquel je ne trouve toujours pas aujourd'hui d'explication survint en pleine nuit d'hiver, au mois de février.

Il pouvait être deux ou trois heures du matin, un mardi soir où par hasard j'étais resté à la campagne. Je dormais de ce sommeil léger qui est le mien, j'ai beau ronfler, le moindre bruit m'alerte. Un grincement m'éveilla. La porte de la chambre s'ouvrit toute grande. Peut-être l'avais-je mal fermée la veille. À cause du plancher en pente, il m'arrivait de la retrouver ouverte au matin. Sans trop réfléchir je demandai pourtant à voix haute : « Qui est là ? » J'eus l'impression qu'une présence m'observait dans la pénombre, une vision du demi-sommeil, souvenir des terreurs enfantines. Je répétai d'une voix plus forte ma question : « Qui est là ? » On bougea, j'entendis des pas très légers, ceux d'un enfant plutôt que d'un adulte, descendre l'escalier et s'évanouir au rez-de-chaussée. Cette galopade était mystérieuse, à la fois légère et rapide, comme si l'être qui m'avait rendu visite n'obéissait pas aux lois ordinaires de l'attraction terrestre. Un enfant très agile, un singe, une créature intermédiaire…

J'habite un village de cent habitants. À dix kilomètres de la première gare, les visites inopinées sont rares, surtout la nuit, en hiver.

Je me levai et récupérai une vieille hachette à bois rouillée dont je ne me séparais pas la nuit, car je dors volontiers armé. Je descendis nu, la hache à la main, frappant du soc de métal la rampe de l'escalier en hurlant. J'avais pas mal bu la veille mais cet état de rage était inhabituel chez moi. J'étais bouleversé de colère, comme habité par un esprit mauvais.

Toujours nu, hache à la main, j'inspectai les pièces du rez-de-chaussée et découvris dans la buanderie qui s'ouvre derrière la maison une porte entrouverte que j'avais laissée fermée sans la verrouiller. J'avais l'esprit très clair, plein de cette détermination qui me vient quand je suis confronté à des événements anormaux. Je me souvins du pistolet, mais il était à sa place dans ma desserte. Je le laissai là, pour éviter tout accident. J'allumai les lampes du jardin. On ne voyait pas à dix mètres. Je remontai, fouillai l'étage, toujours hurlant contre une présence étrangère. Il me sembla entendre une voiture rouler non loin, dans le parc des voisins ou dans la forêt dont les taillis surmontent mon village situé dans une cuvette. Soudain calmé, je sentis s'enfuir la rage. Je bloquai la porte de ma chambre avec un fauteuil, remis ma hache à mon chevet et dormis jusqu'au matin, dans un calme d'autant plus délicieux qu'il était une surprise.

Le lendemain, j'avais hâte de raconter une aventure qui n'était pas imaginaire. J'avais découvert que l'intrus m'avait volé une paire de chaussures fraîchement ressemelées avec leurs formes en bois ainsi qu'un jodhpur noir. On avait aussi visité mon atelier, *La Vierge travestie à l'enfant mort* était retournée la tête en bas.

Mes premiers soupçons et ceux des amis que j'eus au téléphone se dirigèrent sur des gitans. J'imaginai des enfants forcés par un adulte à commettre des cambriolages. Ils avaient volé les premiers vêtements tombés sous leurs mains, pour prouver qu'ils étaient bien entrés dans la maison… Cette hypothèse était étayée par le passage d'un cirque dont j'avais vu la tente la veille dans la ville voisine. Pourquoi avoir retourné la Vierge ? Le tableau avait-il pu tomber et mes visiteurs l'auraient-ils remis en place n'importe comment ? Ou alors s'agissait-il d'un geste délibéré, une sorcellerie ?

Le retour de Poppée fut favorisé par sa rivale. Ignorante de toute l'histoire, en toute innocence, mais avec l'instinct qui la caractérisait, Lukardis se sentit seule maître de ma vie et commença vite à me porter sur les nerfs. Mon corps réclamait l'absente, coucher avec une partenaire ancienne ne m'excitait plus tellement.

Un coup de téléphone de Poppée, cinq semaines après notre rupture, sonna comme une libération. Je l'accueillis d'autant mieux que je n'avais plus aucune nouvelle d'Umberto Brentano, ni de son fondé de pouvoir. Le collectionneur n'avait pas accusé réception de mon album et le virement n'avait pas été fait. Je soupçonnais Poppée d'avoir usé d'une influence d'autant plus redoutable que son ressort m'était toujours inconnu. Pierre avait beau me dire qu'elle n'avait pas le pouvoir d'annuler une commande, il m'était impossible de vérifier cette information à la source. J'avais tenu ma galerie américaine à l'écart de la transaction et elle était mon seul lien avec lui.

Je me réfugiais derrière ces motifs pour me justifier à mes propres yeux mais la vérité était que j'étais fou d'excitation de la retrouver. Poppée ne prit quant à elle aucun prétexte pour me rappeler, elle avait son ton le plus charmant et ne fit pas allusion à notre dispute. Sa visite à la suite overdose quelques jours plus tard confirma ces bonnes dispositions. Mes confidences concernant Lukardis semblaient oubliées. Pareille dissimulation était à la fois excitante et inquiétante. Les paroles de Pierre à propos de la marquise de Merteuil me revinrent pendant que nous faisions l'amour, dans les tendresses qui suivirent et surtout quand je me retrouvai seul après son départ en taxi.

Comment une femme d'une jalousie si féroce pouvait-elle du jour au lendemain oublier ses griefs ? Les propos que j'avais tenus étaient de ceux qu'on ne pardonne jamais. Pourquoi avait-elle décidé d'ignorer une telle humiliation ? Qu'elle soit habile à feindre n'était pas une surprise, elle m'avait déjà donné quelques signes d'un étonnant talent de double jeu, mais à ce degré la folie semblait avérée. À réfléchir ainsi, j'oubliais de me sonder moi-même, pourquoi étais-je heureux de l'avoir retrouvée ?

Je parlai de Poppée avec madame Daladier. Mon amie, aussi perplexe que moi, hasardait qu'elle devait être très amoureuse. Oui mais justement, si elle était amoureuse et passionnée, il aurait dû lui être d'autant plus impossible de dissimuler sa rage. Ou alors avait-elle peur de me perdre au point de se dominer ? Possible. Quand je me retrouvais seul, à mesure que la nuit avançait, la drogue me poussait à une hypothèse : Poppée pouvait trouver du plaisir dans cette humiliation. Elle devait jouir d'être enceinte de deux hommes en même temps, et en plus trompée avec une femme dont le parfum et même l'odeur sexuelle souillait la couche où elle venait s'humilier.

J'en étais là de mes fantasmes quand mes yeux tombèrent sur un gros dossier oublié près des bouteilles vides et des cendriers. Mes dessins. Ou plutôt leurs photocopies annotées de la main d'Umberto Brentano. Poppée était arrivée chargée de ce cadeau ambigu. Très naturellement après l'amour elle m'avait parlé de mon album. Umberto n'aimait pas la seconde livraison, il trouvait certains dessins de la fin un peu plus faibles. Il souhaitait que je les reprenne… Voilà la raison de son avarice.

Sur le moment, tout à ma surprise de la retrouver si calme, je n'avais pas saisi que le but de sa démarche était peut-être de me remettre dans un rapport d'obligé. Le subtil poison instillé par son commentaire sur l'album de dessins commença de m'envahir à l'aube quand mes amis me quittèrent. Seul, en fin de provision d'alcool, excité par la cocaïne, je me mis en tête que j'étais retombé entre ses griffes. La nouvelle d'une besogne à refaire, jamais très agréable, venait s'ajouter à d'autres soucis. Le premier, le plus grave, ma galerie américaine, victime de la crise économique, risquait de cesser ses activités avant mon exposition. C'était Pierre qui m'avait téléphoné de New York dix minutes après le départ de Poppée pour me l'annoncer. Par ailleurs, les Russes de Saint-Pétersbourg étaient en réalité des investisseurs ouzbeks que Karimov, le dictateur local, venait de jeter en prison. Je pouvais oublier le projet Lapérouse. Il ne me restait plus qu'Umberto Brentano et le couple d'Américains du quai d'Orsay.

Le soleil se levait sur les toits et ma paranoïa monta

d'un cran. Je commençai à faire des recoupements entre la visite de Poppée et le coup de téléphone de Pierre. Ces deux-là étaient-ils de mèche pour me détruire ? À quelques semaines de l'accouchement, le souci de l'enfant devenait réel. Car enfin de qui était-il ? La Daladier, obsédée par ce roman, n'arrêtait pas de me parler de test ADN. Je ne trouvais pas l'idée très bonne, d'autant que mon avenir matériel paraissait moins assuré que jamais.

Le retour à Mortefontaine fut sinistre. Les prémices du printemps, l'heureux événement à venir m'accablaient. L'humidité froide de mon atelier, les *Victimes* en mal de galerie, les encres à reprendre et la perspective d'une séance de pause prévue l'après-midi avec les bruyants neveux de ma modèle pour la bergerie américaine finirent de me démonter.

Le travail, toujours bénéfique, la conversation banale d'Anne-Marie me changèrent les idées.

Le mois qui précéda l'accouchement de Poppée reste éclairé dans ma mémoire d'un jour particulier, la lumière grise de l'appartement de la rue Saint-Jacques où j'allais quelquefois déjeuner en l'absence du mari quand mes visites à Paris s'éternisaient.

Poppée cuisinait très bien. Son appétit était ouvert par la grossesse et le mien par les excès de la veille qu'elle semblait résolue désormais à ignorer. Après le repas, nous traînions autour d'un café. Poppée s'obstinait à me faire choisir des prénoms pour sa fille car, en fin de compte, elle s'était décidée à me révéler le sexe de l'enfant.

Pour rire, en imaginant la tête des grands-parents, je lui proposai « Karima », hommage au dealer à qui j'avais téléphoné juste après qu'elle m'avait appris sa grossesse. Mes blagues ne la perturbaient pas, elle insistait sans désarmer avec sérieux, comme si elle voulait m'obliger à m'impliquer dans cette naissance. Je lui suggérai Galatée, un prénom qui m'a toujours plu et qu'elle trouva très joli. Je ne sais quoi dans l'atmosphère de l'appartement, l'ordre modéré du ménage sous ce jour à la fois paisible et triste me renvoyait aux années 1960, à mon enfance. J'avais l'impression bizarre de revoir en étranger la paix d'un foyer où je n'avais pas ma place. L'odeur de cet intérieur ne m'était pas agréable et pourtant je restai jusque vers quatre ou cinq heures du soir, sans savoir si je me sentais bien ou mal. L'expression « être perdu » doit avec le recul définir cet état. J'étais un visiteur, j'allais partir au sens de mourir. Pour l'enfant, je ne pourrais être qu'un fantôme.

En dehors de ces déjeuners, je m'étais mis à fréquenter le Louvre plus qu'à l'ordinaire en compagnie de mon ami Pierre le Chinois. Comme la campagne au début du printemps, le Louvre m'offrait une réserve d'énergie vitale. Au-delà de toute considération esthétique, je trouvais dans certains paysages italiens ou dans les peintures de Corot un réconfort du même ordre que celui que m'apportent les arbres en bourgeons ou les chants d'oiseaux du mois d'avril.

Ce Pierre-là n'était pas seulement chinois mais marchand et collectionneur d'objets extrême-orientaux. Il aimait aussi les vieux tapis, les argents de la Renaissance et les ivoires byzantins. Sa sensibilité l'avait rendu extrêmement précis dans ses goûts. Quand j'étais lassé de mes paysages, j'agitais sa paresse, le sortais de son appartement de la rue de Bourgogne où il entretenait au milieu de ses collections une famille nombreuse et je le forçais à traverser la Seine. Nous passions des heures à errer devant des vitrines dans les grandes salles vides. Sa science m'intéressait, ce que je ne connais pas me fait rêver. Les rondes-bosses italiennes, les motifs des tapis m'aidaient à perfectionner certains détails de mes plumes, ce travail qu'il me fallait reprendre en partie pour Brentano, mon seul client depuis que les Américains du quai d'Orsay m'avaient encore décommandé. J'étais pauvre, Pierre me payait à boire, il payait aussi la drogue de la suite overdose quand la Daladier ou les autres faisaient défaut. Avec Pierre nous parlions boutique. Il méprisait l'art contemporain avec discernement, sauvant quelques noms pour mieux accabler les autres. Le manque de culture classique des jeunes artistes, leur verbiage prétentieux tiré de la *French Theory* des années 1970 le laissaient glacial. C'était un amateur de dessin très au fait des années pop qui collectionnait des gens comme Hockney ou le Warhol illustrateur du début mais s'intéressait surtout aux peintres des années 1930-1940. Il avait possédé et revendu quelques très beaux Bérard, admirait les Italiens métaphysiques tout en trouvant Morandi « assommant », et m'avait fait découvrir l'œuvre graphique de Stanley Spencer. Il avait fréquenté Francis Bacon au Colony dans les années 1960 mais restait pessimiste (comme Bacon lui-même) sur le sort futur de son œuvre. Il montrait une fermeté de jugement qui me rassurait et même s'il ne me délivrait que de rares encouragements sur mes toiles, le peu qu'il me dit de sa voix éteinte m'a servi. La pauvreté rend humble, et l'humilité me réussit parce qu'elle me fait mieux profiter des conversations amicales. J'étais accroché à Pierre au moins autant qu'à la drogue ou à Poppée.

Un jour où nous déjeunions ensemble dans un de ces restaurants pour parlementaires du quartier de l'Assemblée où il aimait aller il me dit, laconique comme toujours :

— Ça serait bien que Brentano achète tes *Victimes* pour sa fondation.

Contrarié de penser la même chose sans me l'avouer, je lui répondis que je m'en fichais, mais l'idée me resta en tête.

En attendant j'étais fauché. Je trichais dans le train et dans le métro, ma voiture avait à peine assez d'essence pour le trajet de la gare jusqu'à la maison. Il faisait froid ce printemps-là et pourtant je ne chauffais guère, brûlant seulement le bois glané dans la forêt. Je suis habitué à la dèche, à « la vie d'artiste » comme l'appelait Pierre le Chinois, avec un ton parigot snob attrapé dans les salons de sa jeunesse. Ces moments sont propices au travail, on s'améliore dans le froid et l'inquiétude. J'étais content de mes quatre grandes huiles, mes *Victimes.* Ma galerie américaine ne répondait plus à mes fax. Mais qu'importe, les tableaux étaient là. Sur la quatrième *Victime* j'avais réussi un motif drapé autre qu'un drap blanc. C'était un vieux tissu vénitien, cadeau du Chinois, qui épousait l'accoudoir d'une méridienne verte où j'avais posé ce quatrième nu commencé le mois précédent. Le travail de ce tissu était une récompense que je m'accordais comme un alcool précieux qui réchaufferait mes doigts. Soutenant un corps particulièrement réussi, le fruit d'une seule séance dont les ombres rougeâtres évoquaient certains feux, ceux de Stanley Spencer ou de Bacon. Le charme d'un grand format est d'offrir mille jeux différents dans ses motifs, comme ces puzzles immenses qui absorbaient les amies de ma mère des mois entiers et dont je suivais, étant enfant, l'avancement chaque dimanche que j'allais déjeuner chez elles. Une fois que je tiens le sujet, ici le nu allongé et les valeurs principales, je peux m'amuser à fouiller des motifs quitte à les défaire soudain d'un coup de chiffon, entièrement ou en partie, ce qui leur donne du flou et du relief. Le temps de l'art paraît infini quand aucune pression extérieure ne vient plus me secouer. Je pourrais rester des années à soigner le rendu d'une broderie, ce jeu patient m'offrant une contrepartie du réel. Le temps de fabrication entre pour beaucoup dans le charme d'un tableau à l'huile, que ce soit un portrait, une nature morte ou un paysage. L'épaisseur des heures écoulées apporte à la densité matérielle du simple trompe-l'œil quelque chose de plus vrai, le grain de la création naturelle. Un portrait c'est mille expressions du même visage surimpressionnées, des gestes oubliés, des glissements fugitifs, des repentirs presque aussi nombreux que les variations de l'être vivant qu'il incarne. Mais le motif laineux d'un tapis ou les broderies d'or d'un tissu ancien peuvent à force de travail prendre la même patine en peinture que dans la réalité. En peignant sans arrêt les détails, il arrive que je ressente presque autant de plaisir à me perdre dans mon jeu solitaire qu'à rendre soudain par hasard l'effet exact et toujours imprévu que je cherchais depuis des heures. Un piège dont je sors heureux ou désespéré, comme un joueur resté des heures à la même table de casino.

Un soir que je me livrais à mon passe-temps favori,

je reçus un coup de téléphone de Poppée. Elle pleurait en m'annonçant que l'heure de partir à la maternité avait sonné.

— Je t'aime chéri, je t'aime, je pense à toi. Je te ferai signe dès que je peux…

Je me demandai où était passé le mari. Occupé à chercher un taxi sans doute.

Je ne me suis jamais senti si seul qu'après avoir raccroché, sachant qu'elle partait à la clinique dont elle s'était gardée de me donner l'adresse, en compagnie d'un autre homme, qui avait toute autorité à être là et que je n'avais jamais revu. À dire vrai, j'avais oublié à quoi ressemblait le père de ma fille.

Pour me consoler, mais de quoi, je m'enfermai dans la cuisine et je préparai le dîner. La nuit tombait sur le jardin. C'était le premier soir d'un printemps tardif. Seul mon petit rosier projetait d'être un jour en fleur, une branche ouverte en témoignait. Les autres semblaient ne vouloir jamais refleurir. Pendant que le plat cuisait au four, je m'assis sur l'escalier. Des insectes dont je ne connais pas le nom, leur carapace ressemble à des boucliers africains, s'accouplaient un peu partout dans l'herbe et sur le ciment. J'entendais les oiseaux, les mésanges dans leur nid, les premières hirondelles haut dans le ciel pâle.

J'étais à la fois triste et gai, sec et plein de larmes. L'alcool aidant la gaieté, la sécheresse et le mauvais esprit prirent le dessus. De temps en temps, j'aimais bien regarder un film en DVD dans une pièce consacrée à ce loisir. Poussiéreuse à souhait, petite, fermée en recoin, elle était décorée à mon arrivée par un vieux papier peint XIXe siècle représentant des couronnes de laurier dorées sur un fond rougeâtre. Je l'ai conservé, le recouvrant par endroits de rideaux de velours pourpre, doublés d'une soie jaune brûlée par le temps. Un vrai nid d'araignées… Un lit de fer à boules de cuivre recouvert de manteaux de fourrure hérités de ma mère fait office de divan. J'y ai ajouté pour le confort un polochon à rayures, un matelas couvert de taches de rouille et quelques gros coussins Fornasetti représentant des soldats de plomb d'époque napoléonienne. Un plaid orné d'une gorgone offert par une admiratrice me sert de couverture et un miroir de Venise fêlé fixé dans un coin me permet de m'admirer pendant que je regarde la télévision.

Quel film avais-je choisi pour cette grande occasion ? *Rosemary's Baby* bien sûr… Dans mon accès de mauvais esprit armé par la vodka, j'avais hésité avec *La Malédiction*, autre histoire d'enfant diabolique, mais je préfère Polanski.

J'oubliai tous mes soucis grâce aux cris d'horreur de Mia Farrow. J'avais abusé de la vodka et le film fini, j'allumai la chaîne stéréo et je dansai seul au rythme des Ronettes.

Un rideau poussiéreux tomba sur cette scène de théâtre ou de guignol qu'était ma vie.

Tard dans la matinée, alors que je travaillais en m'aidant du miroir de contrôle, un SMS de Poppée m'annonça que l'enfant était né. J'envoyai un message de félicitations en lui demandant l'adresse de la clinique. J'avais besoin d'air, je descendis les marches de ciment du jardin et allai cueillir le bouton de rosier qui n'avait fait qu'embellir depuis la veille. De retour dans l'atelier, je le serrai dans un gros livre que j'aimais sur la peinture romaine.

Était-ce la vodka de la veille ? Je me mis à sangloter dans mon fauteuil déchiré. Ma solitude ne fut plus dérangée. Poppée ne répondait pas à mon message. Je pensai que l'heure était peut-être venue pour elle de reprendre ses esprits. Le mot « chagrin » définit mal le sentiment que je ressentis. Une exclusion du monde des vivants, même mes amis les plus déchaînés me paraissaient plus humains que moi. J'avais le sentiment de ne plus exister, d'être mort. Autour de moi, les quatre grands nus alignés ne suffisaient pas à me rassurer. Je repris mon téléphone, relus le message laissé sans réponse, il était formel et glacial comme l'aurait été celui d'un étranger. J'en écrivis un autre dont je ne sais pas aujourd'hui s'il était plus vrai, mais qui me coûta car il me semblait au moment de l'envoyer me dévoiler un peu trop à moi-même. *« J'ai besoin de te voir, donne-moi de tes nouvelles. »*

Quelques minutes plus tard, je reçus un coup de téléphone. La voix de Poppée était enrouée, je la reconnus à peine. Son accent ressortait et certains mots lui échappaient. Son émotion était communicative, et ce jour-là elle épousa la mienne. Un peu comme dans le taxi quand ses larmes avaient coulé sur ma main.

La clinique se trouvait à Vanves. Il devait être trois ou quatre heures de l'après-midi quand je garai la Morris près d'un café-tabac. Il faisait très doux. Les arbres du Japon perdaient déjà leurs fleurs. Je pris une bière en terrasse en attendant l'heure de la visite. Poppée m'avait proposé cinq heures moins le quart. Je me demandai comment elle aménageait son temps. Mentir pendant une hospitalisation réclame beaucoup d'autorité et d'organisation. Les amis ou les parents devaient tous se croire autorisés à des visites impromptues, de bonnes surprises. Une des qualités qu'elle m'avait montrées était le sang-froid, je la savais capable de combiner un crime plus grave que l'étrange vaudeville dont elle assurait la mise en scène.

J'avançais dans l'inconnu. À l'âge que j'avais atteint, aucune femme ne m'avait conduit à la maternité. Jusque-là, toutes mes amies avaient avorté. Depuis que les femmes peuvent choisir le père de leur enfant, les hommes comme moi sont exclus. Prudence de leur part et discrétion de la mienne dont Poppée avait exactement mesuré la portée. Je ne pense pas que les artistes fassent de bons éducateurs, sans même aller jusqu'au ridicule rôle de nourrices qu'on réserve aux pères aujourd'hui.

En buvant une seconde bière, je sentis monter ma curiosité, je voulais voir le fruit du péché. Évidemment, j'étais curieux de comparer sa physionomie à la mienne et j'avais envie de sentir son poids entre mes bras malgré mon antipathie pour les nourrissons. J'étais intéressé de voir aussi la tête de la mère lorsqu'elle allait me confier cette charge. Et si je la jetais du balcon ? J'étais peut-être fou. Il fallait l'être pour en arriver là.

Je descendis pisser, il me restait un rogaton de cocaïne dans les poches. Je résistai. Qu'on me voie un peu ivre, passe encore, mais complètement défoncé je trouvais ça malvenu, ces petits êtres ont de l'instinct. La pauvre risquait de se mettre à crier rien qu'à l'odeur de ma barbe.

La glace me renvoyait l'image d'un clochard d'âge mûr entre Bukowski et le capitaine Haddock, je lui fis un salut militaire et le vieux salopard me regarda sans sourire. De grosses taches de vin rouge, à moins que ce ne soit de la peinture, ornaient ma chemise kaki sable. Mon caban marron de l'armée américaine était couvert des poils de je ne sais qui. Sans doute le manteau en fourrure de ma mère dans la pièce télé ou la veste en lapin de Lukardis que j'avais honorée deux heures plus tôt. Mon œil me fixait avec l'intensité perçante dont j'usais pour mesurer le réel. Après tout, j'étais présentable, au moins j'étais moi-même.

J'ai toujours apprécié l'atmosphère des cliniques et des hôpitaux. Les linoléums, les reliefs des murs peints de couleur pastel, les fenêtres aux carreaux dépolis ouvrant sur des cours en briques jaunes, les butoirs en bois destinés à protéger les portes du heurt des brancards à roulettes, les lumières crues des couloirs ou tamisées dans les chambres, le bureau des infirmières avec la paperasserie et les affichettes... Voilà le premier paysage que j'ai vu en naissant pas loin de là, à Port-Royal, dans le quatorzième arrondissement de Paris, et probablement le dernier qui m'attend quelque part je ne sais où, ma chambre est déjà prête. Ça ressemble aux commissariats, aux prisons, aux écoles, au concret, à la vie sans art.

Je poussai la porte entrouverte, Poppée paraissait seule, sa tête dépassait des draps.

En m'approchant j'aperçus le bébé. Une tête noire de poil comme sa mère, mais plus clairsemée, la peau était rouge. Les cheveux longs et rares collés sur le crâne.

L'enfant dormait, je touchai la main de Poppée d'une simple pression des doigts sur sa paume. Car je n'osais pas me pencher sur elle pour l'embrasser. Le petit singe me dégoûtait et puis j'avais l'impression qu'elle lui appartenait désormais. Au pied du lit presque aussitôt je vis un papier rangé dans une pochette translucide qui était fixée au montant. Il affichait le prénom de l'enfant, « Gal », plus court que prévu (j'appris ensuite que le mot « gal » signifiait « vague » en hébreu, une manière biblique de couper la poire en deux), suivi du nom de famille du mari que j'avais entendu prononcer, mais que je voyais pour la première fois écrit sous mes yeux. Cette étiquette me donna une décharge désagréable.

Pour la masquer, j'allai à la fenêtre. Il y avait des bâtiments plus bas, une cour avec un plan incliné, des fenêtres allumées, celle de la cafétéria ou d'une salle à manger. Je ne me souviens plus du reste, les premiers mots, les premiers gestes… Ai-je pris le bébé dans mes bras ? Impossible. Un médecin est entré. D'emblée il m'a demandé : « Vous êtes le père ? » J'ai répondu « non ». Il m'a prié de sortir. Je suis allé sur un balcon ouvrant sur la chambre. Je me souviens que j'ai eu du mal à faire coulisser derrière moi les montants de la fenêtre. Je ne me sentais pas très gai à cause de la question et de ma réponse. C'était pourtant la vérité. Étais-je venu par jeu ? Alors j'avais perdu. Le nom de l'enfant et surtout ma réponse à la question du médecin étaient l'enjeu de la partie. Je gardais ma liberté au prix d'un reniement. Mais au fond tout cela n'était-il pas qu'une péripétie que j'avais trouvée pour mettre de l'animation dans ma vie…

Le médecin était-il reparti ? Je restai sur le balcon comme un idiot avant d'oser retrouver Poppée.

J'avais le vague espoir que le personnel ait emmené l'enfant pour des soins, mais elle était bien là, réveillée. Ses yeux allongés en amande et bordés de paupières en relief comme la gangue d'un fruit étaient troubles et grisâtres. Poppée m'affirma qu'elle ne voyait rien. La lumière extérieure l'attirait pourtant, faisant reluire l'intérieur translucide des globes oculaires. Les petites mains très formées portaient au bout de chaque doigt une miniature d'ongle manucuré. La chair du visage ovoïde était rose vif tirant vers le violet. À ce stade de croissance, à cause des longs poils noirs qui le couronnaient, elle ressemblait vraiment à un singe. Pendant que je la scrutais je sentais le regard de Poppée posé sur moi. Elle aussi devait se demander comment les choses allaient tourner. Le choc de l'accouchement devait lui avoir fatigué l'esprit mais elle s'inquiétait forcément de ma réaction.

La première émotion passée je repris mon assiette. Je constatai que je ne ressentais rien. Ni amour ni rejet, ma curiosité pour le bébé s'était éteinte. Ce n'était pas le premier nouveau-né que je voyais et Galatée (j'avais décidé de continuer à l'appeler ainsi) me semblait maintenant aussi étrangère que les autres. Je commençai à m'ennuyer dans cette chambre comme chaque fois que je viens visiter quelqu'un à l'hôpital. Je dus débarrasser une chaise pour m'asseoir alors même que j'avais envie de partir. C'est ça les enfants… ils vous forcent tout de suite à des choses qu'on n'a pas envie de faire. Sa mère m'invitait à rester avec son autorité naturelle, d'ailleurs je n'avais pas d'obligations immédiates, pas de rendez-vous avant sept ou huit heures. Je n'allais pas non plus rester tout ce temps-là. Toutefois, l'idée qu'elle attendait peut-être d'autres visites me donnait envie de m'attarder par cruauté.

Je ne sais pas de quoi nous avons parlé. J'ai sans doute tenu le crachoir comme souvent, raconté des anecdotes, des clowneries pour éviter de m'ennuyer. J'ai sûrement parlé de l'avancement de mon travail, car Poppée s'y intéressait, ou alors peut-être faisait-elle aussi semblant.

Le silence retomba. Galatée bougea la tête, nous n'étions plus seuls. Dans l'idée bizarre de vérifier que je ne rêvais pas je relus la fiche d'identité au pied du lit. Près du nom de son mari était inscrit le vrai prénom de la mère : « Esther ». Un prénom que je n'avais jamais prononcé.

— Esther…

Elle me jeta un coup d'œil sarcastique.

— Pas de ça entre nous… Si ça t'excite de coucher avec une juive, rassure-toi… La vraie Poppée était convertie au judaïsme. C'est elle qui a convaincu Néron de persécuter tes amis les chrétiens plutôt que les juifs après l'incendie de Rome.

Cette dernière précision lancée au moment où une religieuse passait devant la porte la fit rire comme une bonne farce.

Près de dix ans plus tard, je pense que le doute entretenu sur le père de son enfant était une manière de le voler aux hommes par haine de son propre père et du patriarcat en général. Elle seule, femme adultère, savait la vérité ou peut-être même ne voulait-elle pas la savoir, peu importait du moment qu'elle gardait le contrôle. Son pseudonyme appartenait à ce processus magique, je sais qu'elle l'a abandonné aujourd'hui, redevenue Esther sous d'autres cieux.

Je finis par m'échapper vers six heures et demie. En sortant de la clinique je respirai une goulée d'air frais. Ces endroits sont surchauffés. Au lieu d'aller boire un coup au café comme j'en avais le projet, je suis remonté dans la Morris et j'ai tournicoté dans les rues tranquilles de cette banlieue cossue. Je n'avais pas envie de voir du monde. Mon atelier me manquait, cette visite, le regard aveugle mais obsédant du bébé avait changé quelque chose en moi. Je décidai de rentrer à la cambrousse et reportai au lendemain ma réservation d'hôtel. Je rattrapai l'autoroute du Nord suivant toutes sortes de méandres.

Mon téléphone n'arrêtait pas de biper, la Daladier s'inquiétait du résultat de ma visite. Je ne répondis pas. Je me sentais presque paisible, comme si les effets ordinaires de la paternité jouaient malgré tout sur mon état moral. À moins qu'il ne s'agisse d'un autre sentiment ? J'avais la certitude qu'une nouvelle partie de poker menteur venait de s'ouvrir avec Poppée, je l'avais surprise en lui annonçant une autre visite pour le lendemain. La curiosité toujours… ou alors plus simplement l'envie de goûter de nouveau à cette paix un peu gênée, cette atmosphère de garde à vue générée par la clinique, les infirmières, Poppée sa majesté de femme en couches et surtout l'austère bébé, ce personnage simiesque et souverain, silencieux qui attestait la présence d'une autorité suprême, celle de la vie animale et pourquoi pas celle de Dieu ?

Je n'ai aucun souvenir des deux autres visites que je fis à la clinique. Je me rappelle seulement qu'une infirmière en chef à l'allure de garde-chiourme me regardait d'un œil toujours plus soupçonneux. Mon air à la fois familier, dégagé et décavé, le double emploi que j'occupais avec le philosophe (à quelle heure venait-il celui-là ?) devaient exciter l'instinct qu'ont les femmes pour flairer les faiblesses des autres femmes. Je sais aussi que je n'ai pas résisté longtemps aux charmes de Paris. Au soir du deuxième jour, toute la garde des proches et des moins proches s'était précipitée à mon appel. Après cette anesthésique crise de pudeur due au choc de la naissance, j'avais besoin de m'épancher. Notre table occupait le premier étage du restaurant. Il y avait des nouveaux, des gens que je ne connaissais pas. On aurait dit un banquet de vampires arrosant la naissance d'une victime. La fierté d'avoir engendré devait y être pour quelque chose. Je comprends aujourd'hui, un peu tard, qu'avec mes bavardages je me suis faussé toute émotion sincère, créant un état moral ambivalent où j'ai perdu en peu de temps la capacité de distinguer ce qui était bon ou mauvais. Un peu comme ces hystériques qui perdent l'odorat ou le toucher. J'ajouterai que la jalousie n'y était pour rien, je ne nourrissais aucune antipathie consciente pour Peter, mais le goût du scandale, la haine de la société bourgeoise qui ont toujours été au fond de ma nature l'emportaient. Censuré dans ma paternité, j'éprouvais une joie aristocratique à l'idée que ma bâtarde soit dès la naissance livrée à la curiosité et aux ragots.

Seul à table à me regarder l'air inquiet : Pierre le Chinois. Il faut dire qu'il avait cinq enfants, tous élevés avec amour, et que même parfumée par l'odeur d'agrume métallique de la cocaïne, la forme que prenait ma monstruosité était un peu trop monstrueuse pour lui. Avec le recul je me dis que j'ai dû avoir mal, j'ai bien dû souffrir à la fois de ma méchanceté et de celle qu'on me faisait subir. Je ne cessais de rire ce soir-là. À bien y réfléchir, ce manque de sensibilité est antérieur à la naissance de Galatée. Je crois qu'il s'agit d'une forme particulière de bêtise, une infirmité. Certains ignorent la peur, moi je n'ai presque jamais la sensation de la souffrance. Un dentiste m'a fait remarquer que cette force est aussi une faiblesse.

Les jours suivants, je continuai à imiter la vie d'un jeune père. Poppée répondit aussitôt en amoureuse – peut-être par jeu – à mes visites à la clinique, mon intérêt inattendu pour l'enfant lui autorisant des exigences nouvelles.

Elle resta chez elle quelques semaines à pouponner et nous reprîmes, d'abord de manière très chaste, l'habitude de déjeuner ensemble.

Je découvris que son mari occupait dans l'intelligentsia une place plus importante que je ne l'avais cru, à la qualité et au nombre des cadeaux de naissance qu'ils reçurent. Des corbeilles entières de joujoux et de dragées, de foisonnantes peluches, des layettes de marque venues des meilleures maisons encombraient le petit appartement. Poppée n'était pas peu fière de tous ces égards, me montrant les cartes de visite du Paris artistique, intellectuel ou politique. J'offris pour ma part un doudou acheté dans la boutique pour enfants du coin de la rue, près du restaurant italien où je continuais à répandre mon histoire. Cet achat m'apporta une joie rapide et inattendue, je venais de retrouver le même plaisir pur que je prenais enfant à faire des cadeaux à mes parents.

À la campagne, un après-midi où j'allais relever mon courrier, je tombai chez un antiquaire du pays sur un lit d'enfant XIXe siècle en métal émaillé blanc avec des boules de cuivre. Je l'emportai à Mortefontaine et j'y disposai un petit matelas et des dentelles qui s'attachaient autrefois à mon propre couffin. Je ne savais pas s'il servirait un jour, mais le besoin me prenait d'organiser près de ma chambre une place pour l'enfant. Sans y prendre garde mais sans non plus me méprendre tout à fait sur cette tendresse, passé les premiers jours, je trouvais un certain plaisir à voir Galatée, ou plutôt à l'observer à la dérobée. Veiller sur elle sans qu'elle le sache pour ne pas lui fausser trop l'esprit, tel était mon maigre projet. On verra combien je l'ai mal accompli.

Coincé à Paris par ces journées de dupes, je recommençais à sortir. Non content de traîner jusqu'à plus d'heure dans mon hôtel, poussé par une sorte de frénésie nouvelle, sans doute due à une qualité de cocaïne particulièrement pure, je m'affichai dans toutes sortes d'établissements de nuit. Je sortais en famille. Poppée m'avait donné une photographie d'elle avec Galatée. Elle y montrait le visage que je préférais : juvénile, dépourvu des fards et des poisons qu'elle s'acharnait à multiplier pour se protéger. Presque nue, elle tenait le bébé contre elle… La photo était maladroite, un peu floue mais d'une grande charge intime. Elle ne me quitta plus, je la traînais partout et il m'arriva de la montrer à des compagnies de beuverie.

En sortant de là, l'haleine fétide, les yeux rouges, j'allais déjeuner rue Saint-Jacques dans une odeur d'assouplissant et de rôti. Poppée feignait de ne s'apercevoir de rien et je ne lui parlais de rien, dégrisé, gêné parfois d'une intrigue si scabreuse. Toujours chastes, nous allions visiter l'enfant dans sa chambre. Les fois où elle ne dormait pas, il m'est arrivé de la surprendre le visage tourné vers la fenêtre, ses étranges yeux d'animal fixés sur un coin de ciel par-dessus les toits.

Les lendemains de mon retour à Mortefontaine furent affreux. Malgré une lettre de remerciement d'Umberto Brentano pour l'album de dessins à la plume, un long mot manuscrit qui laissait imaginer des commandes futures et peut-être un événement lié à l'inauguration de sa fondation, je n'arrivais plus à peindre. Les trois premières *Victimes* avaient été selon mon habitude immédiatement roulées et envoyées à ma galerie de New York par crainte d'un accident ou d'un incendie. Elles me manquaient maintenant pour avancer la quatrième, qui bloquait depuis la naissance de l'enfant à cause d'un excès de matière sur le tissu. Cette partie trop poussée m'empêchait de corriger l'anatomie du corps arrêtée à un stade antérieur d'avancement. L'ébauche de femme aux ombres terreuses mal dégrossies n'appartenait plus au même plan que son support et l'ensemble aurait nécessité un grand coup de chiffon pour reprendre le travail dans la masse. Je n'avais pas eu ce courage à temps, l'huile avait séché et le corps semblait maintenant flotter dans le fauteuil. J'avais perdu l'idée de mon tableau, ce projet préexistant même flou que la comparaison avec les trois autres toiles aurait pu restaurer dans mon esprit. Les clichés que j'avais pris n'étaient pas bons et j'aurais eu besoin de les avoir de nouveau sous les yeux pour travailler la suite. Voilà du moins ce que je me racontais pour expliquer ma sécheresse. Je traversai pendant plusieurs semaines une grave crise que je jugeai, comme à chaque fois, définitive. Ma grande crainte a toujours été de voir s'arrêter la marche magique des événements. Une superstition de joueur, rien de rationnel. Dans ces moments, le doute m'empoisonne à la source, comme un ennemi intérieur, un sadique particulièrement acharné à me démontrer que tout est fini. « Le ressort est cassé », phrase que je ne cessais de répéter, résume assez bien mon état moral. À qui était-ce la faute ? En général à quelqu'un, une femme, venue interférer dans mon mode de vie mais jamais dans mon esprit, à la drogue, à l'alcool ou aux nuits blanches. Dans des états épouvantables, j'avais réussi de bonnes œuvres qui s'étaient très bien vendues et continuaient de me satisfaire à distance. En revanche, la moindre pression extérieure m'était insupportable. Depuis l'âge de trente ans, quand j'ai quitté New York, j'ai vécu avec plusieurs femmes et aucune n'a résisté à mes crises. Celle-là était une des plus graves que j'aie jamais traversées. Je pense aujourd'hui que la nature de la cocaïne que mon dealer avait rapportée de Pologne fut en réalité pour beaucoup dans l'effondrement qui suivit la naissance du bébé. Lukardis fut la première victime de cette came douteuse raffinée au kérosène. Elle avait déjà traversé en dix ans plusieurs épisodes du même genre et se moquait si ouvertement de moi que je la tins à distance jusqu'à son départ en vacances de Pâques. Restait la jeune maman. Ma rancœur à son égard augmentait à mesure que je m'obstinais à forcer mon talent à la campagne. Au téléphone, la voix de Poppée m'était devenue insupportable, les chiffres mêmes de son numéro dessinaient un signe cabalistique redoutable. Je la haïssais comme jamais. La pire torture nerveuse m'était infligée par son accent et les légères fautes de français qu'elle commettait. Je ne peux pas croire qu'elle ne se rendait pas compte à distance de l'état d'horripilation où elle me jetait. Ses silences autoritaires, la lenteur majestueuse qu'elle mettait parfois à parler me laissent penser que son stress prenait la forme assez banale d'un abrutissement passager. Ou bien le faisait-elle exprès pour me rendre fou, jouissait-elle de la torture qu'elle m'imposait ? Nous ne couchions plus ensemble, et l'hostilité qu'elle devait bien sentir semblait lui procurer un titillement horrible et délicieux.

L'enfant imposait désormais son rythme douillet, les années à venir n'avaient plus la même incertitude, du moins pour la mère. Je pressentais qu'une communauté familiale se créait autour du couffin dont j'étais tenu à distance. Le mari et la femme formaient, en dépit de mon existence, un ensemble d'intérêts communs, de moments partagés, de nuits interrompues, de responsabilités, de niaiseries et de soucis qui constituait « une famille ». Sans parler des joies et de l'effet de la paternité sur un homme normal, peut-être ignorant des causes de son bonheur. Puisque j'étais exclu, j'aurais pu m'éloigner, mais je tardais à me décider. Cet attachement injustifié me rendait hostile. D'abord à moi-même. Les états terribles où me mettait cette drogue aux relents d'essence, dans ces nuits solitaires à la campagne ou même à Paris, me conduisirent à me faire du mal au sens propre. Une nuit, sous une de ces impulsions que la cocaïne trop forte provoque passé une certaine dose, je me ligotai les testicules et je me déchirai la peau avec une fourchette. Le lendemain, complètement perdu, j'essayai de remettre ma vie sur des rails ordinaires, mais le blocage artistique me rendait malade. Ma blessure m'occupa quelques jours, empêchant tout travail et toute vie sexuelle. Les coups de téléphone de Poppée, mornes et réguliers comme ceux d'une épouse qu'un voyage aurait éloignée, ne m'apportaient qu'un peu plus de trouble. J'étais muré dans une hostilité aggravée par la privation physique, due à sa baisse de libido après l'accouchement. Parfois, en supportant les longues histoires sans intérêt qui ne tournaient pas toutes autour de l'enfant mais y revenaient en général à un moment, soit qu'elle en parle en gloussant d'un petit bruit de gorge odieux soit que le bébé pleure derrière, car Galatée pleurait maintenant, pendant que sa mère parlait au téléphone je sortais mon Colt de sa cachette et le contemplais avec une attention maniaque, m'amusant avec le cliquet du cran de sûreté. « Qu'est-ce que tu fais mon chéri ? – Rien… – Tu sais nous allons venir te voir très bientôt ! » À chaque fois qu'elle employait la première personne du pluriel, je me faisais le plaisir de demander de qui elle parlait… Avec une patience d'ange ou de démon, elle me répétait le prénom de sa fille, version courte ou longue selon son humeur. « Galatée » pour être gentille, « Gal » pour me remettre à ma place.

Lukardis ignorait tout de cette situation mais elle en souffrait. Je ne l'aimais plus du tout alors et je ne la supportais que pour me défouler physiquement et aussi parce qu'elle me distrayait par sa conversation futile. Elle n'en était que plus amoureuse, chaque rendez-vous était une victoire obtenue à force d'acharnement, d'humiliations, de petites ruses qui arrivaient parfois à m'attendrir une seconde. J'aimais cette fidélité de chienne qui la poussait à faire deux cents kilomètres en voiture pour se faire maltraiter dans un lit sale mais une fois que j'avais déchargé, je n'avais qu'une idée : qu'elle disparaisse…

J'étais bloqué depuis trois semaines quand Poppée décida de s'imposer, profitant d'un dernier week-end avant son retour au bureau.

À la campagne, une visite prolongée de qui que ce soit plus d'une nuit m'avait toujours causé une gêne insupportable. Si le travail avançait bien, j'avais peur de m'interrompre et en cas de crise, le dérangement devenait une montagne. Bloqué comme je l'étais, la perspective de la voir arriver pour un séjour de deux nuits avec un nouveau-né, et toute l'intendance qui l'accompagnait me donnaient une nausée telle que j'eus par nihilisme la faiblesse de laisser faire les choses. J'étais une fois de plus curieux de voir où cela allait me mener. J'espérais un éclat libérateur, un sursaut de mon égoïsme qui la rendrait hors d'état de nuire. Mais à mon insu d'autres mécanismes devaient se mettre en branle. À peine avais-je cédé, lâchant au téléphone un « oui » faussement enjoué – j'étais devenu par lassitude aussi faux avec elle que je la croyais fausse avec moi –, et me voilà persuadé que ma lâcheté allait me couler tout à fait. Pendant la nuit d'insomnie qui suivit je me sentis harcelé, perdu, poursuivi comme un animal jusque dans mon terrier. Comme si cette visite allait m'obliger à reconnaître l'enfant et à dédommager le mari. Ce fut une tempête intérieure.

Le matin je me jetai sur ma *Victime* avec une rage mêlée d'effroi. En voulant rattraper le nu sans casser la jolie nature morte que composait le bout de tissu italien drapé sur l'accoudoir déchiré, je n'arrivais qu'à produire une sorte de pâte opaque d'un beige horriblement couvrant qui supprimait tout le modelé si fragile des ombres. On aurait dit du plastique ou un fond de teint touillé sur un horizon d'incendie. Le peu d'élégance et de justesse anatomique du corps disparut en quelques minutes, laissant place à une grosse poupée difforme. L'allégresse et l'esprit de combinaison, le sens du rythme nécessaire au travail de l'huile me manquaient à un tel point que je me sentais redevenir un enfant maladroit. Je marchai sur les assiettes dont je me sers comme godet pour mes pigments, renversai à plusieurs reprises les fonds de bouteille contenant les médiums et finis par m'écrouler dans mon fauteuil, hagard. Il était clair que je n'arriverais plus à rien avant l'arrivée de Poppée et du bébé. L'idée du temps perdu et de l'attention forcée dont j'allais devoir payer ce dérangement déchaînait en moi une rage d'autant plus aveugle qu'elle était un aveu d'impuissance. Il aurait suffi d'un coup de téléphone pour annuler le week-end et j'en étais incapable.

L'après-midi du vendredi était déjà très avancée quand je montai dans la Morris, abandonnant mon atelier. J'avais passé les deux derniers jours effondré à me torturer dans mon fauteuil de peintre. Chaque matin me laissait espérer avant de me rancir davantage au milieu de mes assiettes sales et de mes brosses qui durcissaient faute d'être nettoyées chaque soir. La peinture à l'huile est une cuisine qu'on ne salit jamais autant que quand on gâte le travail. Si je me bloque, j'ai tendance à me replier sur moi-même. Je ne répondais plus à personne, les seules interruptions venaient de Poppée que mon imagination rendait chaque fois plus écœurante. Ses derniers coups de téléphone se réduisaient à des consignes. Avant d'aller à la gare il fallait que je passe au supermarché acheter des objets de première nécessité trop lourds à trimbaler dans un train. Son ton trivial et précis, la médiocrité des achats à faire, les noms des marques de produits pour bébé, l'idée de dépenser mon argent me rendaient malade.

La visite dans l'allée « Chez Bébé » du Carrefour, que j'accomplis ma liste à la main, m'apporta un réconfort ambigu. J'étais débarrassé de cette corvée et puis la situation me semblait comique. Pris d'une impulsion, j'achetai des roses blanches et des lys pour en décorer la chambre nuptiale. Mon humeur s'inversait, j'avais soudain envie de faire plaisir à mon invitée. Ce n'était pas la première fois que j'observais en moi ce genre de revirement.

Lorsque Poppée et sa fille furent assises à l'arrière

de ma voiture de célibataire, une fois fourré le barda de sacs en plastique contenant l'attirail de biberon, de langes et de joujoux dans la malle habituellement bourrée d'outils rouillés et de vieux chiffons, je me sentis d'une bonne humeur grandissante. Même le bébé qui avait le bon goût de ressembler de plus en plus à sa mère me semblait moins laid que les premiers jours.

Le rituel du bain donné dans une bassine de plastique qui servait à ma femme de ménage, la tétée à laquelle j'assistai pour la première fois me plurent parce que ces gestes s'intégraient au même titre que la cueillette du bois de chauffage dans une perspective millénaire. J'assistais à une cérémonie plus ancienne que la civilisation. Le fait qu'elle eût lieu dans mon sanctuaire conférait à ces gestes une dimension symbolique. Les origines de Poppée donnaient plus de charme à la cérémonie. Avec cette vieille bassine en plastique dont elle se contentait aimablement, elle ressemblait à la Sainte Vierge, autre petite juive de Galilée dont elle s'était moquée naguère.

À la fin du bain, son téléphone sonna, elle me mit le bébé dans les bras pour que je le sèche. C'était la première fois que je portais Galatée. Elle pesait le poids d'un petit chien ou d'un gigot. Elle était calme et silencieuse et détaillait les objets autour d'elle avec une attention de scientifique. J'entendais la voix de la mère au téléphone, le ton sec qu'on prend avec un familier. Qu'avait-elle raconté au père ? Quels prétextes trouva-t-elle toutes les fois qu'elle vint passer du temps avec l'enfant à la maison ? Je lui ai posé la question, elle ne m'a jamais répondu. En tout cas, il ne donna jamais le moindre signe d'inquiétude. À peine ai-je pu surprendre un coup de téléphone bref, une fois ou deux.

Je lui rendis le bébé. Pendant que je vidais l'eau de la bassine et que je rangeais la salle de bains je l'entendais dans ma chambre chanter une berceuse en hébreu.

Dans mon souvenir, l'écho de cet air ressemble à ces papiers pliés et découpés dont on faisait des guirlandes à l'époque où il n'y avait rien d'autre pour amuser les enfants.

Nous nous sommes couchés tôt, elle avait placé Galatée près de mon lit sur le matelas de poche qu'elle avait sorti du lit à barreaux. Pour la première fois, nous avons refait l'amour, elle respirait sans bruit par peur d'éveiller sa fille, je l'ai sentie vibrer sous moi comme un câble métallique qui se tend brutalement.

La journée de dimanche me replongea dans une paix organisée que je n'avais plus connue depuis que j'avais quitté mes parents. Avec ma famille d'emprunt, je me trouvais dans une simulation de vie ordinaire dont le pouvoir calmant adoucit mon humeur. J'avais l'impression de suivre un traitement d'anxiolytiques particulièrement forts. J'ai cru à une folie supplémentaire, mais je discerne aujourd'hui qu'il s'agissait probablement d'un effet hormonal. On mesure mal l'influence d'un corps sur un autre corps. Cette femme sortie de couches, d'un naturel déjà très posé en temps normal, libérait à ce stade de sa maternité une sorte de chaleur apaisante, une endomorphine qui me rendait doux et patient. Mon sens critique continuait de fonctionner et je jouissais de ce calme sans m'y laisser prendre. Comme un agité qui passe quelques heures en cure avant de retrouver ses obsessions.

L'enfant jouait son rôle. Les mouvements lents qu'elle commandait, le rythme et les silences qu'elle imposait, les arrangements matériels qu'elle réclamait à l'intérieur de ma maison me forçaient à me déprendre de moi-même. Sans pour autant que le sacrifice soit complet. Aurais-je supporté ce joug à long terme ? Peut-être, je ne le saurai jamais. On ne m'en a pas donné le choix, me laissant croire que cet arrangement, cette garde volée, était la conséquence de mes peurs ou de mes tares. Je sais maintenant que j'ai souffert de ce traitement, mais mon orgueil m'a encouragé à donner raison à mes tourmenteurs. Je me suis convaincu que je ne supporterais pas la compagnie de l'enfant parce que je savais qu'elle allait m'être enlevée. À la fin du week-end, mais aussi à la fin de sa petite enfance avant l'âge de raison. Ça ne pouvait pas durer. Je la regardais donc comme quelqu'un qu'on va perdre ou qui va vous perdre, comme si j'étais atteint de maladie mortelle.

Poppée m'avait offert un album de dessins de Balthus illustrant *Les Hauts de Hurlevent*, j'allai regarder sur Internet le résumé du roman et je découvris qu'il s'agissait de l'histoire d'un bâtard.

Il y avait de l'amour dans ce mélo de dimanche après-midi. C'était romantique. Un roman gothique anglais... Je l'ai donc beaucoup regardée, ma bâtarde, cette Heathcliff femelle au poil sombre, mais peut-être pas comme j'aurais dû le faire. Quel intérêt trouvait

Poppée à cette situation ? Avait-elle le projet de quitter son mari un jour et de vivre avec moi pour faire un second enfant comme elle me l'a affirmé ? Peut-être. Je ne l'ai pas encouragée, à cause d'elle et non à cause de l'enfant.

Elle devait le sentir puisque même en ce jour de paix inattendue pour chacun de nous, elle a jugé utile de me verrouiller par une chaîne matérielle. En effet, si le mari resta discret j'eus la surprise d'avoir des nouvelles d'Umberto Brentano. Il adressa plusieurs messages et des petites photos à Poppée qui semblait accoutumée à des marivaudages quotidiens. Le ton des messages et les photos (*essai de décoration ! ce Basquiat est-il bien placé au-dessus de mon lit ?*) donnaient l'impression d'une grande intimité. Il paraissait être au courant du séjour de Poppée chez moi et je crois qu'elle lui envoya en cachette des photos de mon atelier.

J'essayai d'en savoir plus mais Poppée m'annonça la grande nouvelle : il voulait racheter toutes les *Victimes* à ma galerie de New York et me commander directement dix autres toiles sur le même thème. D'après elle, New York était déjà au courant. Ce qui expliquait pourquoi j'avais reçu un appel samedi dans la nuit. J'avais mal regardé le mouchard de mon portable, croyant qu'il s'agissait de Lukardis qui se languissait en famille à Saint-Domingue et cherchait à réserver un rendez-vous galipettes-overdose à son retour la semaine prochaine.

Une telle surprise suffisait à me faire monter au firmament. Et je ne fus pas étonné de voir l'indicatif de

New York s'afficher à plusieurs reprises dans l'après-midi de dimanche. Le soir, lorsque la bassine en plastique ressortit de sous l'évier pour le bain de bébé, je me dis que j'aurais eu bien tort d'annuler le week-end de Poppée sur un coup de colère. Presque au même moment, je regrettai la pureté de mes pensées d'hier. Même la berceuse ne suffit pas à me détacher de mes idées de grandeur. Je m'endormis en serrant Poppée dans mes bras, j'avais du mal à calmer ma joie. Son départ le lendemain par le train de sept heures du matin, au lieu de gâcher mon plaisir, en multipliait les effets.

Il faisait à peine jour lorsque nous dûmes réunir les affaires de Poppée pour la ramener à la gare. La situation était étrange. Elle semblait triste de me quitter avec son enfant dans les bras, j'avais hâte qu'ils s'en aillent pour nettoyer l'atelier, monter un nouveau châssis et me lancer dans cette série qui devait relancer la partie. Même la quatrième *Victime*, pourtant maudite, cachée depuis deux jours sous un drap souillé de taches de vernis terreux me semblait rattrapable. Une fois à la gare, je dus me forcer pour attendre l'arrivée du train et c'est elle qui insista pour que j'embrasse Galatée qui s'en fichait autant que moi.

Poppée était devenue très tendre. Plus caressante encore que d'habitude, elle me dit qu'elle n'oublierait jamais ces moments, qu'elle m'avait découvert, que j'étais un homme « doux et bon », je crois que ce sont les mots qu'elle employa. À l'instant où elle prononçait ces paroles, je regardais par-dessus son épaule le train qui entrait en gare. S'il l'avait écrasée avec son bébé, ça ne m'aurait pas rendu triste, seulement gêné par l'empêchement de rentrer aussi vite que je le souhaitais retrouver les pinceaux à nettoyer, les palettes à gratter et tous les préparatifs nécessaires à une nouvelle aventure. Bien plus tard, en y repensant, je me suis posé des questions sur cette scène. J'ai imaginé qu'elle n'était pas dupe et qu'il y avait une dose de perfidie dans ses effusions. Elle savait à quoi s'en tenir, sans toutefois se rendre compte que ses manipulations avaient étouffé chez moi une part de sincérité. Celle du premier soir, lorsque j'étais juste heureux de la voir. À vrai dire, je crois que ces bons sentiments n'auraient pas duré, et qu'en me disant « travaille bien mon chéri » et en m'embrassant après avoir déposé le couffin sur le sol du train avant de monter la marche qui allait me rendre ma liberté, recommandation qui sous-entendait ses bienfaits « travaille bien... *grâce à moi* », elle me ramenait à celui que j'étais vraiment. L'enfant n'était qu'une distraction, l'essentiel se jouait là-bas, sous ma verrière, puis à New York, puis dans les salles de vente. Au fond, je n'ai jamais pensé qu'à cela. L'enfant était à elle et à elle seule, un cadeau, un prêté pour un rendu. Si elle me forçait à jouer avec, c'était peut-être chez elle aussi davantage une curiosité qu'une vraie demande. Obliger un célibataire parisien égoïste à jouer les nurses devait être amusant pour un ancien soldat de Tsahal. Un plaisir de dresseuse d'ours. Il ne faut jamais oublier la part de jeu dans le comportement d'une femme.

En quelques jours, j'étais parti sur une nouvelle *Victime*, un nu au bouquet de lys (ceux du supermarché) tout à fait excitant.

Soucieux de réussir mon pari, je doutais désormais que la drogue me soit utile, au moins pendant quelques mois. Je soupçonne alcools et stupéfiants de m'enfermer dans le conformisme. Je calcule davantage, je perds de la sincérité, je mens mieux (je construis donc de meilleurs poncifs) et j'ai de l'énergie à cause des trous d'angoisse ouverts par les excès, mais je perds de la sensibilité comme quelqu'un qui est forcé de vivre en prison. La suprême liberté c'était d'arrêter les excitants, tout en préservant mon mode de vie dépoitraillé. Continuer de voir mes amis et de faire la fête mais à jeun est un des meilleurs trucs que ma longue expérience m'ait enseigné.

La visite de Poppée et du bébé fut bénéfique, trois jours sans me droguer et presque sans boire me facilitaient la tâche. Je n'ai jamais trop de mal à rompre avec une habitude, je décidai donc – brutalement comme à l'accoutumée – de tout arrêter pendant une année ou deux, le temps d'aboutir la série des *Victimes.*

Je ne prévins personne mais je pris les dispositions

ordinaires. Très simples d'ailleurs. Au contraire d'autres amis plus faibles comme la Daladier, je ne jetai pas théâtralement les fonds de bouteille et de cocottes de cocaïne dans les toilettes. Je les rangeai tout simplement à la cave, en gardant même certaines pour la cuisine. Le peu de coke qui me restait fut stocké au frigidaire dans un tube de vitamine C vide. Une fois décidé, je n'avais aucune tentation. Ma descente à Paris le mardi suivant fut l'épreuve de vérité. Je l'affrontai de gaieté de cœur. Le même mécanisme qui suscitait chez moi l'envie d'excès armait la rigidité de ma décision.

Le premier dîner fut tout de même moins drôle que d'habitude. Cette aptitude à décrocher surprenait toujours mes amis. Certains prenaient leurs distances une fois qu'ils avaient vérifié en me tentant la fermeté de ma résolution. D'autres, à mon exemple, en profitaient pour se restreindre, soit par avarice, peu soucieux de payer leur propre cocaïne ou les hectolitres de vin nécessaires aux nuits blanches, soit parce que ce genre d'émulation leur donnait le courage de se soigner. D'autres continuaient comme si de rien n'était à consommer de la drogue et à boire comme des trous, j'aimais bien ces derniers parce qu'ils me permettaient de sauver ce qui me manque le plus dans mes régimes, les rituels et les réflexes du camé alcoolique. Je les aidais à trouver des fournisseurs, j'achetais du vin pour fournir le bar de la suite, je planquais leurs réserves au besoin lorsqu'ils voulaient faire des économies. Je devenais un compagnon idéal, le saint-bernard au tonneau de rhum.

Je n'aime rien plus que le genre de vie imposé par

les vices, les risques, les devoirs et les mauvaises fréquentations. Je déteste l'idée de me fâcher avec des gens à cause d'une crise de sobriété. Certains dealers me manqueraient. Ils me sont sympathiques, ils assurent mon seul lien avec le monde populaire des cités de la banlieue parisienne.

Les soirées overdose continuèrent donc d'avoir lieu, mais moins acharnées, je fermais vers deux heures. Dormir en pyjama repassé dans ce lit où j'avais passé tant de nuits blanches à marcher sur les draps avec mes bottes aux pieds m'amusait beaucoup. Je recommençai à acheter des livres d'art anciens illustrés de planches en héliogravure et il m'arrivait de passer des soirées à les regarder et à réfléchir. Quand j'arrête de picoler, je rêvasse énormément, c'est mon vice. Lukardis et Poppée se succédaient toujours à heures fixes, l'une pour le déjeuner, l'autre pour l'apéritif du soir. Je continuai d'acheter du bourgogne dont je cachais la bouteille d'une semaine à l'autre derrière le piétement du lavabo. La cocaïne des copains avait sa place sous une lampe.

Une fois seul, en fin d'après-midi avant l'arrivée de Poppée ou le matin en ouvrant un regard frais sur une belle journée, mes réflexions touchaient à des questions matérielles et aussi à mon organisation. Les fonds d'Umberto Brentano me donnaient les moyens de racheter le crédit de ma maison, l'argent supplémentaire restait à attribuer. De toute façon, vu l'ampleur que prenaient mes affaires, je prévoyais de ne plus me trouver dans la cavalerie permanente, qui était mon lot depuis mon retour de New York, il y avait presque vingt ans. J'avais envie de m'acheter une nouvelle voiture, tout en gardant la Morris à laquelle j'étais attaché. Certains plaisirs m'étaient enfin permis. Bizarrement, je n'arrivais pas à les mettre en œuvre. Flemme de commencer cette collection de dessins anciens dont je rêvais depuis toujours, flemme aussi de courir les ventes de Drouot ou de Christie's pour acheter des objets dont j'avais envie à l'époque où j'étais démuni. J'ai un goût pour les curiosités, le mobilier massacre, les tapis anciens, les uniformes militaires, voire les armes… mais une paresse immense me venait dès qu'il s'agissait de prendre le temps de me consacrer à ces fausses passions. Ma vraie passion, la peinture, et mon penchant pour le train-train et le rituel le plus ordinaire reprenaient le dessus. Malgré les sollicitations de ma femme de ménage, je n'arrivais pas à acheter un lave-vaisselle, partant du principe que j'aimais faire la vaisselle à la main le matin avant de me mettre au travail.

En entendant l'ascenseur monter, je me disais que j'aurais bien racheté la suite overdose plutôt que de chercher un atelier à Paris comme tout le monde me le suggérait. La seule qui me comprenait c'était Lukardis, elle non plus ne possédait rien à part son mari et elle aussi n'était attachée à rien d'autre qu'à ses habitudes. « Tu n'as qu'à reconstituer une chambre d'hôtel dans un appartement. Fais-le un peu plus confortable que celui-là, du niveau d'un Mercure ou d'un Sofitel, tu seras bien. » Même si ses goûts n'étaient pas les miens je trouvais qu'elle n'avait pas tort. En revanche sur la Morris elle était intraitable : « Jette cette vieille poubelle et achète-toi une bonne voiture neuve qui marche, une Toyota par exemple. » Dieu sait pourquoi cette Polonaise aimait les autos japonaises.

Comme je fais toujours ce que je dis, surtout quand tout le monde lève les yeux au ciel, je proposai à la patronne blonde de lui racheter la chambre 19 de son hôtel, mais elle crut visiblement que je plaisantais. Je me contentai donc de louer ma chambre à 80 euros toutes les semaines, de rouler dans ma vieille poubelle anglaise, d'honorer mes deux épouses tous les mardis et de peindre tous les jours à la campagne dans des murs qui désormais m'appartenaient. Je n'achetai pas de lave-vaisselle, à peine une grosse télévision à écran plat pour regarder les documentaires. Lorsque s'acheva la saison des roses, à la fin juillet, j'étais un homme heureux.

C'est aux alentours de mon quarante-neuvième anniversaire, juste après le départ en vacances de Poppée, que Frappier me passa un coup de téléphone.

Je me souviens que Lukardis était encore là puisque je la vis l'après-midi, il faisait très chaud, près de trente degrés, et elle m'avait forcé à l'accompagner avenue Montaigne chez Pucci pour que je lui offre un sac de plage en tissu à imprimé fleuri. C'étaient les soldes, Lukardis était une maîtresse peu exigeante, des parents grigous l'ayant habituée à porter les ravaudages de ses sœurs aînées.

Mon portable sonna pendant que Lukardis choisissait son sac. Je répondis, j'entendis une voix crier « Alain !!! » très fort… Aucun doute possible, c'était Frappier.

J'ai milité durant ma jeunesse dans un mouvement d'extrême droite. Notre ardeur nous entraînait à des actions commando, plus folkloriques que réellement efficaces. J'ai rencontré Frappier au collège Stanislas. Blond, grand, gominé, il ressemblait à l'acteur américain Lex Barker. Lorsque nous avons parlé d'avenir il m'a confié que si le devoir ne l'appelait pas à mourir assommé sous la bannière de la croix celtique, il deviendrait volontiers vendeur de piscine dans la région Côte d'Azur ou encore mieux en Floride. Miami le faisait rêver.

Alain Frappier était venu très jeune à la politique, sous l'influence de son frère aîné, Jean-Claude. C'est avec Alain Frappier que nous avons formé le tandem des « deux Alain », célèbre pour sa descente de bière.

La police qui, au contraire d'une légende propagée par nos ennemis, nous a toujours pourchassés, nous avait même consacré une fiche commune. Ce sont les Frappier qui m'ont encouragé à m'exiler à New York au début des années 1980. Jean-Claude Frappier nous avait précédés, puis la vie nous a séparés, alors que je vivais une histoire d'amour avec mon épouse américaine, Heather.

Depuis presque trente ans, Frappier revenait dans

ma vie à intervalles réguliers. Je savais qu'il avait divorcé et qu'il s'était fâché avec son frère. Marié en premières noces avec la fille d'un riche agent de change new-yorkais, l'aîné des Frappier était devenu une star de la production de disques aux USA, puis une star tout court lorsqu'il était monté sur scène sous le nom grotesque de « DJMOmo ». Alain, lui, ne vendait pas de piscines mais œuvrait dans l'immobilier en Belgique.

Nous avons pris rendez-vous dans une pizzéria des Champs-Élysées. Voilà deux ans qu'il ne m'avait pas donné de ses nouvelles, je ne m'attendais pas à le trouver changé, pourtant je l'étais moi-même beaucoup. J'avais aussi peur qu'il m'embête avec des histoires d'élections présidentielles car, contrairement à moi, la situation française le passionnait. Je m'étais détourné de la politique depuis longtemps et j'évitais d'en parler à qui que ce soit.

Quand j'entrai dans la grande salle bruyante, je le repérai tout de suite. Il me sembla qu'il était lifté et qu'il avait fait une teinture aile de corbeau. Il était redevenu le Frappier que j'avais connu, videur au Bilboquet la nuit, étudiant en droit le jour, mais en plus bizarre, un côté ambigu s'était affirmé dans sa personnalité malgré son menton très fort. D'entrée de jeu je lui lançai :

— T'es marrante comme ça !

Il éclata de rire, je découvris qu'il avait aussi de fausses dents blanches.

— C'est mon style Liberace, ça plaît aux mémés.

Je lui demandai s'il était devenu gigolo, il me répondit qu'il investissait dans les maisons de retraite. En cinq minutes, nous étions redevenus les copains d'antan. Frappier ne jugeait jamais personne, il m'avait supporté complètement défoncé la dernière fois et m'avait suivi dans mes nuits, même si comme tous les vrais agités que j'ai connus, il détestait la drogue. Je lui annonçai que j'avais décroché et cela nous conduisit naturellement à évoquer nos excès de jeunesse. Pour goûter au repos du guerrier, notre groupe se réunissait chez Aldo, une boîte de travestis thaïlandais du boulevard Pasteur.

— Tu sais qu'Aldo est mort ?

— Il était temps !

— Et Strogonoff aussi !

— J'ai appris, oui…

Patrice Strogonoff était un copain de l'époque. Celui-là, je n'avais pas arrêté de le croiser. Peintre raté, il était devenu photographe comme Pierre Angélique, moins doué que lui mais aussi drogué que moi, meilleur dragueur, assez gigolo, pas très malin. Il s'était jeté d'une tour du Front de Seine. Mauvaise redescente… C'est à son enterrement au Père-Lachaise que j'avais rencontré Lukardis.

Après m'avoir régalé d'un scandale financier touchant les bons pères du collège Stanislas, Alain en arriva au bout d'un verre et demi de vin rouge à son sujet préféré et haï : son frère. Cet amour contrarié pour un modèle qui l'avait déçu mais qui continuait quand même de le passionner était le drame de sa vie. Devenu DJMOmo (nom qui se prononçait « *didjé-*

momo »), l'ancien trident du Groupe Action Jeunesse se produisait désormais sur scène dans des shows extravagants qui se réclamaient de Stockhausen. Ventru comme un satyre, vêtu de cuir noir, riche à millions, le frère maudit connaissait à près de soixante ans un succès mondial. Il avait épousé en secondes noces à Bangkok une métisse de Chinoise et d'Indienne. La brouille entre les deux frères datait de là.

— Comment va ta nièce ?

— Laquelle ?

— La première… Celle que tu aimais bien, le petit génie. Celle dont la mère s'est suicidée.

— Mon connard de frère l'a détruite… elle est devenue dingue.

— Elle a quel âge ?

— Quatorze ans, il l'a internée en Suisse dans une institution spécialisée. Tu vois, tu as bien fait de ne pas avoir d'enfant.

J'encaissai ce coup inattendu.

— Comment s'appelle-t-elle déjà ?

— Emina…

— Pauvre Emina… Elle était sublime.

— Plus que sublime. Elle est avec les anges maintenant.

— Pourquoi tu dis ça, elle n'est pas morte ?

— Parce qu'elle est obsédée par les anges.

— C'est pour ça qu'ils l'ont internée ?

— Non… Elle a tenté de se suicider. Ils disent qu'elle est schizophrène mais c'est faux. Personne ne sait ce qu'elle a réellement.

Un ange passa. Je me sentais triste pour plusieurs raisons. À cause de cette extraordinaire fillette... la plus étonnante personne que j'aie jamais rencontrée. Qui savait le latin et le grec ancien à douze ans, la musique aussi, un génie, d'une beauté à la Botticelli. Elle avait posé une seule fois pour moi sous l'œil de son oncle au bar de l'hôtel Bristol pendant que son père était occupé avec les journalistes. Je me demandai où était passée cette sanguine. J'étais triste aussi en pensant à ma fille. J'avais besoin de parler. Alain n'appartenait pas à ce monde-là. Il ne pouvait accepter mes embrouilles. Il était peut-être fou et dangereux mais il réfléchissait comme Terminator ou Jean-Claude Van Damme dans leurs films, des idées simples et directes. Il n'était pas lâche et tordu, à rire de tout comme nous tous. Au fond, je devais espérer qu'il fasse quelque chose pour moi.

Je lui racontai l'histoire de Poppée le temps qu'il avale sa pizza.

— Pourquoi tu te mets pas avec elle ?

Je ne sus pas quoi répondre. Mes idées étaient moins claires qu'à l'ordinaire. Je ne voulais pas savoir pourquoi. Alain insista.

— Si tu veux, je peux m'en occuper. En Belgique je connais des labos pour identifier l'ADN. Ils ont juste besoin d'un cheveu.

— Et qu'est-ce que ça changera ?

— On fera quelque chose...

Je lui expliquai que je n'avais pas l'intention de « faire quelque chose », ce qui dans son esprit équivalait à un coup de main. Il me répondit qu'alors je devais me sortir cette histoire de la tête. Au contact d'Alain, j'avais l'impression que tous ces mois passés avec Poppée manquaient soudain de réalité. Les mots pour décrire mes sentiments s'évanouissaient, peut-être un effet de l'eau plate que j'avalais. La grande salle de la pizzéria, les gens qui dînaient là, pareils à ceux que je croisais dans le train ou dans le métro, me semblaient tous plus vivants que moi. Il me suffisait de penser à cet enfant au milieu d'eux pour me transformer en fantôme. Je devenais aussi évanescent qu'un barbouillage sur une toile. La même impression que lorsque je ratais une peinture, qu'elle m'échappait à un certain moment. Là où se tenait la magie de mon attention, le sujet, il n'y avait plus rien. Sans raison, je racontai à Alain le bizarre cambriolage dont j'avais été victime à la campagne. Il fronça son front pourtant bien botoxé.

— Fais gaffe… C'est de la magie noire.

— Des sorciers… tu rigoles…

Alain me raconta la sombre histoire d'un casino où il avait des parts à Knokke-Le-Zoute. Son associé avait une maîtresse sépharade très jalouse qui lui avait jeté un sort. Même scénario que moi, un vol mystérieux, des chaussures dans sa villa, la nuit quand il dormait. Il était mort dans un accident d'auto six mois plus tard. Je souris, parce que Alain était crédule, la fréquentation des voyous n'avait pas arrangé ce travers.

Il insista pour sortir un peu, nous passâmes avenue Marceau au Baron mais la boîte était vide à cette heure, puis au Flore… La Daladier y trônait avec Lili, une modèle de dix-huit ans, et des gens de son équipe. J'assistai au coup de foudre attendu entre madame Daladier et ce nouvel Alain qui lui fit son numéro d'ange noir avant de lui proposer la botte. Arriva Pierre Angélique. La Daladier et Alain filèrent aux toilettes avancer leur idylle. Pierre me posa des questions sur Umberto Brentano, il semblait au courant de tous les détails. L'air de rien, il me sonda sur mes autres projets en cours. Était-il soudain jaloux ? Voulait-il me déstabiliser ? Il me fit comprendre en y mettant sa réserve habituelle que je ne devais pas ranger tous mes œufs dans le même panier, par ailleurs il trouvait surprenant que je n'aie jamais rencontré Umberto Brentano. Il me proposa d'organiser un dîner avec lui mais sans Poppée, chez un célèbre commissaire-priseur qu'il considérait comme son père spirituel. Je manifestai un enthousiasme de façade, tout en pensant à Poppée. Une peur irraisonnée m'envahissait parfois quand je me rappelais la position qu'elle occupait dans ma vie. J'avais l'intuition qu'elle pouvait me nuire irrémédiablement. Ce qu'elle m'avait imposé avec l'enfant m'empêchait de la neutraliser. J'étais son prisonnier. La présence physique de Frappier, ses cuisses écartées, sa grosse voix, me révélait à quel point les liens de l'art et du pouvoir m'avaient asservi. Pour pouvoir peindre il fallait que je supporte des gens comme Brentano ou Poppée. Avec ses affaires de voyou en Belgique, Frappier me semblait plus libre que moi, mais sans doute était-ce une illusion.

J'avais envie de peindre pour oublier tout cela. Redescendu des toilettes avec la Daladier, Alain Frappier se retrouva je ne sais comment à parler de son frère avec Pierre Angélique et Lili la modèle, soudain très proches comme dans un rêve où les identités se mélangent. Ils évoquèrent un palais en Andalousie du côté de Tarifa que le DJ milliardaire venait de racheter à une star, Björk je crois ou Matthew Barney. Je les laissai à leurs mondanités et décidai de rentrer chez moi. En période de diète, j'adore conduire la nuit et me réveiller à la campagne. J'embrassai tout le monde, payai la note et sortis.

Frappier me rattrapa sur le trottoir au moment où je montais dans la Morris. Je crus qu'il voulait blaguer sur la Daladier, mais soudain se collant à mon oreille comme s'il allait me rouler une pelle :

— Fais gaffe à ton pote, le racedoup.

— Pierre Angélique ?

— Oui, je ne le sens pas.

Frappier s'était toujours flatté d'avoir du nez. Un instinct qui ne l'avait pas conduit bien loin mais sauvé du pire. Placé à cet instant son avertissement eut plus d'effet qu'à l'ordinaire.

Je passai le voyage du retour à me débattre dans des sentiments contradictoires.

De retour à Mortefontaine, je jetai les lys fanés et je résistai à l'appel nocturne de la vodka. Cette nuit-là, par une mystérieuse incubation que je ne m'explique toujours pas, l'image d'Emina se mit à me hanter.

À ma demande, ma galerie m'avait renvoyé mes trois *Victimes* de New York. On me livra tôt le matin et je me félicitai d'être rentré dans la nuit, ma femme de ménage était en vacances et personne n'aurait pu recevoir le coursier.

À peine avais-je déroulé les toiles et comparé les visages de mes trois nus, que je leur trouvai un point commun. La matrice de cette série était une œuvre de Balthus intitulée *La Victime* et datant de 1938. Le tableau, très dépouillé, représente une jeune fille nue couchée sur une table, une nature morte plutôt qu'un portrait. Anne-Marie, ma modèle, avait gardé un corps d'adolescente mais comme souvent, j'avais travaillé les visages au chiqué, dans l'espoir de rencontrer quelqu'un dont les traits puissent me servir, ce qui arrivait parfois. Sinon je faisais confiance à ma mémoire instinctive. Les visages de mes nus, lorsqu'il ne s'agissait pas de portraits, étaient souvent des composites entre des souvenirs de métro, de rue, de films ou de peintures anciennes. Contrairement à Balthus, qui a piqué beaucoup de ses têtes chez Piero della Francesca, je ne me suis que très rarement inspiré d'une seule peinture.

Je regardai donc mes trois *Victimes*. L'une était en profil perdu, mais les deux autres se montraient de face, même si le bras de l'une devant la joue, ne se laissait voir qu'aux deux tiers.

Il me sembla reconnaître sur les trois le visage d'Emina…

Je passai la matinée à fouiller mes cartons pour retrouver la sanguine. En vain. J'en aurais pleuré. Sans réfléchir, je racontai cette histoire incroyable à Poppée au téléphone après le déjeuner. Elle me laissa parler longtemps, en silence, avant de réagir. Sa colère froide et cinglante me prit de court : « Tu ne vas pas te mouiller avec ces fascistes et peindre cette folle. Alain, fais attention, fais très attention… Umberto déteste les gens d'extrême droite, s'il apprend ton passé il peut briser ta carrière » et patati et patata… Je remarquai qu'elle s'abritait derrière Brentano mais qu'elle-même en tant que juive restait très calme à l'égard de mes engagements de jeunesse dont je ne lui avais rien dit. Elle aurait pu légitimement m'accuser de lui avoir caché mon vrai visage. Rien de tout ça… Ses arguments touchaient ma réputation d'artiste et non la morale ou l'antisémitisme dont elle devait me soupçonner. À l'écouter, elle ne portait aucun jugement sur moi, elle ne me demandait nulle justification, aucune excuse, elle voulait seulement me protéger. Elle me faisait penser à ces juristes habitués à traiter avec des mafieux et qui n'auraient jamais l'idée de leur reprocher d'être malhonnêtes ou criminels.

Cette modération méprisante et son désir de contrôler ma liberté d'artiste m'agacèrent. J'eus l'intuition soudaine qu'elle était au courant depuis longtemps. Je l'accusai de chercher à me manipuler en utilisant mon passé contre moi, rendu furieux par son rire moqueur je la traitai d'agent sioniste. Elle me raccrocha au nez. Je pensai avoir tout perdu.

Quand je me retrouvai seul, je refrénai une terrible envie d'appeler mon dealer.

Quelle folie… Je parlai à voix haute face à mon grand miroir de travail… Quelle folie ! Comment avais-je laissé rentrer cette femme dans ma vie… Le pire c'est que je ne voyais pas comment j'allais m'en passer.

Une heure après, le téléphone sonna, c'était Poppée. Une autre voix… Elle semblait désolée.

Elle voulait me voir, faire l'amour. Ému à mon tour par cette passion qui surmontait tout, je lui promis de passer à Paris très vite. Elle avait l'air déçu. Je compris qu'elle voulait venir le soir même à la campagne. Une angoisse soudaine me serra la gorge. J'avais peur qu'elle jette un sort sur mes tableaux. Je jouai les hommes fragiles, l'artiste ébranlé, fatigué et réussis à reporter le rendez-vous.

Plus tard, je reçus un coup de fil de Lukardis qui me raconta des bêtises, me fit rire et oublier l'impression désagréable que m'avait laissée l'appel de Poppée.

Ce coup de téléphone me tarabusta jusqu'à ce que

je retrouve ma sanguine. La beauté de cette esquisse me secoua et alluma l'étincelle d'énergie nécessaire. J'allumai les lampes Cremer et travaillai toute une partie de la nuit à la lumière électrique. Au matin, je m'effondrai, sûr d'avoir achevé trois nus sublimes.

Le soleil de l'après-midi me réconforta. L'extraordinaire enfant m'avait visité et donné son visage. Je commençais à croire aux anges.

Une seule idée m'obsédait, la retrouver, la peindre, l'épouser… J'appelai Frappier mais il était sur répondeur. Je lui laissai un message enflammé à propos de sa nièce, présentant mon travail sur elle comme une rédemption possible. Le signal d'un mail interrompit mon dîner. Je crus que c'était lui mais je vis le nom de Pierre Angélique, puis l'horreur en pièce jointe.

Une photo pictorialiste représentant une jeune fille à demi nue couchée sur un drap blanc. Elle prenait exactement la pose de mes *Victimes* et le visage était celui d'Emina. D'une Emina grandie, encore plus belle et tragique que celle dont je me souvenais. Derrière elle, un décor peint représentait un paysage de bord de mer avec au loin le rocher de Gibraltar. Le message était sobre : *Mille pensées de Tarifa.* Le salaud m'avait piqué mon sujet et mon modèle. Je me rappelai soudain que le frère de Frappier faisait partie de ses collectionneurs. Il l'avait rencontrée à Moscou lors de la Biennale. DJMOmo lui avait demandé un projet d'image pour la sortie mondiale de son prochain album. *Candlelight & Dubonnet on Ice.*

Je faillis tout détruire puis je revins à mon ordinateur. J'avais été victime d'une hallucination. Il s'agissait d'un nu mais qui n'avait rien à voir avec ma peinture. Le modèle n'était pas Emina mais une autre fille, très jeune, de type berbère, plutôt un sosie arabe de Poppée. En revanche, c'était bien le projet de couverture pour l'album et le mot Tarifa était bien affiché sur l'écran. Il était sûrement là-bas, pas loin d'elle, mon amour… J'appelai Pierre mais lui non plus ne répondit pas. Je ne laissai pas de message.

Même remisée dans mon frigidaire, la drogue laissait des séquelles. Je montrais des symptômes de maladie nerveuse. Cette tempête de vingt-quatre heures s'arrêta aussi vite qu'elle avait commencé. J'oubliai Emina, Tarifa et les Frappier. Un nouveau train-train se mit en place. Poppée revint à la campagne, elle prit même un rythme mensuel qui faisait penser à un droit de visite et me confirma dans l'idée que le mari la laissait faire, peut-être par crainte de la perdre. L'hypothèse la plus sûre, car il y avait toujours dilemme avec Poppée, restait qu'elle voulait m'habituer au bébé et réciproquement, de manière à ménager ses arrières le grand soir où elle quitterait son mari pour moi. Dans ce paradis communautaire je jouerais les beaux-papas légaux et les choses rentreraient dans l'ordre. Solution couronnée par un second enfant…

Avec le recul je pense que j'avais raison. Ce projet lui passa par la tête à ce moment-là. Elle justifiait ainsi à ses propres yeux son adultère et les risques qu'elle faisait courir à l'enfant. Une telle ambiguïté correspondait à son caractère et à ses peurs secrètes, elle était incapable de quitter la proie pour l'ombre. Cela se vérifiait dans son travail. Tout en continuant ses besognes mystérieuses, elle œuvrait désormais à mi-temps pour la future fondation Umberto Brentano. Il restait une inconnue concernant ses rapports réels avec le milliardaire. Le mystère était complet. Je ne vis plus trace des textos ambigus du vieux, ce qui ne voulait pas dire qu'ils aient cessé. Je me méfiais de tout le monde et les initiatives de Pierre Angélique ressemblaient à des pièges. De toute façon, à peine revenu d'Espagne, ce dernier disparut plusieurs mois, occupé par une série d'expositions en Asie. Plus de dîner en vue chez le commissaire-priseur. Je préférais laisser la main à Poppée, au moins jusqu'à l'inauguration de la fondation, prévue l'année suivante. Le contrepoint de ma prudence était le rendement maximum de mon atelier. Un barrage avait sauté, jamais je n'avais peint plus librement ni avec autant de plaisir. Poppée semblait très confiante.

Un soir d'euphorie je la poussai dans ses retranchements, je voulais éclaircir son opinion sur mon passé politique. Elle me répondit froidement qu'elle s'en fichait. À la différence des filles de sa génération elle avait fait la guerre, ce qui guérit de certains fantasmes antifascistes. Son histoire familiale, ce père avec qui elle entretenait des rapports violents l'incitaient à passer l'éponge. Elle avait eu pire que moi chez elle. Quant à mon antisémitisme supposé elle n'y croyait pas une seconde.

Lorsque Galatée commença à marcher, il lui arrivait de traverser en me tenant la main et celle de sa mère mon atelier transformé en musée. J'avais plaisir à penser que ces grandes peintures éduquaient son œil.

Durant plus de deux ans et demi, Poppée se comporta avec moi, à chacune de ses visites, comme si j'étais le vrai père de son enfant. On aurait dit qu'elle se considérait comme une femme de marin. Si je n'avais pas été si heureux dans mon travail, monomane dans l'âme, je ne l'aurais pas laissée ainsi agir à sa guise.

Elle avait pour habitude de lui faire prendre son bain avec moi ou de me demander avec une douce autorité de lui préparer son dîner et de le lui donner sur mes genoux devant un dessin animé. J'acquis une culture nouvelle et si le personnage de Oui-Oui ne me fournit pas de sujet de peinture, il finit par hanter mon sommeil à force de le voir et le revoir, avec ce goût enfantin que j'apprécie du rituel et de la répétition.

La chaleur de l'enfant descendait naturellement sur mes genoux, comme si le sang que nous partagions peut-être autorisait toutes les transmutations. J'aimais son contact et je me sentais bien en sa compagnie, sans qu'elle me manque quand elle n'était pas là. Je nous trouvais des ressemblances, elle rêvassait souvent en regardant par la fenêtre et avait le même genre de gros rire que moi. À part ça elle aurait pu être d'un autre, ou engendrée *sui generis* par sa mère, tant elle avait ses traits. Une ravissante miniature de sa mère, une « poupée » suivant le sens étymologique, puisque, comme je l'avais découvert dans mon dictionnaire, le mot français « poupée » vient du latin « poppea ».

Cette gémellité n'allait pas sans heurts. La petite était perspicace et je me souviens qu'au moment où elle commença à parler, peu de temps avant notre séparation définitive, lors d'un jeu où Poppée fronçait les sourcils, la petite l'appela : « la sorcière la sorcière… »

Moi j'étais devenu *Laa-Laa*, un personnage de son enfance au même titre que ses peluches ou Oui-Oui. Ça ne me dérangeait pas mais ne m'émouvait pas non plus. Heureusement car Poppée veillait à casser toute joie superflue. Un matin où je m'attardais à jouer avec elle sur le lit, la garce me lâcha avec une feinte commisération :

— Le père est très attaché à l'enfant.

Je mis quelques secondes à comprendre que « le père » c'était l'autre. Celui que Galatée appelait « papa » et dont elle parlait peu, comme si un tact mystérieux lui avait fait comprendre l'exclusion d'un ensemble par l'autre. La dureté de Poppée me sidéra. Comment osait-elle me dire ça ? Je m'enfermai dans mon atelier jusqu'au déjeuner.

Parfois nous allions marcher dans la forêt. Je hissais la petite sur mon dos dans un harnais que Poppée apportait de Paris à chaque visite. Galatée scrutait la nature avec cette curiosité méticuleuse de l'enfance. Je me disais qu'il lui resterait quelque chose des arbres centenaires et des oiseaux qui seraient morts comme moi lorsqu'elle atteindrait l'âge que j'avais. Les réminiscences mystérieuses où certains voient la marque de vies antérieures, sont peut-être de simples souvenirs de ces moments-là. Des zones aussi anciennes dans l'esprit que les cavernes, aussi sombres, d'où se détachent quelques ombres plus frappantes. Montreur d'ombres et ombre moi-même, portant comme Joseph en Égypte mon fardeau, je serais l'une d'entre elles pour elle, ça au moins j'en étais sûr. Ces heures passées ensemble n'étaient pas perdues. Elles auraient une gravité, une âme qui ne dépendaient pas de moi, que je ne pouvais mesurer, et qu'il ne m'appartenait pas d'orienter. Enfin quelque message émanant de la beauté qui échappait à mon contrôle. Je n'en parlerais jamais à personne, c'était indicible, mais je sentais la preuve d'une communauté possible entre les âmes.

Galatée avait un œil d'une acuité impressionnante. Elle voyait les oiseaux avant moi, avant même qu'ils ne s'envolent à notre approche. Ses minuscules griffes posées sur mon cou, je sentais qu'elle aimait me dominer et voir le monde par-dessus mon crâne. Cette domination que je n'aurais pas supportée d'un autre, mon orgueil me poussant à vouloir être toujours celui qui voit le plus clair, je la laissais l'exercer sans la moindre résistance. La mère nous suivait en trottant, je comprenais qu'elle était déchirée entre une émotion bienveillante et cette curieuse jalousie qui exigeait qu'elle subtilise par un moyen ou un autre l'enfant à tout homme qui aurait voulu partager sa souveraineté.

Le naturel enfantin est un ciment si solide qu'il créait, le temps de quelques jours, une famille, quitte à en reconstituer une autre à Paris dès son retour.

Je profitais de cette simplicité sans chercher à l'entretenir. Je ne crois pas avoir jamais poussé très loin mon intimité avec l'enfant, de manière aussi à laisser au père la place qu'il méritait. Peter le philosophe avait l'air de l'aimer et de s'en occuper très bien. Les hommes ont entre eux pour ce genre de choses un tact que les femmes ignorent. Un instinct qui les dirige ailleurs, permet aux plus ambitieux de laisser en paix leur orgueil intime. La paternité est un exercice reposant que la rivalité n'aiguise pas, du moins chez ceux qui ont d'autres terrains où exercer leur volonté de puissance. Je parle pour moi, car je doute que l'autre fût au courant. Peut-être n'aurait-il pas supporté et le surnom de « philosophe » était-il mieux mérité par moi que par lui.

Je rêvais beaucoup durant ces visites. Mon sommeil fut visité par une jeune fille au visage incertain mais à la présence unique, ce personnage mystérieux qui avait envahi mon imaginaire depuis le jour où Frappier l'avait évoqué. Un de ces rêves est resté aussi vivant que si je l'avais fait hier.

Je marchais avec celle que j'appelais Emina mais était un mélange d'Emina et de quelqu'un d'autre, Poppée peut-être..., sur une allée goudronnée qui traversait un grand parc, une forêt privée, un domaine aussi foisonnant que les terrains en friche qui entourent les maisons abandonnées. Au creux du paysage, à notre droite se trouvait un cours d'eau, d'abord invisible sous la végétation mais qui s'élargissait plus loin au fond du paysage sur un plan d'eau ou une vaste rivière tranquille. Devant l'horizon fermé par de hautes collines boisées, un pont d'autoroute de fer et de béton, de très vastes proportions, traversait la propriété dont le terrain continuait sous ses arches autour du plan d'eau. En levant la tête vers la droite, j'aperçus un grand bâtiment, un château dont la partie principale, un ancien donjon carré transformé en habitation, était éventrée. La ruine imposante suggérait un sentiment de désolation, que renforçaient de longs hangars en meulières, construits au bord de la rivière, des locaux industriels du XIXe siècle réduits à l'état de ruines malgré des toitures encore plus ou moins préservées. Les portes disjointes débordaient de déchets. Ce territoire abandonné, enjambé par un pont d'autoroute sur un fond montagneux, évoquait certains lavis de Victor Hugo ou plutôt dans sa grisaille finement contrastée les dessins très soignés à la mine de plomb des paysagistes allemands du début du XIXe siècle, cette école des Nazaréens oubliée aujourd'hui mais dont je possède de beaux albums.

Après le petit déjeuner, dès que Poppée et Galatée furent occupées à jouer au-dessus de ma tête sur le lit de ma chambre, je m'absorbai à reproduire ce paysage de rêve. J'utilisai des mines très dures pour arriver à la précision de détail que réclame le genre néogothique. À l'heure du déjeuner, je retrouvai dans un album des œuvres approchantes, celles d'un peintre allemand au nom français : Ferdinand Olivier. Je corrigeai mon dessin sous son auspice.

Au déjeuner, Poppée s'enthousiasma pour cette œuvrette, sans doute espérait-elle que je me détourne des nus féminins dont l'abondance finissait par exciter une jalousie contenue depuis si longtemps, et dont le nom d'Emina avait réveillé le démon.

Je rangeai le paysage dans un carton à dessins, en me disant qu'un jour, il me servirait. En regardant l'album allemand, j'étais tombé sur de bizarres vierges inspirées de Raphaël et de Léonard. Était-ce un effet de mon régime actuel ou de cette vie familiale intermittente, je me sentais de plus en plus attiré par le néoclassicisme et la manière dure des artistes du début XIXe, Ingres et ses cousins européens. Je pensai au retour à l'ordre de Picasso après la guerre de 14. Les portraits d'Olga au crayon. J'étais tenté de faire des Vierges à l'enfant sur des arrière-plans de paysages, avec une mine de plomb aussi nette de contour que la pointe d'argent. J'étais tenté mais je ne cédai pas, pour la bonne raison que je manquais de modèles. Poppée aurait dû jouer ce rôle, mais j'étais incapable de travailler sur cette femme, et elle-même s'y serait refusée.

La jeunesse des Vierges réclamait une enfant mère, une grande sœur jouant avec un bébé, plutôt qu'une femme. La transposition m'était indispensable pour rester dans les limites que m'imposait la modernité. Bien sûr, je repensais à Emina et à mon rêve.

Pendant que j'étais occupé à jouer avec l'enfant au sortir de sa sieste, je vis Poppée me surveiller du coin de l'œil.

On verrait bien demain lorsqu'elle serait repartie, mais après tout ce temps passé aux grands formats pour l'exposition qui approchait, j'avais envie de relancer une série secrète pour moi seul. Un domaine imaginaire qui échappe aux investigations de Poppée et au pouvoir financier de notre protecteur.

Nous étions à la fin de l'hiver, Galatée allait sur ses deux ans, elle aimait toujours davantage les promenades en forêt, surtout si je la prenais sur mon dos. Nous partîmes ce jour-là un peu plus tard que d'habitude, juste avant la nuit. La brume avait traîné toute la journée, laissant à peine une heure de soleil après le déjeuner. Elle commençait de retomber, rendant les taillis de plus en plus mystérieux.

Je me souviens que nous avons marché dans un bois qui ressemblait à celui de mon rêve. Il est planté au flanc d'une vallée profonde creusée de marécages, laissée en friche par les chasseurs. En face, sur l'autre versant, il n'y a pas de château mais un mausolée, un genre de tombeau romantique, ruine envahie par les ronces et le lierre ouvrant sur un massif de pins sylvestres.

L'enfant riait, je sentais ses bras se serrer sur mon cou. La mère n'aimait pas ce crépuscule et exigea de rentrer par peur qu'elle n'attrape froid. Nous fîmes demi-tour en remontant vers l'orée de la forêt qui ouvre sur l'immense étendue des champs, un plateau glacial étalé jusqu'à la Belgique.

Galatée s'était endormie, je ne sentais plus que son poids lorsque nous croisâmes deux biches et un grand cerf. Les femelles filèrent dans le bois et le cerf resta un moment face à nous. Ses bois se détachaient dans la lumière diffuse qui finissait de s'éteindre derrière la brume. J'ai regretté que la petite ne voie pas cette apparition.

Le cerf se décida à repartir lentement, allant d'assurance, dans les taillis. Poppée recommença à m'accabler de reproches, mais je ne l'écoutais pas, je ressentais un appel très lointain, quelque chose comme une intuition qui n'arrivait pas à se formuler. Ma vie était ailleurs, encore à venir, l'amour restait à inventer. Tout ce que j'avais vécu jusqu'à aujourd'hui m'apparaîtrait bientôt aussi ancien que les ombres d'une vie oubliée, un passé, un songe qui s'efface. Le monde de la nuit, des rêves et de mes imaginations allait l'emporter. Cette femme qui m'accompagnait ce soir, cet enfant que le hasard m'avait prêté quelques heures ne seraient plus très longtemps près de moi. Il y avait un ailleurs, une compagnie inimaginable ; une région aussi mystérieuse que la mort m'attendait quelque part.

Le sérieux de cette intuition était garanti par mon hygiène de vie. La tentation, si l'on peut parler ainsi et je n'en suis pas sûr, ne venait pas de l'extérieur, du milieu où je frayais d'habitude. Ce n'était pas une rencontre de boîte de nuit, une soirée d'ivresse qui me donnait envie d'aller voir ailleurs. Mais un appel intérieur qui me ramenait à moi-même. Ce n'était pas non plus le moi orgueilleux que j'avais construit à force de concrétions répétées mais une autre sensibilité, oubliée depuis l'adolescence, que je croyais envolée au début de ma vie d'adulte. Cette présence s'allumait par intermittence. Durant tous ces mois elle me chatouilla de l'intérieur, mais très légèrement. À tel point que je l'oubliais dès que je travaillais.

J'arrivais de plus en plus difficilement à imaginer l'avenir avec Poppée après l'exposition. Surtout à distance, quand elle se consacrait à sa famille ou à sa vie professionnelle et que je la trompais avec Lukardis. À long terme le bonheur s'accommode mal du mensonge. En campant sur nos positions, nous nous étions durcis. La maternité l'avait rendue plus matérialiste. Elle se plaisait à ramener les émotions artistiques qu'elle partageait naguère avec moi à des préoccupations qu'elle me prêtait mais qui étaient le simple reflet des siennes. Nous n'avions plus les conversations libres d'autrefois. En dépit de sa sensibilité, elle voyait désormais tout sous l'angle de l'ambition et du calcul. Percer celle des autres lui semblait suffisant. Elle confondait l'intelligence et la ruse. Elle était volontairement fermée à sa vérité intime comme tous les gens qui ont un but dans la vie. Le sien devait être de s'élever socialement et de jouer d'un certain pouvoir occulte sur les autres. Ma réussite était une des parties qu'elle jouait. Un texte qu'elle avait rédigé pour l'exposition provoqua en moi une décharge négative. Je le trouvais superficiel et vulgaire. Je ne comprenais pas comment cette fille intelligente pouvait écrire un truc pareil. Quel chemin depuis les lectures du *Paradis* de Dante. Je lui dis franchement mon avis et elle me rétorqua que l'argent me rassurait mais que je ne savais pas rassurer l'argent, ou une bêtise de ce genre. J'avais pris l'habitude de commercer avec elle, mais avec l'intuition permanente que ce commerce ou plutôt cette usure (elle pensait que je lui étais redevable des intérêts de son travail) allaient s'interrompre et seraient suivis d'une guerre violente. Je n'avais pas peur, grâce à mon art je me sentais plus fort qu'elle. À tort peut-être. Les mensonges que je lui faisais sans cesse comme un gamin (sur Lukardis, sur ma vie à la suite overdose, sur tout un tas de détails) me semblaient nécessaires à la bonne marche de ma peinture. Je la ménageais parce que j'avais besoin d'elle. Du coup l'affection que je pouvais nourrir pour cette bizarre famille qu'elle reconstituait irrégulièrement autour de moi ne devenait qu'un mensonge supplémentaire, alors qu'elle contenait une part de vérité que je sous-estimais. C'est en cela qu'elle m'a volé quelque chose de précieux, troquant ma part de bonté et d'amour paternel contre de la gloire et de l'argent. Il y avait de quoi se pendre comme Judas.

En récompense de ce pacte, j'ai réussi onze grands tableaux, les meilleurs que j'ai peints.

Je ne pouvais m'empêcher de faire subir à Poppée des violences morales, crises de rage téléphoniques, menaces de rupture qui finirent par créer un refroidissement durant quelques mois et aboutirent à notre séparation définitive. La seule manière que j'avais trouvée de la tenir à distance et d'empêcher ses intrusions permanentes était de la menacer de faire exploser le duo d'ambitieux qu'elle formait avec son mari, par des éclats, des scandales publics dus à ma jalousie. Une jalousie qui avait disparu avec le temps mais que je simulais pour éviter de lui dire ce que je croyais dans mes colères être la vérité : que je ne l'avais jamais aimée, que je ne la supportais plus et que je me fichais, au fond, de voir grandir l'enfant. Le plus simple aurait été de lui avouer que je ne voyais pas comment tout cela pouvait se terminer, mais la lâcheté m'en empêchait. Ou peut-être la prudence. Je lui prêtais une grande capacité de nuire et je ne voulais pas me mettre en danger. Je me méprisais de ma veulerie mais la vérité, je m'en aperçois aujourd'hui, était plus trouble. Je simulais moins mes souffrances que je ne les exagérais afin d'éviter de les subir. Je criais pour ne pas avoir mal. L'abîme qui nous séparait, ses yeux où je n'arrivais jamais à voir clair, le sang-froid qu'elle opposait à mes cris détruisait ma lucidité excitée par l'effort d'intelligence que toute œuvre réussie impose. Aurais-je été moins fort dans mon art qu'à ce moment j'aurais eu le loisir d'analyser ma vie et comprendre que j'avais affaire à une femme dangereuse qui préférerait me détruire que me perdre, mais je ne voyais rien que ma force et je me prenais donc une fois de plus pour un salaud.

Un jour, peu avant la fin, les risques que je prenais avec elle m'apparurent. Elle avait découvert le projet que Pierre Angélique tramait depuis longtemps déjà d'un dîner chez le commissaire-priseur, avec Brentano mais sans elle. Me croyant à l'origine de cette manigance, elle me téléphona pour me menacer. Sa voix, entrecoupée de rires, était terrifiante.

— Tu ne me connais pas ! Je peux être terrible... Sale petit nazi arriviste...

Le « nazi arriviste » était un bizarre oxymore... Pourtant habitué aux explosions de jalousie féminine, je n'avais jamais rien entendu de tel. C'est la seule fois de ma vie où j'ai eu peur d'une femme. Elle m'insultait en hébreu, une sorcière du Moyen Âge. Ce n'était pas l'amour qui la rendait furieuse mais le soupçon que je voulais la mettre à l'écart de mon succès.

Elle changeait toujours aussi aisément de visage et se calmait avec une facilité qui me paraissait maintenant encore plus noire que sa colère. Je me souviens d'un des derniers moments de paix que nous avons connus à Mortefontaine, peu de temps après cette crise de folie. C'était le jour de mon anniversaire. J'étais étendu sur l'herbe quand j'ai vu arriver Galatée portant un gâteau couronné de bougies. Poppée la suivait de près, inquiète qu'elle ne tombe. Elle chantait « bon anniversaire Laa-Laa bon anniversaire ». Le prénom d'« Alain » n'avait pas imprimé sa mémoire. Les larmes me montèrent aux yeux quand elle m'embrassa en mettant le nez dans ma barbe. Le plus extraordinaire c'est que depuis le début je savais que je devrais rompre avec sa mère pour la sauver, car elle commençait à atteindre l'âge dangereux où l'on pose des questions… Comment feraitelle avec deux pères ? Au moment où je pensais à la quitter, je vis les yeux de Poppée posés sur moi, ils étaient pleins de haine et d'amour comme ceux d'une condamnée qui a perdu la raison et qui voit l'homme qu'elle aime à l'heure du jugement, bien vivant alors qu'elle va monter seule au bûcher. Je compris qu'elle n'hésiterait pas à mettre en danger son enfant pour continuer, jour après jour, heure après heure, minute après minute à faire l'amour. C'était à moi d'appeler le bourreau.

Le lendemain lundi, après les avoir déposées en voiture, je me ruai pour la première fois depuis deux ans et demi chez mon dealer.

Dès qu'elle découvrit que j'avais recommencé à me droguer, Poppée rompit. Son téléphone m'était fermé et la secrétaire de Brentano avait pour consigne de me tenir à distance. Ce n'était pas la première rupture, elle devait s'attendre à reprendre l'avantage avant l'ouverture de la fondation. L'enjeu me forcerait à demander pardon. Peut-être en m'abaissant, allais-je tomber si bas que je m'éprendrais d'elle à nouveau ? Elle fut frustrée de sa vengeance.

La fondation Umberto Brentano ouvrit ses portes au mois de janvier. Après des années d'incertitude, un ancien hôpital de la banlieue de Bruxelles avait été élu comme site d'implantation par le mécène.

Pierre Angélique et moi faisions partie des artistes invités. Mes *Victimes* furent exposées dans la chapelle. L'avant-veille de l'inauguration, j'avais pris mes quartiers au Métropole, un grand hôtel du centre-ville. Les dernières toiles avaient été livrées très tard et certaines étaient à peine sèches le jour de l'accrochage.

L'inauguration devait être suivie d'un dîner et Rirkrit Tiravanija, un artiste thaïlandais, avait fait sa performance de la préparation du repas. Mais la vraie star de l'événement, c'était moi... Je profitai d'un des retours récurrents de l'art contemporain à la bonne vieille peinture à l'huile. Vraisemblablement à la suite d'une manœuvre conjointe de Brentano et son rival Saatchi, qui avaient organisé au MoMA une exposition de leurs collections de peintres vivants, de Soulages à Anselm Kiefer.

La rumeur était excellente, au point que Poppée, malgré sa rage, devait se sentir obligée dans son propre intérêt de redoubler d'efforts et de mettre à mon service son vrai talent de stratège. Elle savait jouer du mystère pour me rendre inaccessible. Bien sûr, certains passaient outre.

La semaine qui précéda le vernissage, je reçus un nombre incroyable de coups de téléphone et de propositions. Un curator hollandais de la foire de Bâle me proposa le parrainage d'un prix, des gens de Sotheby's se réveillaient aussi, plusieurs journaux internationaux se disputaient des entretiens exclusifs. Ma galerie américaine ne cessait de me faire passer des mails. Les plus drôles étaient une commande de portrait émanant d'un président africain, les supplications d'une décoratrice qui voulait que je conçoive des fresques pour un love hotel à Tokyo et une proposition émanant d'un casting director américain m'offrant le rôle-titre d'un biopic de Balthus réalisé par Julian Schnabel. Ma ressemblance avec Balthus se limitant à une robe de chambre qui m'a été offerte par Harumi, sa fille, je refusai immédiatement. Certaines propositions méritaient davantage de réflexion, mais je n'avais pas du tout envie de penser à tout cela…

Je me souviens de quelques soirées heureuses passées dans cette nouvelle chambre, plus confortable mais aussi désuète que ma suite overdose. Derrière le lustre reflété dans les miroirs, les portes-fenêtres lourdement doublées de rideaux poussiéreux ouvraient sur un balcon festonné de drapeaux au-dessus de la place de Brouckère. Les bruits de la ville, l'excitation, les perspectives heureuses, les odeurs de croquettes se mélangeaient pour créer une sorte de cocon désuet et charmant. Mes pieds nus sur la moquette arpentaient les quelques mètres qui séparaient la fenêtre du minibar ou de la tablette en marbre d'une commode où j'avais disposé mon iPad, ma drogue et mes cigarettes menthol, ainsi qu'un lourd cendrier de verre et des fleurs fraîches. J'écoutais du Phil Spector en dansant seul alors qu'un bain brûlant coulait dans la baignoire.

La veille du grand soir, je rencontrai pour la première fois mon collectionneur. Je serrai deux doigts et demi de sa main droite et écoutai un laïus d'environ deux minutes où il me fit part en termes simples de l'émotion profonde qu'éveillait chez lui mon travail. Près de lui se tenait sa femme, une belle blonde à la voix éteinte et au long cou, typique de la bonne société italienne. Ils avaient tous les deux l'air affable et gentil et se comportaient avec moi comme à une remise de médaille du travail. J'avais du mal à connecter le bourgeois turinois élégant que j'avais en face de moi avec l'auteur des textos envoyés à Poppée et encore moins avec un portrait de lui exposé dans l'atelier de Pierre Angélique où il portait un tee-shirt Marc Jacobs et une casquette de base-ball.

Poppée se tenait derrière eux, un dossier sous le bras, en tailleur-pantalon noir. Pour marquer notre rupture, elle s'était fait défriser et décolorer en roux avec des mèches. On aurait dit une chanteuse disco mexicaine. Elle se montra aimable et distante, de manière à me faire comprendre combien elle œuvrait pour moi en dépit de mon ingratitude. Pareille discrétion me ravissait. Son mari devait l'avoir suivie à Bruxelles. Quant à l'enfant, je supposais qu'elle était rangée quelque part, à Francfort chez les beaux-parents sans doute.

Elle ne logeait pas au Métropole, son assistante m'avait donné le nom d'un autre hôtel, du genre Hilton, que je m'étais empressé d'oublier.

Au moment de partir, Mme Brentano me saisit chaleureusement le bras et me désignant Poppée de la tête sans que celle-ci l'entende :

— Remerciez-la, elle a beaucoup travaillé pour vous... C'est une fille très courageuse et très intelligente. Quel parcours ! Vous ne savez peut-être pas qu'elle a commencé comme bonne d'enfants chez la sœur de mon mari...

Ce fut le seul accroc au voile de mystère dont Poppée aimait à s'entourer. Une remarque aussi dégoûtante me donna envie de l'aimer à nouveau et de fuir la compagnie des Brentano, mais il était trop tard.

Depuis quelques semaines un nouveau camarade était entré dans ma vie, Dingo, un jeune Argentin qui s'occupait d'organiser des fêtes. Je l'avais rencontré en soirée, un coup de foudre amical. Peut-être un peu plus qu'amical pour lui, mais je ne l'ai jamais su, car il était pudique comme tous les extravertis. Il avait réintroduit dans ma vie toutes sortes de préoccupations mondaines délaissées depuis longtemps, ainsi qu'un vanity case rempli de drogues. En quelques jours, j'avais repris, en plus de la coke, le MDMA et cette bonne vieille héroïne oubliée depuis les années 1980.

Dingo, moi et le vanity case étions inséparables depuis une semaine. Dès son arrivée, il s'était d'ailleurs installé au même étage dans une chambre communiquant avec ma suite.

Pierre Angélique n'avait pas tardé à nous rejoindre accompagné d'une de ses filles de l'Est. Plus rigolote que les autres, plus alcoolique surtout, elle n'arrêtait pas de faire des scandales et de se disputer avec lui. Ce minet guindé, pâle comme un vampire, s'acoquinait avec des filles de plus en plus perdues.

Au retour de mon entrevue avec le couple Brentano, j'eus le plaisir de tomber sur d'autres amis dans le hall du Métropole, sous les belles lanternes Art nouveau que j'avais dessinées la veille lors d'un moment d'accalmie : Pierre le Chinois, accompagné des Daladier. Le duo s'était reconstitué quelques semaines plus tôt. Un rabibochage plus éphémère que la reformation d'un groupe de punk rock, le temps d'une ou deux orgies. Monsieur Daladier avait changé de style, au lieu d'arborer une mine sinistre, il éclatait d'un rire étrangement faux toutes les cinq minutes. Madame Daladier portait de grosses lunettes de vue rondes pour masquer les poches qu'elle avait sous les yeux.

Dingo avait organisé le dîner de prévernissage chez des Belges fortunés. Au moment de partir, je reçus un texto de Poppée qui me proposait de prendre un verre en sa compagnie au bar. Je me retournai et je l'aperçus qui me faisait un signe de la main. J'eus le plus grand mal à m'écarter de la tribu et surtout de la Daladier qui avait déjà pas mal forcé sur le vanity case et le pouilly-fuissé. En me dirigeant vers la table de Poppée, j'avais le pressentiment désagréable de retrouver une ex menaçante pour un rendez-vous de conciliation avant procédure de divorce. Manquaient nos avocats, mais le chef de rang du Métropole avait des airs de juge de paix.

Je ne me trompais pas. Après quelques perfidies à propos de mon élocution, Poppée me fit une scène.

À l'écouter, j'avais donné mauvaise impression à mes mécènes la veille au soir. Ce qui était faux et surtout fou : elle me parlait comme si j'avais raté un rendez-vous d'embauche. Elle semblait ignorer l'existence du mail de félicitations très chaleureux d'Umberto Brentano que j'avais reçu le matin. Je me gardai de lui en parler et la laissai s'emporter à mesure qu'elle crachait ses mots. Avec la lucidité des drogués, je me demandais comment j'avais pu laisser cette harpie s'installer dans ma vie pendant presque trois ans. La colère la rendait vulgaire. Tous les efforts qu'elle dépensait d'ordinaire pour se contenir et masquer son agressivité lâchaient d'un coup sous la pression comme un vieux vêtement juste avant une soirée importante. Bouche tordue, enlaidie, elle multipliait les bassesses et semblait poussée par une force inconsciente à se dévaloriser une nouvelle fois à mes yeux.

Bizarrement, par goût du paradoxe, je voulus penser encore quelques minutes qu'elle n'était pas comme ça. Que sa vraie nature valait mieux. Je le lui dis avec une douceur amortie par les analgésiques. Elle voyait bien que je ne réagissais pas normalement et cette douceur qui se voulait apaisante lui apparut comme une diablerie supplémentaire. Elle m'accusa d'avoir peur ou de chercher à gagner du temps. Elle but trop vite le verre que lui avait servi un vieux serveur barbu aux cheveux teints qui ressemblait à un bourreau. L'alcool lui monta à la tête et elle me jeta le fond de son verre au visage en éclatant d'un rire sarcastique. Je m'essuyai avec la serviette en papier et je tâchai de la raisonner. J'étais devenu un prêtre exorciste. Je bougeais des mains comme pour jeter de l'eau bénite, mes paroles me semblaient aussi obscures et inutiles que du latin.

Elle m'accusa d'être homosexuel et de vouloir la remplacer par mon giton argentin au sein de la fondation Umberto Brentano. Je me rendis compte qu'il s'agissait d'une excellente idée. En même temps, au fond de la salle, je voyais Dingo et la Daladier qui me faisaient signe de partir. Mes yeux revinrent sur Poppée et je me rappelai soudain l'existence de Galatée.

Tous les moments vécus avec elles, cette fausse famille étaient devenus irréels. Comme ces jeux de petites filles auxquels je me laissais entraîner par une voisine quand j'étais enfant. Il n'y avait aucun lien réel entre nous trois. Pourquoi m'étais-je raconté cette histoire de paternité à mi-temps ? Pour me donner le loisir de peindre, pour me ménager les faveurs de Poppée afin qu'elle organise mon exposition ? Sûrement. Alors, son règne finirait ce soir.

Je l'entendais me traiter de monstre mais ce que je m'avouais à moi-même était tellement plus monstrueux que je ne pus supporter cette conversation plus longtemps. Je me levai.

Poppée me menaça du doigt et m'ordonna de me rasseoir.

Je me penchai vers elle :

— Si tu continues à me menacer, j'appelle la police.

Voilà la seule parole vraie que j'ai dite ce soir-là. Toutes les autres se sont envolées comme les millions de mensonges qu'un homme prononce entre le moment où il dit « maman » pour la première fois et les cris d'angoisse de l'agonie.

J'allai rejoindre mes amis dans le hall et nous partîmes au dîner. Dans un miroir, en quittant l'hôtel, je crus voir Poppée qui faisait un signe cabalistique dans ma direction.

Quand je m'aperçus plus tard qu'elle n'était pas à table, je me dis qu'elle avait dû être durement secouée par cette scène. Sa violence m'avait fait oublier qu'elle pouvait souffrir de la situation, peut-être plus que moi.

La soirée de prévernissage avait lieu dans un château du XIXe siècle que la bourgeoisie industrielle belge avait fait construire en s'inspirant du style Tudor.

Nous dînions en cuisine, une pièce gigantesque de la taille d'une salle d'armes. Les colonnes de fonte qui soutenaient le plafond haut d'une dizaine de mètres étaient ouvragées comme des palmiers. Je fus présenté à Rirkrit, l'artiste thaïlandais qui devait préparer le repas de gala du lendemain. Il avait les cheveux teints en bleu et des lunettes fumées de la même couleur. Il était accompagné d'une femme très grande, très racée mais d'une race indéterminée. Dans un anglais rocailleux, elle m'apprit que ses origines étaient sikhs, thaïlandaises et chinoises. Elle avait épousé quatre ans plus tôt à Bangkok Jean-Claude Frappier, alias DJMOmo avec qui elle avait une petite fille ravissante, curieusement nommée Zibbedé dont elle me montra la photo sur son iPhone.

C'était Théodora, « la salope » dont m'avait parlé Frappier. Comme beaucoup de prédatrices, elle avait l'air sympathique, drôle et déluré. Le genre de femme avec qui j'aurais pu coucher le soir même si le sort n'en avait pas décidé autrement. Montée sur des jambes d'oiseau trop maigres pour son corps elle mesurait près d'un mètre quatre-vingts. Son visage était percé comme un superbe masque par deux énormes yeux noirs obliques, un nez d'Indienne fort et très purement dessiné surmontait une bouche de bouddha d'Angkor Vat, peinte dans un rouge sanglant.

Nous avons passé une partie de la soirée ensemble, elle semblait adorer mon ami Dingo et son vanity case. Nous avons parlé de Bangkok et d'une de mes anciennes petites amies qu'elle connaissait. Très en verve, elle nous raconta son premier mariage à quinze ans et demi avec un homme de soixante ans, un cousin du shah d'Iran, exilé sans passeport en Thaïlande après la révolution islamique. Il avait récupéré la licence Starbucks et s'était refait une fortune avant de tout perdre au PMU local. Théodora n'avait ni pudeur ni sentiment, mais beaucoup d'humour et un bon stock d'anecdotes. Elle appartenait à la même famille spirituelle que mes amis et la Daladier ne put s'empêcher de la trouver « géniale » et de lui lancer des œillades à table sous l'œil faussement indigné d'une vieille Belge endiamantée.

Les toilettes étaient en bas d'un escalier très raide. Entièrement carrelées de bleu et de blanc, elles offraient au pisseur-priseur une magnifique cuvette néogothique supportée par deux chimères. Au moment où je m'y enfermai pour la troisième fois, une douleur interne me ravagea la poitrine et l'épaule gauche. À dix-huit ans je m'étais luxé l'épaule et je pensai que l'humidité de l'hiver belge avait réveillé un rhumatisme. Mais je me rendis compte que la sensation était différente. Assis sur la lunette du siège, en sueur, je diagnostiquai sans hésitation un grave accident de santé. L'habitude des vieilles voitures anglaises fait de moi un expert en symptômes. La mécanique et la médecine se ressemblent, et là c'était le cœur de la machine qui donnait des signes de faiblesse. Je levai la tête vers le plafond qui culminait à quatre mètres en haut d'un tuyau d'eau aussi graphique que ceux de Francis Bacon. Je remontai ma culotte pour qu'on ne découvre pas mon cadavre couché par terre, cul nul, plein de merde et de sang. Rien que l'effort de me rhabiller provoqua un violent élancement qui partait de l'intérieur de la poitrine.

Comme toujours quand je suis en danger, je me sentis très léger… Bon débarras ! J'allais cesser de m'agiter et mourir là dans ces pompeuses toilettes après avoir ri et bu avec de jolies femmes, dont une nouvelle venue. C'était plus drôle que l'hosto. Par défi je décidai de forcer la machine. Ma résistance excitait ma curiosité. La douleur avait disparu. Je savais qu'elle m'attendait. Je me relevai en m'accrochant maladroitement au tuyau humide et froid. Elle revint. Un peu moins forte. Je réussis à ouvrir la porte, prévoyant à chaque instant de tomber foudroyé. Je me faisais de l'infarctus une idée brutale. Mais la mort, comme la vie en général, se montre bien plus subtile que l'idée qu'on en a.

Restait l'escalier, à chaque marche la douleur revenait. Je m'aidai de la rampe et parvins tant bien que mal à revenir dans la salle de banquet. Arrivé à table, je tombai la tête en avant dans une grande tarte à la crème d'un mètre de circonférence qui m'attendait là comme une cible.

Je perdis connaissance quelques instants. Moins d'une heure plus tard, j'étais pris en charge par le Samu belge.

Comme prévu, le scanner révéla un infarctus. Les deux artères principales du cœur étaient bouchées. Grâce à un développement anormal de mon circuit veineux, je n'avais pas de séquelle cardiaque. En revanche il fallait opérer. Pierre Angélique me mit en contact avec son cardiologue qui exerçait à l'Hôpital américain et la Daladier s'occupa d'organiser mon transfert. Sous ses dehors fantaisistes elle avait un grand sens pratique, et je rentrai à Neuilly de nuit en ambulance sans assister à mon triomphe.

La nuit, les autoroutes belges sont éclairées et je me souviens d'avoir vu défiler à toute allure les lampes. Je décidai de partir en Andalousie dès que possible en voiture… Théodora m'avait invité dans son palais de

Tarifa. Alors que les infirmiers montaient le chariot dans la voiture, elle m'avait dit :

— I love your style... This creamy heart attack was very beautiful... You have to know me. I will help you...

Nous avions échangé nos numéros au cul de l'ambulance. Une partie du voyage se passa en coups de fil et SMS en anglais. À tel point que l'infirmier me demanda d'arrêter.

Aussitôt silencieux, je pensai à la note de toute cette petite farce. L'Hôpital américain se chiffrait à six mille euros par jour sans compter les frais d'opération. C'était bien moi... À la différence de mes collègues artistes comme Pierre Angélique, plus radins que des notaires de province, j'allais claquer en quelques heures l'argent que je n'avais pas encore gagné. À mesure que l'effet des drogues et de l'alcool s'amenuisait, cette perspective devenait plus chagrine.

Bizarrement, je ne reçus aucune nouvelle de Poppée. L'overdose à la tarte à la crème (c'est ainsi que la rumeur avait transformé mon attaque) avait pourtant dû lui arriver aux oreilles. J'étais un peu triste de voir la mère de mes enfants me laisser tomber en de telles circonstances. Ça confirmait l'hypothèse du mauvais œil, j'étais sûr qu'elle m'avait jeté un sort dans le bar du Métropole.

L'arrivée à Neuilly, la prise en charge dans l'atmosphère à la fois feutrée et colorée comme un palace hindou de l'Hôpital américain vinrent me distraire.

Bagagistes, sommelier en veste blanche se mêlaient aux infirmiers, presque tous armés de machines à carte de crédit. J'étais le témoin amusé de ma propre mésaventure. Lorsque la responsable des admissions, après m'avoir soulagé de quelques centaines d'euros, me demanda qui il fallait charger de me débrancher en cas d'accident, je réfléchis. En qui avais-je confiance ? Je répondis : « En tout le monde, quand il s'agira de me débrancher. »

Blague à part, après réflexion, Lukardis me parut la plus digne de décider de mon sort en cas de malheur. Après tout, elle m'avait supporté pendant plus de dix ans et, à sa manière, elle m'aimait vraiment. La Daladier tenait la corde mais je la soupçonnai à l'heure même où j'allais inscrire un nom d'avoir réussi à attirer Théodora dans ses draps et je lui en voulais un peu. La petite Emina aurait été drôle, mais de cette inconnue de quinze ans en internement psychiatrique, je n'étais pas sûr qu'elle puisse faire l'affaire. Poppée était hors jeu. Elle m'aurait débranché avant l'opération… Je pensai à Galatée. Si je partais pour un long voyage, ma cote allait exploser plus fort que mon cœur. J'aurais pu signer un papier pour lui permettre de toucher de l'argent. J'hésitai puis je renonçai. Je n'étais sûr de rien avec cette enfant. Pour me consoler, je jouai avec la télécommande du store dans la chambre luxueuse où l'on m'avait logé.

J'imaginai une opération à cœur ouvert, ce fut à peine si l'on m'endormit pour me poser cinq stents qui allaient me permettre de repartir en bamboula pour un bon nombre de soirées.

L'opération eut lieu en deux fois…

J'étais en passe de devenir un homme riche. L'ouverture de la fondation et les enchères dont furent l'objet deux de mes tableaux anciens montèrent ma cote à la hauteur d'un artiste étranger.

Les femmes s'étaient toutes réveillées et mon téléphone croulait sous les messages. La dernière élue, Théodora, était une agitée. Elle m'avait laissé une quinzaine de messages vocaux en quelques heures. J'avais affaire à une maniaco-dépressive bloquée en phase maniaque par son mode de vie. La brutalité siamoise en prime. Quelque chose en moi me disait de la tenir à distance à cause d'Emina et ma réserve ne faisait qu'aiguillonner son entrain. Je la calmai en lui donnant mes dates pour Tarifa. J'irais à la fin du mois de mars. De la minute où la date fut arrêtée, elle disparut au bout de trente heures de harcèlement aussi subitement qu'elle était entrée dans ma vie. Elle avait filé à Bangkok pour tourner un film documentaire sur DJMOmo. Je n'osai lui parler de sa belle-fille et le nom d'Emina n'apparut jamais dans ses messages.

Lukardis semblait pour la première fois décidée à quitter son mari. Hélas, malgré ses résolutions très affirmées par SMS, elle qui aurait dû mener le siège pendant mon hospitalisation se trouvait une fois de plus en vacances à l'autre bout du monde. Loin de Neuilly, loin du cœur…

Poppée se réveilla après la première opération. Je reçus une corbeille d'orchidées de la part des Brentano. Le surlendemain, elle surgit dans ma chambre, au moment où le sommelier venait de m'apporter une bouteille de blanc pour arroser mon homard. J'avais le droit de boire mais pas de fumer ni de me droguer. Amaigrie, cernée, le cheveu toujours lisse, elle avait remis sa robe blanche du premier jour chez Pierre Angélique et affichait un air impersonnel. Un de mes tableaux anciens venait encore de faire une enchère importante à Londres. Ce qui avait jusqu'ici joué contre moi, la rareté de mes œuvres, ma technique rétrograde, ma toxicomanie amplifiaient mon succès. On s'arrachait les rares tableaux en circulation. Le but de la visite de Poppée était d'en savoir plus sur mes rapports avec Saatchi. Je compris donc que le collectionneur anglais s'intéressait à moi et qu'elle s'était vendue à Brentano comme la seule à pouvoir me rattraper. Galatée fut curieusement absente de sa conversation, comme si elle n'existait plus. Aucun geste de tendresse ne vint interrompre ses propos. Elle se contenta de me servir du vin blanc avec un empressement qui voulait me signifier que tout était fini entre nous et que je pouvais crever. Elle jouait sûrement la comédie mais cette fois j'étais décidé à prendre la rupture au sérieux. Il fallait que je lui échappe avant le prochain retour en grâce qu'elle devait déjà méditer. Ma convalescence après l'hôpital aurait lieu hors de sa portée.

Quand elle sortit de la chambre, je me sentais vide et léger telle une carcasse de crustacé. Dingo arriva juste après son départ et nous prîmes de l'héroïne mélangée avec de la cocaïne dans une cuillère à yaourt entre deux visites d'infirmière. J'étais en soins intensifs dans une espèce de placard et je regrettais ma belle chambre du premier jour avec terrasse arborée et télécommandes.

Dingo s'occupa de mon transfert et de souscrire une assurance complémentaire pour mes frais. Dans un élan, je décidai de lui confier mes mandats. J'étais dans une de ces périodes de ma vie où tout s'accélère et j'ai toujours préféré dans ce cas m'acoquiner avec des opportunistes et des nouveaux venus, ils aident au changement. Dans ces moments, je fuis les vieux amis, les gens sincères et tous ceux qui veulent me protéger en cherchant inconsciemment à m'empêcher de jouir.

Ma convalescence se passa sur l'avenue des Champs-Élysées, dans un appartement sous les toits qu'un protecteur vénézuélien prêtait à mon nouveau secrétaire. Je restai là sans peindre, sans réfléchir, sans presque aucun contact avec mes anciens amis. J'avais coupé mon portable en sortant de l'hôpital. Je pouvais me consacrer à ma nouvelle passion : le western.

Le sugar daddy auquel appartenait cet endroit meublé comme un appartement d'Alain Delon en 1970 était grand amateur de cinéma. Il possédait une collection de DVD et de VHS entièrement consacrée à l'univers du western. Posé dans une sorte de nirvana symbolisé par un canapé d'angle en cuir blanc, bercé par l'héroïne et les puissants analgésiques piochés dans le vanity case de Dingo, je passais mes journées à regarder ces films. Au bout de quelques jours et de quelques nuits je ne m'intéressais plus à l'action, mais je cherchais à reconnaître les paysages de film en film. L'écran du home cinema se détachait sur les persiennes perpétuellement fermées et mon inventaire me poussa des paysages de l'Arkansas vers ceux de la Sierra Nevada. L'Espagne se rappelait à moi, celle de Théodora et d'Emina, une image lointaine, pixelisée, un paysage de fantaisie, l'avant-goût d'un passage de la réalité à un autre monde.

Je n'étais pas mort officiellement, mais je me sentais mort au fond de moi-même, j'avais quitté mes amis. J'avais basculé dans l'ailleurs. Toute cette période de ma vie ressemble dans ma mémoire à ces tunnels blancs décrits par les gens qui se souviennent d'avoir traversé une *near death experience.*

J'étais souvent seul dans ce canapé blanc, posé sur cette moquette blanche. Les journées passaient à travers les stries des persiennes, toujours fermées sur la plus belle avenue du monde dont j'entendais la rumeur étouffée. Le vide s'installait en moi comme une mue nécessaire. Si l'on m'avait montré mes tableaux exposés à Bruxelles, je ne les aurais pas reconnus. Au mur il y avait des toiles de Vlaminck et de Bernard Buffet. Vraies ou fausses, je les trouvais à mon goût. Sur le meuble bas laqué blanc, presque rien. Un solitaire en bois d'ébène couvert de billes d'acier.

Parfois Dingo, petit homme brun et précieux, très bien coiffé, couvert de bijoux, était assis dans le fauteuil de cuir blanc qui faisait face au canapé, à gauche de l'écran géant. Vêtu d'un peignoir blanc et de claquettes en éponge de spa, il téléphonait en espagnol, en anglais ou en français.

Ma vie végétative le faisait beaucoup rire.

— Toua, tou aimes les westerns !

Sa conversation me reposait.

J'ai revu Poppée…

Je suis dans les jardins des Champs-Élysées assis au soleil. Poppée apparaît derrière un bosquet accompagnée de sa fille. Galatée est habillée de velours vert foncé, une robe à smocks avec de beaux cheveux bouclés. Elle marche, elle parle, elle me reconnaît et m'appelle Laa-Laa. Enfin c'est elle qui dit :

— Gal, regarde, c'est Laa-Laa !

La petite me demande si on va bientôt à la campagne. J'ai mes lunettes noires, je me mets à pleurer.

Poppée me pose la main sur le bras, une seule fois. Je prends ça pour une caresse. Je pleure davantage. Qui suis-je ? Je ne sais plus. Je flotte comme un mort dans un monde qui n'est pas celui de Poppée et de Galatée. Tous les produits que je prends me rendent sentimental et froid. Qui suis-je ? Pourquoi ne suis-je pas le père de cette enfant modèle ? Est-ce ma faute ? On ne peut en vouloir vraiment à un mort.

Poppée me parle de contrat. Le magot. Voilà ce que je comprends. Le magot comme dans les westerns. Le trésor de l'homme mort… Cette manière qu'elle a d'en parler est un reproche doublé d'une insulte. Elle me signifie que moi je ne pense qu'à ça. Je continue de pleurer. Elle me donne une tape sur le bras, plus du tout une caresse, et me dit d'arrêter les complaisances. Elle racle la chaise de fer dans la poussière pour se rapprocher et me cite une somme très importante. Sans doute veut-elle me dire : « Tu pleures parce que tu veux plus d'argent mais moi je ne peux pas plus, alors tu te fatigues et tu me fatigues pour rien. » Peut-être même l'a-t-elle vraiment dite, cette phrase, cette somme énorme pour m'humilier. Je pleure toujours mais mes larmes ont changé de nature, à cause de son regard à elle, des larmes de crocodile ou de truand. La petite fille modèle joue avec une sorte de bâton muni d'une roulette de couleur que ses parents lui ont rapporté d'un voyage au Mexique l'an dernier. L'émotion que j'ai ressentie s'est transformée. Je me suis éloigné d'elle ou peut-être est-ce elle qui s'est éloignée de moi. Elle revient en tout cas avec son bâton à roulette et dit à voix très forte :

— Il est où papa ?

J'ai envie de rire, je ris d'ailleurs. Poppée ne rit pas du tout. Elle a mis des lunettes noires elle aussi. Du coup, je ne sais pas si elle me regarde. Bec à bec avec moi, elle reste de marbre. Toute sa nature perverse s'exprime dans ce sang-froid. Ou peut-être veut-elle que je la haïsse. C'est un concours à qui sera le plus haïssable.

Alors je dis :

— Il faut que je voie avec Saatchi.

Et elle répond en souriant, avec la même grimace que le premier jour, quand elle avait demandé à Pierre s'il avait crevé les yeux de ses modèles :

— Nous allons te détruire.

Je réponds du tac au tac.

— Attention, j'ai des photos…

C'est vrai que j'ai des photos… Pas sur moi heureusement sinon elle aurait pu me tuer, juste quand la petite tournait le dos pour pousser son bâton à roulette. C'est une tueuse, angel face, elle en est capable. Cent fois capable… Je pense à mon pistolet. Les photos qu'elle ne cessait de m'envoyer pendant deux ans, nous trois au jardin, nous trois et la baignoire, nous trois au fond du lit… Elles sont toutes à Mortefontaine dans le tiroir au pistolet, bien calées sous la crosse. Galatée revient de son long voyage vers le pays des rhododendrons.

— Il est où papa ? Je veux voir papa…

Je me retiens de dire à ma fille qu'il est mort, papa. Ce n'est pas une nouvelle à annoncer à une enfant, un jour de printemps, dans les jardins des Champs-Élysées. Je la regarde une toute dernière fois pour m'imprégner, elle ressemble à sa mère mais elle a quelque chose de moi. Une manière d'être. Elle me renvoie aux années 1960, à l'innocence. Quand on est mort, on voyage plus facilement dans le temps. J'ai l'impression d'être un spectre surexposé qui me regarde moi-même. Ma propre malédiction. Une chose est sûre, je ne suis pas elle et elle n'est pas moi, l'histoire ne recommence pas deux fois. Maintenant je suis mort, j'ai un magot. Comme dans les histoires pour enfants. Le trésor de l'homme mort… Je me lève, tout est blanc… Une poussière blanche est secouée par les rafales de vent autour de moi. Il est temps de partir. Je ne suis plus peintre à ce moment-là. Je ne suis plus rien.

Après… Je ne sais plus trop non plus, je ne retrouve pas mon nouvel appartement. J'ai perdu l'entrée sur l'avenue des Champs-Élysées. Ensuite ça va mieux. Je suis de retour sur le canapé blanc. Dingo est habillé en blanc. Il me présente Ursula, une artiste suisse basée à Berlin. Très belle, un fantôme elle aussi. Nous fumons des cigarettes extra-fines et nous parlons d'une forme particulière de nostalgie qui n'existe qu'en allemand, le *Sehnsucht*, la nostalgie des endroits qu'on ne connaît pas. En parallèle elle réalise des vidéos sur des scarabées. Est-ce l'effet de l'héroïne ? Je la trouve très intelligente.

Là je sais où je suis. Dès qu'il y a une femme neuve, ça va mieux. Nous allons dîner avec Dingo et elle. Dans un restaurant de caviar, pas Kaspia, un autre plus près des Champs-Élysées. À peine ce dîner a-t-il eu lieu qu'un autre me revient qui se confond dans mon esprit.

Kaspia maintenant, en tête à tête avec la Daladier. J'évoque Ursula, elle tombe amoureuse. Elle veut que je l'appelle mais c'est Dingo qui a le contact. J'essaye de parler de l'enfant mais le sujet ne l'intéresse pas. Depuis un certain temps dès que je cite le nom de Galatée, on croirait que ce que je dis n'imprime plus vraiment.

La Daladier reçoit un message de Théodora. Une photo. Gibraltar. Elle me propose de me louer une voiture pour partir en Espagne. Même soûle, elle aime organiser, c'est son truc.

Je n'ai pas envie de la laisser tout faire, je lui dis que j'ai le temps. Des examens cardiaques encore à venir. Je lui explique que la Morris est restée au parking de la gare du Nord depuis mon départ en Belgique. Rien que de parler de la Morris, j'ai l'impression de ressentir quelque chose d'ancien. Puis, on oublie la Morris et les projets de voyage et je ne sais plus comment la soirée se termine.

Quelques jours après ou avant, je marche à pied dans le seizième arrondissement. Un de ces jours de février qui annoncent le printemps. Je suis dans une rue étroite bordée de maisons individuelles. On se croirait en province, à Nemours ou à Fontainebleau. Il y a la réclame d'un carrossier, une survivance des années 1950, un atelier de réparation en fond de cour. J'ai perdu mon téléphone dans l'appartement des Champs-Élysées, le boy philippin ne l'a pas retrouvé. Je n'ai pas pu appeler Pierre Angélique, donc je suis passé pour lui parler d'Umberto Brentano et de Saatchi, mais il n'est pas là. Alors j'ai décidé de me promener, ma vie ressemble aux vacances d'autrefois.

La nostalgie de peindre me revient doucement comme je remonte la rue Molitor vers le bois de Boulogne. Je repense à ce qu'avait dit un vieux critique français à mes débuts. Peinture psychopathologique… Tout le monde s'était moqué de lui. Je savais déjà qu'il avait raison. En croisant la rue Erlanger, l'idée se précise. J'ai l'impression d'avoir mué, ma maladie a évolué d'un seul coup. Les gens se sont envolés de ma vie. La présence obsessionnelle du corps humain ne m'est plus du tout nécessaire, pas plus que les amis, l'intimité des femmes qui m'ont tenu compagnie durant ces années de formation ou les pigeons qui s'envolent. J'ai envie de me confronter à des ciels et à de larges perspectives. Je lève la tête vers un immeuble 1930 qui fait l'angle avec le boulevard, face à la porte d'Auteuil. De petits nuages blancs filent dans le ciel. Je regarde un balcon vide, des vitres. Je traverse dans les clous et je me retrouve sur le terre-plein central, près d'un bassin au jet d'eau éteint. L'après-midi avance, les voitures tournent autour de moi. Sur le rond-point, j'ai décidé de vendre ma maison de campagne, trop encaissée, et de prendre un appartement sur le boulevard Suchet ou de l'autre côté, avenue du Maréchal Lyautey (je viens de lire le nom), avec vue sur le champ de courses. Je peindrai des ciels sur les tribunes, comme Boudin ou Marquet, avec la précision de trait d'un Vénitien, de ces peintres de *vedute* voyageant en Europe centrale, comment s'appelle-t-il? Bellotto. Belle auto. J'aurai une belle auto, une voiture de collection, anglaise ou italienne. Le carrossier de la rue Boileau s'en occupera. Un plaid pour le chien à l'arrière et nous irons en Normandie le dimanche, déjeuner dans des auberges de campagne, Nox et moi.

Toutes ces rêveries me reconstruisent une vie intérieure. Les westerns m'ont mené là à cause des paysages, mais maintenant je n'ai plus besoin d'eux.

Je rentre dans un café vieillot qui ouvre à la fois sur les boulevards Murat et Exelmans. Il fait hôtel. Les lavabos sont réservés à la clientèle de l'hôtel. Il faut une clé que je demande au patron. Le lavabo glacial est au fond d'un couloir. Un vasistas donne sur le boulevard Murat. En préparant ma dose d'héroïne, j'entends les lycéens de La Fontaine qui passent. Ils ignorent mon existence et l'ignoreront toujours.

De retour dans la salle je demande à téléphoner. Vu l'endroit, je m'attendais à une cabine avec un taxiphone mais la serveuse me donne un téléphone avec une antenne. Je fais le numéro de Dingo. Il a retrouvé mon portable. La banque a appelé, je suis à découvert alors que je croyais être riche. C'est un coup de Poppée, elle a dû bloquer des virements.

J'ai bu deux vodkas tonic. Je retraverse la porte d'Auteuil. Je repasse devant la fontaine éteinte. En contournant la bouche de métro, un couloir souterrain qui aboutit devant le guichet du champ de courses, je me souviens qu'on est mardi. Voilà pourquoi j'ai voulu passer chez Pierre Angélique. Je voulais qu'il m'aide à débrouiller mes affaires. Lorsque je lui ai parlé, Dingo avait une mauvaise voix tremblante, visiblement mes soucis financiers le tourmentent, peut-être parce qu'il attend une grosse livraison pour cet après-midi. Trente grammes d'héroïne. Il a proposé de me rejoindre au Murat. Imagine-t-il que j'ai de l'argent caché dans mes chaussures ? Au lieu de ça j'ai compté ce qui me restait dans mes poches, sept euros cinquante une fois payées les vodkas, et j'ai appelé Orange pour annuler ma carte SIM. J'ai décidé de déménager sans mon téléphone et sans Dingo. Fini les westerns, les Champs-Élysées, le canapé blanc.

Heureusement, il me reste un chauffeur… toujours du café, j'ai appelé Lukardis, un des rares numéros que je connaisse par cœur. J'attends désormais sa petite voiture japonaise devant les grilles du champ de courses. Le panorama de mon appartement imaginaire de tout à l'heure. Le ciel est vert émeraude. Les tribunes vides se dressent comme des ombres chinoises. Je pense à un décor de théâtre. Sémiramis.

Quand je fais beaucoup de peine aux gens – aux femmes, je veux dire – j'ai l'impression de les connaître vraiment. Lukardis fut triste d'apprendre que je l'avais trompée pendant des années et que je lui avais fait un enfant dans le dos. Depuis dix ans, elle avait failli tomber enceinte, elle aurait souhaité, elle ne pouvait plus.

Lukardis m'a toujours dit que je ne pourrais pas me passer d'elle parce qu'elle avait une voiture. Aujourd'hui, c'est vrai. Une vraie voiture de femme, surtout aussi soigneuse que Lukardis, une voiture tapissée de cuir neuf qui dort au garage à Neuilly, est aussi rassurante qu'une chambre d'hôtel pleine de petits luxes dans un pays où il fait froid.

La nuit tombe sur le champ de courses. Lukardis me regarde avec les yeux de certaines peintures. C'est un curieux mélange, la finesse de Raphaël, et la détresse de Rembrandt. J'exagère mais la souffrance donne à la beauté une profondeur magique. Surtout chez une femme mûre. Lukardis est une beauté sèche à l'américaine. Aussi propre qu'une publicité pour un antirides Estée Lauder. Une image qui aurait des sentiments humains. Toute sa finesse aristocratique ressort mieux à cause de la tension intérieure que la douleur imprime à ses traits. Et en même temps, je sais qu'au fond, je la fais rire. Un affreux diable qui a imaginé une nouvelle embrouille. Elle s'amuse avec moi. Je suis inattendu. Elle aime les surprises… Un enfant maintenant ! Le salaud… Une petite juive ! Ça tombe bien elle adore les juifs, c'est ce qu'elle proclame, en digne fille de la noblesse polonaise…

… Un enfant avec Poppée qu'elle ne connaît pas alors qu'elle couche dans le même lit qu'elle depuis trois ans. Cette histoire d'argent qu'elle suivait de loin. Quel monstre je suis ! Et en plus complètement drogué. À la rue avec sept euros cinquante en poche. Riche et fauché en même temps.

Elle se fait fort de redresser la situation. C'est une « battante », comme elle dit. D'abord, elle me sort deux cents euros de son sac. La juste mesure, le bon goût de son éducation. Un billet neuf, repassé, jaune, craquant. Ensuite elle se charge de me raccompagner au parking de la gare du Nord pour récupérer la Morris. Elle a même des pinces crocodiles sous housse bien pliées dans le coffre.

Voilà les projets… Sa générosité sublime d'infirmière, de marraine de blessés pendant la guerre de 14, son château qui servait d'hôpital, tout ce bagage m'encombre un peu. Je ne lui parle pas d'Emina. À peine de Théodora, pour la faire rire et détendre l'atmosphère. Elle ne voit pas le danger. Tout plutôt que Poppée. Elle approuverait même l'idée que je parte me réfugier en Espagne chez une folle quand j'aurai récupéré mon fric.

Au sujet de ma pauvreté soudaine, elle défend une

autre thèse que moi. Elle soupçonne Dingo d'avoir vidé mes comptes. Fine mouche. Elle a peut-être raison. J'y avais pensé mais l'idée m'était désagréable. Certains amis sont comme ça. Plus ils vous aiment, plus ils vous dépouillent, une manière de prendre votre place en vous vidant de votre substance. Vu les transferts d'argent que j'attends, elle me conseille de tout bloquer. Il est huit heures moins le quart quand elle arrive à joindre un conseiller BNP sur un plateau au Maroc ou je ne sais où. Elle garde le téléphone en main et me répète les questions du conseiller au Maroc, ou ailleurs, en même temps qu'elle me conduit à la gare du Nord. De l'autre main. Un virement de New York est en partance, on le transvase sur un autre compte. Un nouveau, secret, épargne, ignoré de Dingo. On bloque Dingo. On prévoit de porter plainte, même si je ne le ferai jamais.

Arrivé devant les lumières de la gare, je suis riche de nouveau ou plutôt moins ruiné que tout à l'heure. Le montant du vol n'est pas encore estimé. Quelques dizaines de billets de mille.

En revanche il faut décrocher de l'héroïne ce soir. Elle connaît la chanson : Strogonoff son ex-fiancé presque mort dix fois d'une overdose, comme le cousin de Poppée mais elle, elle a mon âge, elle est princesse, elle ne dramatise pas. Dix minutes lui suffisent en trois pharmacies pour découvrir du Subutex. Je la convaincs d'y ajouter un tube de Lexomil et une bouteille de Jack Daniel's. Un sandwich, une boisson au choix. J'ai mon pique-nique.

Elle a un dîner à neuf heures à Trocadéro mais

elle arrive à démarrer la Morris, tricher sur le ticket de parking et me lâcher enfin à neuf heures moins le quart ressuscité d'entre les morts. Demain elle viendra à la campagne avec un téléphone neuf.

Elle me conseille de bien dormir car en échange elle attend quelques services. C'est ce que son vieux parent, Boni de Castellane, appelait « le revers de la médaille », mais avec elle c'est agréable.

Je n'ai aucun sens du devoir. Mes amis me l'ont souvent reproché. Une fois rentré par miracle à Mortefontaine, je me serais bien passé de la visite de Lukardis. Seul, j'aurais pu décrocher de l'héroïne tranquillement avant de me remettre à mes plans. Les paysages, l'Espagne, le printemps en Andalousie. Coup de chance, Lukardis avait oublié un mariage en Lorraine le lendemain. Il m'a fallu attendre deux jours mon nouveau téléphone. J'ai bien dormi, je n'ai pas touché au Subutex, le Lexomil m'a suffi.

Lorsque j'ai vu Lukardis pousser la grille le troisième jour, j'avais regagné assez d'énergie pour coucher avec elle.

L'histoire de Galatée la tourmentait mais ça ne l'a pas empêchée de jouir. Rien ne l'empêchait de jouir. Jamais. Tout de suite après elle a commencé à y repenser. Elle voulait savoir qui était le père. La même curiosité que tous les autres au début. Au fond, j'étais content, car je pouvais en parler à quelqu'un de neuf et de vraiment concerné. Les femmes en retour d'âge sont curieuses des grossesses de leurs rivales. Souffrait-elle vraiment ? Je ne sais pas, elle avait eu deux enfants de deux lits différents et elle me disait souvent qu'une autre grossesse l'aurait « gavée ». Je lui montrai les fameuses photos. Un peu inquiet qu'elle les déchire, car elle était impulsive. Non, elle a bien examiné tout cela à la loupe avant de s'avouer vaincue. La ressemblance, s'il y avait ressemblance, était dans les expressions, non dans les traits. Comme la Daladier et Frappier, elle m'a fait le coup de l'ADN, mais je n'ai plus réagi. Elle pensait que j'avais très envie d'un enfant. Pourquoi la contrarier ? Elle avait sûrement raison. Elle recommença à me parler d'un vieux projet. Adopter… Je repensai à mon départ en Espagne tout en la serrant dans mes bras et en l'écoutant parler et souffler légèrement dans mon cou. Quand les autres me croient pris dans un dilemme, je trouve toujours une troisième voie. Trahir les femmes est une manière de leur pardonner. Bien sûr, je ne suis pas si gai de la voir se faire des illusions à mon sujet. C'est comme le dernier jour des vacances, on se fiche d'avoir la mauvaise chambre quand on a vécu de si bons moments. Dix ans de vacances, c'est long. Lukardis avait ses défauts mais elle avait la peau douce, une température corporelle agréable, elle était un être vivant, joli à regarder, des dents sublimes, une haleine de fleur fraîche, son français était élégant, désuet même, jamais un mot grossier… Il y avait en elle la féerie froide des palais du Nord, je n'en trouverais jamais d'autre pareille, j'allais la perdre et ses projets, ses folies n'étaient rien en comparaison du poids léger de sa tête sur mon épaule et de la mort qui nous attendait l'un et l'autre dans deux tombeaux séparés à jamais.

En traînant au lit, nous avons reparlé du passé.

Comme les enfants elle aimait bien qu'on lui répète les mêmes histoires plusieurs fois. Je lui ai reparlé de New York, de ma femme Heather, la femme que j'ai le moins connue au monde, impénétrable ; du monde des graffiteurs que nous fréquentions, du cercle oublié des boîtes de nuit d'alors, la Danceteria, l'Area… de comment nous aurions dû nous croiser elle et moi car elle vivait là-bas avec son mari financier ; de comment nous ne nous étions pas croisés… Et d'avant encore, moi au collège Stanislas, elle à Sainte-Marie. Et bla-bla-bla…

— Heather n'est jamais tombée enceinte ?

— Si, deux fois, et elle a avorté deux fois. La seconde fois je l'ai trompée pendant qu'elle était en clinique. La fille avait des chlamydiae. Quand j'ai recouché avec Heather juste après, elle a attrapé une salpingite. On s'était séparés mais elle avait tellement mal qu'elle m'a rappelé au secours. J'étais soûl, je croyais qu'elle simulait, je l'ai frappée. Ensuite je l'ai emmenée aux urgences, elle criait à l'infirmier : « Ne le laissez pas entrer, c'est le diable ! »

— Ça aurait pu te coûter cher, surtout aux États-Unis…

— Je ne sais pas comment je m'en suis sorti. Elle n'a pas porté plainte.

J'ai ri à cette histoire sordide racontée cent fois, mais soudain j'ai pensé à Poppée et je me suis dit qu'elle avait peut-être vraiment raison de me traiter de salaud. Lukardis riait comme une jeune fille de la Légion d'honneur. Parler la rassurait. Elle voulait me montrer qu'elle acceptait mes noirceurs. On avait malgré tout un pot commun, une vie commune, un lien qui dans son esprit, l'esprit de caste, était supérieur à toutes les tentations… Elle avait beau me connaître, faute de m'accaparer elle essayait de me reconstruire à son image. Alain, « son Alain », son artiste, son clochard, était malgré ses défauts accablants un garçon bien élevé et nous finirions ensemble un jour ou l'autre. Sa façon à elle d'accepter la souffrance, et la jouissance.

Puis elle changea de disque. Elle avait repéré une invitation sur la table près du bol de café froid. Une soirée. Elle voulait absolument y aller avec moi, officialiser nos nouveaux projets : le mariage, l'adoption et surtout surveiller que je ne recommence pas mes bêtises, un autre enfant, une autre aventure coûteuse avec un pédé…

— Toi il faut sans cesse te surveiller !

Je ne réussis à la renvoyer chez son mari qu'à la nuit tombée. Et encore m'appela-t-elle six fois sur la route.

Épuisé je m'écroulai dans la salle télé enroulé dans mon plaid gorgone avec un drink.

Arte est une chaîne intéressante, il y a souvent des documentaires. Je tombai sur une soirée à thème : « DJ entre rave et réalité » et un film de cinquante minutes consacré à DJMOmo. J'allai chercher la bouteille, un paquet de Kool et le vieux tube d'aspirine plein de coke au frigidaire pour être sûr de n'en pas rater une seconde.

L'émission commençait par un paysage de sierra en fleurs. La lumière pâle du printemps sur des collines désertiques et fleuries. Au loin les colonnes d'Hercule, le rocher bleu de Gibraltar, la fin de l'Occident, les nuées.

Au premier plan, une femme eskimo en kimono parlait de musique avec un obèse de soixante ans, lifté et botoxé, vêtu et bijouté comme un rappeur. Une bouche lippue qui pérorait d'une voix somnolente en anglais sous de grosses lunettes noires, surmontées d'une casquette de base-ball à strass. Le tout brodé au niveau du menton par une barbe de mollah. J'avais beau regarder (et je sais regarder), je ne reconnaissais rien du frère aîné de Frappier. Un masque adipeux, oriental avait recouvert le visage du garçon d'autrefois. Il devait peser au bas mot cent cinquante kilos, et son jogging noir et doré avec des incrustations de pierres violettes du côté du cœur laissait sous les plis apparaître une bande de bedaine poilue aussi rebondie que les pneus Michelin dont était composé le Bibendum.

Les deux musiciens étaient attablés sur du mobilier en teck non loin d'une piscine. On devinait au cadre extérieur du paysage une finca de grande dimension.

Le plan s'arrêta, laissant la place aux images d'un concert géant. Je m'esclaffai tout seul au spectacle de DJMOmo monté sur une tribune comme un dictateur arborant une tenue de bouliste techno, clapettes, pantacourt et lunettes de soleil. Ses musiciens ressemblaient à des requins de studio, du genre faux Guns N'Roses, fille tatouée à guitare et jazzman d'âge mûr, il y avait même un pianiste aveugle et trois choristes noires. Les projections sur grand écran laissaient apparaître le décalage entre leurs dégaines et leurs physiques banals.

Le concert avait lieu en plein air sur un plateau grand comme un porte-avions posé au milieu de buildings immenses séparés par des flots, un fleuve ou un véritable bras de mer éclairés en vert et en rouge. Je ne suis pas connaisseur de musique mais il me sembla reconnaître, ondulant entre les gratte-ciel de Bangkok, des échos de *Carmina Burana* réorchestrés aux synthétiseur et boîte à rythmes.

Mon enthousiasme allait disparaître devant ce kitsch atroce quand le reportage redevint plus intime et beaucoup plus trouble.

Devant la sierra en fleurs, sous un soleil pâle, un ciel d'un bleu transparent et primitif, posés sur les fleurs, deux enfants se tenaient. Une Galatée asiatique de quatre ou cinq ans habillée comme au XIXe siècle avec un bonnet de dentelle Chantilly et l'adolescente, la petite vierge qui hantait mes rêves. Elle était là. À quelques centimètres sur l'écran. Elle leva les yeux vers moi, très longtemps, une seconde ou deux. Le cameraman semblait avoir oublié le sujet du documentaire, le monteur également, ou alors ils avaient été fascinés eux aussi. J'étais en danger, elle aurait capté n'importe qui. Les cheveux retombèrent comme le voile d'Isis. Un mystère. Le monde redevint ordinaire et la télévision une télévision. Je fonçai sur mon téléphone pour savoir quand avaient été tournées ces images.

Google m'apprit que le documentaire datait de l'année dernière. C'était Théodora qui avait filmé le concert mais la petite vierge devant Gibraltar était l'œuvre d'un cameraman d'Arte. Arrivé au point d'excitabilité que j'avais atteint depuis ma fausse mort, l'or se formait à partir de n'importe quoi. J'étais doué d'un sixième sens. Je savais qu'il me fallait partir au plus vite mais en voiture plutôt qu'en avion en direction de Tarifa. Je voulais m'arrêter à Madrid, à Tolède et à Cordoue.

Je passai le reste de la soirée à envoyer des mails pour préparer mon départ. J'appelai aussi Pierre Angélique qui me répondit et nous eûmes une conversation dont chaque mot me semblait valoir cent phrases ordinaires.

D'après lui, la situation à Tarifa à l'heure où nous parlions était la suivante : Emina vivait de nouveau avec son père et leur escorte dans la finca. Elle était toujours très malade et ses rapports avec le monde ordinaire s'avéraient plus difficiles que jamais. Elle restait la plupart du temps dans un état végétatif, cloîtrée dans sa chambre d'enfant sous la garde d'une infirmière. Lors de sa visite quelques mois plus tôt pour le shooting de *Candlelight & Dubonnet on Ice*, Pierre l'avait aperçue à peine quelques minutes. La seule lueur d'espoir était l'intérêt que la petite portait au domaine de l'image 3D. Elle avait développé des talents extraordinaires durant son internement à Zurich, inventant une nouvelle voie pour la création visuelle d'images animées. Les studios Pixar étaient les uniques interlocuteurs à établir de rares contacts avec elle.

DJMOmo et sa première femme, la mère d'Emina, avaient appartenu à une secte bizarre. Des « lucifériens modérés » d'après Pierre, qui avait parfois le sens de l'humour. La mère était morte à Paris, probablement suicidée, et DJMOmo s'était éloigné de la secte. Théodora n'était pas mystique, mais s'opposait à l'intervention des psychiatres pour des raisons obscures qui tenaient sans doute à ses origines. En Thaïlande la psychiatrie n'existe pas.

Ma visite était attendue avec impatience et visiblement amusait beaucoup Pierre à distance. Il me confirma que Saatchi avait acheté tout ce qu'il avait pu trouver de mes œuvres sur le marché et qu'une véritable course l'opposait à Umberto Brentano. Il me déconseilla d'entrer désormais en contact professionnel avec Poppée, ma galerie de New York s'occuperait de tous les deals et le sujet de l'enfant ne fut pas abordé.

J'avais avalé une fameuse gorgée de poison... Je ne peignais plus pour oublier la vie, d'ailleurs je ne touchais plus un pinceau, je vivais un roman ou une bande dessinée. Un scénario en 3D pour reprendre une idée cueillie au vol dans les confidences de Pierre Angélique. L'étrange entrain qui s'était emparé de moi depuis mon accident était aiguisé par le mode de vie de ces gens, cette famille d'adoption vers laquelle tout m'inclinait. J'avais l'impression de sentir sous mes pieds la carte de l'Europe pencher à pic vers le détroit de Gibraltar. Ce n'était plus seulement Emina mais un univers parallèle, une petite tribu drolatique dont je fis l'éloge un soir à mes amis retrouvés pour la dernière de la suite overdose. Avec le recul, je suis frappé de la légèreté avec laquelle je prenais les choses. Qu'Emina fût une enfant martyre, rendue folle par un père monstrueux m'apparaissait comme une fable mythologique, extra-humaine, intéressante. J'ai toujours manifesté une froideur antique à l'égard de la souffrance enfantine, de l'inceste et de tous les crimes que le monde moderne aime dénoncer. Je ne me voyais en aucun cas comme un redresseur de torts mais plutôt comme un chercheur d'or. Ces gens n'étaient pas ordinaires, ils se plaçaient au-delà de la morale et ils allaient donc me donner de l'inspiration. Je deviendrais un autre artiste à leur contact. Cette intuition ne se discutait pas, elle avait jailli en moi comme une évidence.

Mon avenir à Tarifa m'excitait comme un nouveau jeu. La Daladier était convertie à ce scénario. Pour elle plus encore que pour moi, la vie devait ressembler à une blague, un concept, un artefact, plutôt qu'à un devoir. Elle aurait volontiers forcé la porte et regrettait de ne pas m'accompagner. « J'amuserai Théodora et comme ça tu pourras conter fleurette à la petite. » C'étaient *Les Liaisons dangereuses* qui remontaient. Elle connaissait les codes et les usages des milliardaires de la pop. Un de ses ex-maris était un musicien célèbre et contrairement à moi elle estimait DJMOmo d'un œil professionnel.

Restait une question : DJMOmo lui-même. Comment allait-il réagir à ma visite ? Alain Leroy, le copain de son petit frère, n'avait aucune chance de lui plaire. En revanche l'artiste pouvait l'intéresser. Comme tous les nouveaux riches, il était collectionneur. Il connaissait forcément mon nom. Se souvenait-il du passé ? La machine à tubes que j'avais vue à la télé avait peut-être en mémoire l'ancien militant. Quelle relation entretenait-il avec son précédent avatar ? Mauvaise, si je regardais l'homme d'aujourd'hui du point de vue de celui d'autrefois. On verrait bien… pas de jeu valable sans un méchant.

Il m'arrive souvent de me raconter des histoires dans le but de déguiser les motifs réels qui m'agitent. Ma très étrange passion pour Emina était occultée mais aussi aidée et protégée par ces gamineries. J'avançais masqué pour tromper mon monde, peu importe, j'avançais.

J'avais décidé de laisser la Morris à la campagne et de louer une voiture pour le voyage. Je ne savais pas quand je reviendrais et je m'attachai à laisser les choses en ordre.

Je vidai mon atelier de mes toiles anciennes qui partirent au coffre. Sur les conseils de Pierre, j'avais refusé toutes les offres. Je gardais une poire pour la soif, les œuvres anciennes d'un artiste cotent souvent plus à la longue que les récentes. Je nettoyai la pièce avec l'aide de ma femme de ménage. J'avais décidé de faire certains travaux dans la maison pendant mon absence. Les rendez-vous se succédaient entre les peintres, les menuisiers et les couvreurs. Lukardis qui avait fini par comprendre que je partais vraiment me rendait visite sur visite avec une fidélité qui m'aurait fait pitié si le personnage que j'étais devenu se montrait encore capable de compassion. Mes projets d'embellissement la rassuraient. Elle y prêtait la main sans doute dans l'espoir de faire partie des meubles, un peu comme un chat se glisse dans une caisse de déménagement.

En rangeant avec elle, je tombai sur une malle en osier oubliée près du lit d'enfant en fer. Elle contenait tous les jouets de Galatée. Il y avait un camion de pompiers en plastique, un Oui-Oui en bois avec sa voiture, un tigre en peluche que j'avais gagné pour elle un jour à la fête foraine du village voisin, une poupée Barbie unijambiste et je ne sais quoi encore.

Lukardis m'attrapa l'épaule comme si j'allais sangloter mais je n'en avais pas envie. Elle me serrait contre elle. Je levai les yeux et je nous vis dans la glace d'une armoire. À deux, nous faisions couple âgé, grand-père et grand-mère. Beaux, mais vieux. Les rides de Lukardis étaient accentuées par l'œil triste qu'elle portait sur moi. Elle semblait regretter toutes ces années stériles à faire l'amour. Elle croyait que je partageais ce remords. Mais je ne voulais plus rien partager avec elle, sa tristesse me déplaisait, cette femme mariée à un autre qui n'avait rien à voir avec ces jouets... Je la repoussai. J'essayai de refermer le couvercle de la malle mais les objets que j'avais remués ne rentraient plus vraiment. Le dos du canard jaune dépassait. Que faire de ce bordel ? Lukardis me suggéra de les distribuer aux enfants des voisins. Mais mes voisins n'avaient pas d'enfants. Il se passa le même phénomène qu'à la clinique le jour de la naissance de Galatée, après la première émotion désagréable, je pris conscience que je m'en fichais complètement. J'allai chercher deux grands sacs-poubelle et je les remplis avec les joujoux. Lukardis n'était pas d'accord, elle me regardait de son air triste. J'avais envie qu'elle monte dans sa voiture japonaise et qu'elle disparaisse de ma vie. Elle le sentit et elle exprima à voix haute ce que je pensais.

— Tu veux que je parte ?

Je la laissai dire. Je ne pris pas la peine de répondre, j'étais préoccupé par les liens des sacs-poubelle. Oui-Oui avait fait un trou avec son bonnet, il jouait les évadés. Il voulait rentrer en Suisse avec sa petite voiture, il n'avait pas envie de finir à la déchetterie comme le tigre en peluche et le canard en plastique.

La porte claqua, Lukardis était partie. En même temps, elle m'avait déjà quitté souvent en treize ans… Quand la voiture démarra, je repêchai Oui-Oui et je le posai sur la cheminée. J'aime l'instinct de survie. Les autres filèrent au container à roulettes sans mot dire, silencieux comme des agneaux.

Je filai au congélateur et je me servis un bon verre de vodka. Le verre se fracassa contre le mur avec gaieté. Je décidai de partir le lendemain, le verre blanc porte-bonheur.

Dans la soirée, j'eus un message de Lukardis. Elle cessait toute relation avec moi. Elle prétendait que son mari avait reçu une lettre anonyme. Bien sûr, je n'en crus pas un mot.

L'Anglais acheta un yacht à Gibraltar... Je répétais cette phrase venue d'on ne sait où, à voix haute, en conduisant, et elle me rendait joyeux sans que je sache pourquoi.

La voiture de location avait une facilité merveilleuse à dépasser le deux cents à l'heure et je devais sans cesse me tenir à carreau pour éviter les contrôles de police. J'avais prévu de descendre d'une traite jusqu'à Madrid, c'était compter sans la fatigue de mon foie. Je venais d'apprendre en écoutant l'autoradio que la médecine ancienne considérait le foie comme le contrepoint du cerveau, le relais des forces inconscientes. Mon inconscient devait me travailler car je ne cessais de m'endormir au volant. Plusieurs embardées à grande vitesse me forcèrent à prendre un rythme de croisière, ponctué de petites siestes de quelques minutes dans les aires de repos de l'autoroute. J'aurais dû me méfier de certains aliments vendus dans les stations-service comme les Esquimaux Magnum qui provoquaient chez moi des envies de dormir irrésistibles.

Le chemin jusqu'à Bordeaux est assommant et je crus ne jamais arriver à dépasser cette ville où j'ai plusieurs collectionneurs mais que je n'aime pas particulièrement.

Maugis, un écrivain que j'avais connu chez Pierre Angélique, possède une maison sur la Côte basque et je décidai de lui rendre visite après avoir rêvé de lui pendant une de mes petites siestes. Après tout, c'était sur ma route.

La forêt des Landes passa comme un jeu vidéo, j'arrivai entre deux radars à faire quelques pointes à deux cents. J'écoutais en boucle un disque de Buddy Holly et je me sentais redevenir un jeune homme.

Je sortis de l'autoroute à Biarritz et je fus bientôt rendu dans ce petit village de G. ouvert sur l'océan. Maugis avait ses habitudes dans une discothèque de bord de plage fréquentée par la jeunesse. Pâques était beau cette année, les filles étaient de sortie, nous allâmes dîner dans un restaurant près de la discothèque dont le personnel avait une hygiène de vie aussi mauvaise que nous. Bébert le barman avait subi la même opération que moi mais, faute de prendre ses médicaments, il avait recraché ses stents. Maugis, gentiment paternaliste, s'inquiétait de mon traitement ainsi que de mon voyage. Il connaissait DJMOmo qu'il avait rencontré à Los Angeles.

— Ne joue pas au poker ou même aux petits chevaux avec lui, il triche !

Maugis s'intéressait aux projets d'autrui à partir du moment où ils avaient l'air moins ennuyeux que la vie ordinaire. En même temps, il gardait un fond de réalisme dont j'avais fait le deuil depuis mon accident.

— Cette fille est mineure. Elle a des bouffées

délirantes. Tu vas t'attirer des ennuis. En plus, ton futur beau-père est bardé d'avocats. Il vit comme un mafieux.

Maugis aimait beaucoup Peter, le mari de Poppée. Il ne crut pas un mot de mon histoire d'enfant. Galatée ressemblait à son père. D'après lui, le couple venait de se séparer. Une rupture qui n'avait rien de clair, comme toujours avec Poppée. Nous nous demandâmes si c'était à cause de moi. Peut-être m'aimait-elle vraiment, et avait-elle trop souffert de notre séparation pour maintenir son collage ? Une preuve de faiblesse et d'humanité qui aurait pu m'ébranler.

La soirée se passa à draguer des étudiantes qui m'avaient plutôt l'air de lycéennes. J'exigeai de voir leurs cartes d'identité pour vérifier qu'elles n'étaient pas mineures. Deux d'entre elles finirent par remonter à la villa. La mienne voulait bien m'embrasser sur la bouche mais elle était moche, celle de Maugis était plus jolie mais elle ne voulait pas l'embrasser, et encore moins se déshabiller. À quarante-neuf ans et demi, Maugis semblait s'émerveiller de revivre une vraie boum d'adolescent. Ses pommettes rougissaient d'excitation par-dessus sa barbe noire, il faisait plaisir à voir. Il avait sorti de son placard deux vieux pulls de scout datant de sa jeunesse. Ainsi attifés, nous redescendîmes les récalcitrantes à la boîte, nous en remontâmes d'autres et la soirée passa tranquillement jusqu'au matin. À la fin, je me serais cru à la suite overdose, il y avait douze personnes dans la villa. Des garçons, des filles, certains avec l'accent du Sud-Ouest. Maugis avait disparu dans sa chambre avec une fille. Les garçons locaux me déprimaient un peu, je regrettais presque une soirée de mode organisée pour la Daladier que j'avais séchée pour partir.

Au matin, sans avoir dormi, j'allai marcher sur la grève à marée basse. Les surfeurs étaient déjà levés. Je les voyais danser au loin dans la mer verte, petits jouets de caoutchouc. Il faisait beau et derrière les Pyrénées, on apercevait la côte espagnole. Jamais dans ma vie je ne m'étais senti aussi libre. Aucun souci d'argent, aucune envie de travailler. Les attaches étaient rompues. Je commençai à avoir froid à cause du vent et les inquiétudes de Maugis me revinrent. Son goût affirmé de la fête sur quoi il s'était construit sa réputation cachait un naturel très réaliste, anxieux même. Parmi mes amis, c'était une des seules figures paternelles. Un père très léger mais volontiers rabat-joie.

La lumière sur l'océan rendait les objets gris et phosphorescents. En marchant contre le vent je sentais mes pieds s'enfoncer dans le sable et mesurais à quel point ma volonté m'avait toujours porté, depuis des années. L'effort permanent qui me servait à repousser la réalité aurait pu me fatiguer si, à certains moments, les courants ne s'étaient inversés, comme ce vent qui tournoyait autour de moi et me poussait vers l'avant alors qu'il me résistait si fort l'instant précédent. Je me dis soudain que j'étais devenu fou à force de solitude et de volonté. Un regard que Maugis avait posé sur moi hier, avant que nous soyons complètement soûls, m'avait remué bien plus que des paroles, un simple coup d'œil mais l'exercice du portrait m'avait appris à enregistrer les moindres variations d'expression.

Ce regard semblait dire : « Mon pauvre Alain, tu es dans un sale état. » Je n'arrivais pas à démêler s'il jalousait cette liberté que je prenais à l'égard de ma carrière, alors que de son point de vue j'aurais dû travailler, fournir pour profiter plus tard et plus longtemps... ou si j'étais réellement en train de dérailler.

Le ciel immense était déchiré par des nuées qui semblaient beaucoup plus étendues que les Pyrénées, des montagnes escarpées, des vallons blancs et gris qui s'étendaient par-dessus l'horizon, bien au-delà de l'Espagne. La présence de Dieu me parut soudain d'une évidence merveilleuse. La soirée passée, ces gamineries qui s'ajoutaient à tant d'autres, ces années brûlées à refuser de vieillir, ou même les heures consacrées à travailler ne valaient plus rien. Mes ambitions ne me poussaient pas à devenir une sorte de chef d'entreprise, pas plus que la paternité ne m'avait transformé en père de famille. J'étais libre de suivre l'élan de mon cœur et cet élan me dirigeait vers le Sud, où je savais trouver une âme sœur.

J'avais suivi la grève jusqu'à une plage que je reconnus. Le vent me laissa enfin tranquille, je me réchauffai dans un rayon de soleil. La falaise de glaise s'effondrait, au risque de faire basculer dans un chaos de rochers les grandes villas 1900 édifiées sur les hauteurs. Des escaliers montaient en zigzag le long de la pente et j'aperçus en levant la tête une bâtisse que je pensais écroulée depuis longtemps, comme son jardin dévoré par l'océan. Une nuit de tempête, il y a plus de vingt-cinq ans, j'étais venu ici. Les vagues se brisaient sur un escalier de pierre aujourd'hui englouti, levant la tête j'avais aperçu un lustre qui brillait là-haut, derrière une fenêtre perchée à quelques mètres de l'abîme. C'était en 1981, juste avant mon départ pour les États-Unis. Cette vision correspondait à mon romantisme d'alors. Je croyais que le monde que j'aimais, l'Occident chrétien, allait finir de s'effondrer comme ce salon, une vraie salle de bal pour fantômes éclairée d'un seul vieux lustre, si fragile devant l'océan qui se brisait quatre-vingts mètres plus bas et rongeait ses fondations.

La ville de Biarritz avait entrepris des travaux de consolidation et la falaise autrefois si dangereuse s'était transformée en une sorte de remblai d'autoroute. Privée de son jardin, l'ancienne villa en vigie était toujours là, blanchie, refaite, défigurée par les travaux. Vendue en appartements, elle ressemblait maintenant au reste des bâtiments urbains. Le danger était écarté et la beauté avait disparu. Le mal n'était donc pas une catastrophe mais une maçonnerie raisonnable et laide que la lumière grise du matin aplatissait. Je me tournai vers l'océan.

J'avais cessé d'appartenir au monde moderne depuis longtemps, ma fuite vers Tarifa était une cavale immobile hors de la réalité, le décrochage vers lequel toute ma destinée tendait depuis mes engagements de jeunesse. Ce n'était pas contre le communisme que nous aurions dû lutter mais contre le monde moderne.

Bien plus que les slogans solidaristes, la vraie devise de ma jeunesse était « No Future ». À force de travail solitaire et d'obstination j'avais construit mon caprice comme une forteresse, j'avais trouvé ancrage dans l'autre monde, celui où le temps présent n'existe pas. Là où les modernes s'inquiétaient de la pollution et des droits de l'homme, faisant des enfants comme dans les publicités, je souhaitais seulement la mort comme une belle histoire, seul ou peut-être avec Emina. La marée était montée et la mer se rapprochait, je respirai l'air du large qui faisait revenir les souvenirs.

J'ai traîné à Biarritz à la fin de mon mariage et des années 1980. C'était juste avant que je ne rentre définitivement en France. Je m'étais installé une fois de plus à l'hôtel. Heather me trompait à New York avec un graffiteur hawaïen. Biarritz reste attaché dans mon esprit à des moments de flottement propices à la réflexion, des périodes de ma vie où j'avais de l'argent mais où ma situation était rendue instable par un changement imminent. Face à l'océan, je me suis toujours senti à la fois seul et souverain et voilà que cela recommençait.

Je rentrai dans une boutique m'acheter des espadrilles et un pull marin. Je pensai à l'amant hawaïen d'Heather, ce Sam dont quelqu'un, Frappier peut-être, le seul de mes amis à le connaître, m'avait dit qu'il avait un cancer. La nuit blanche m'avait donné faim et j'allais manger à sa santé des coquillages avec les touristes sur une terrasse du Port Vieux.

Je me remémorai pour la première fois depuis longtemps des heures lointaines à New York, dans Lower East Side. J'essayai de me rappeler la voix d'Heather mais je n'y arrivai pas. Quand on a oublié la voix de quelqu'un c'est que cette personne est vraiment morte pour vous. Durant mes années de mariage j'avais fréquenté les gamins de l'époque dont on ne savait pas qu'ils allaient devenir des stars. J'aimais bien les garçons que je rencontrais à la galerie Fashion Moda, souvent d'origine portoricaine ou haïtienne, ils étaient déconneurs, drogués, plus drôles que mes fachos parisiens. Le style de vie m'a toujours paru plus déterminant que les opinions. Je n'aime pas la vie bourgeoise. À New York, l'aimantation que je ressentis vers vingt-cinq ans pour l'art ancien était d'un ordre magique ou initiatique. Les vieux maîtres expriment dans leurs œuvres une tradition oubliée. Pays de la ruée vers l'or, le Nouveau Monde fut pour moi celui d'une chasse au trésor : l'appel de la tradition occidentale. Mes copains déterraient leurs racines africaines, moi je m'intéressais à l'aspect magique de l'art chrétien. La salle des Vierges bourguignonnes du Metropolitan Museum suffisait à mon bonheur.

Heather s'étonnait de mon attirance. Cette fille à papa de Park Avenue, dépucelée à dix-sept ans par un Afro-Américain, ne jurait que par le « primitivisme », l'art contemporain et la bande dessinée. Pour elle, un peu comme pour Lukardis, mon goût était un truc d'antiquaire ou de décorateur d'Opéra. Seuls certains artistes sauvages, très intelligents et curieux, futés comme des gamins des rues, m'avaient compris. Ils me voyaient faire des copies en grisaille d'après de vieux bouquins d'héliogravures dénichés chez Strand ou chez les merveilleux bouquinistes de New York et ils trouvaient que c'était bien, que j'avais raison. Je dois mes premiers encouragements à JimOne, clochard métis aux yeux vairons.

Les mouettes qui tournicotaient près de moi le long du Port Vieux n'étaient pas différentes de celles qui nichaient dans les citernes de New York, sur les toits où nous montions parfois ensemble pour regarder le lever du jour, comme plus tard à l'hôtel de Beaune.

Dans une vie, il y a des ruptures et de la continuité. Jeune, j'étais frappé par les ruptures, prisonnier de mes volte-face. Avec l'âge, c'est la continuité qui l'emportait à mes yeux. Après avoir appartenu à l'extrême droite, parce que ça donnait mauvais genre et que tout le monde n'osait pas en être, je m'étais à jamais réfugié dans la beauté d'un monde disparu.

Chez un brocanteur qui bradait des caisses de livres à l'extérieur de sa boutique, je tombai sur un catalogue de Fernand Khnopff. La couverture était illustrée par un célèbre tableau qui se trouve à Bruxelles au musée d'Art moderne. Une femme au corps de léopard pose sa patte sur le ventre d'un jeune homme à demi nu. Cette œuvre symboliste a influencé l'illustration de l'artiste belge Guy Peellaert pour la pochette du disque de David Bowie, *Diamond Dogs*. J'étais surpris du titre *Des caresses*, je me souvenais de ce tableau avec un autre titre : *Œdipe et le Sphinx*. L'attitude de la femme sphinge, lovée sur l'épaule d'Œdipe, semblait, à y regarder de près, très tendre. Mon esprit, qui courait à une vitesse folle, me fit entrevoir une allégorie : celle de l'homme qui abandonne tout souci pour épouser son destin, se laissant caresser par une patte douce et griffue. Quitter la mère de mes enfants, figure de ma propre mère, pour aimer un être composite dont les paroles énigmatiques me révéleraient à moi-même était la bonne direction à prendre. Après Tarifa, j'eus la prémonition que je retournerais en Belgique. En feuilletant le catalogue, je trouvai la mention du Sphinx et cette formule de Khnopff, réponse à qui l'interrogeait sur le sens symbolique à donner à ce tableau : « L'art n'est qu'une ivresse de première classe. » Comme souvent quand je suis exalté, quand j'ai le sentiment de suivre le sens du destin, le chemin tracé par l'Ange, je trouvai cette phrase d'une profondeur merveilleuse. Voilà au fond ce que j'avais toujours cherché : une ivresse de première classe. Sans savoir pourquoi, je me mis en tête d'acheter *Les Fleurs du Mal*, un des rares livres de poésie que j'ai lu complètement.

J'ai passé une seconde soirée plus calme avec Maugis. Nous sommes allés dîner comme deux grands-mères dans un restaurant tranquille. Je lui ai parlé de mes visions, Khnopff, le Sphinx… Il est resté de marbre, peut-être parce qu'il était préoccupé par lui-même ou alors parce qu'il trouvait que je déraillais franchement. Il a bâillé et j'ai dérivé sur des trucs plus drôles. Mes souvenirs de New York, Basquiat, sa mauvaise odeur corporelle, les boîtes comme le Mudd Club ou le Palladium, Warhol qui avait des puces à cause de ses chiens. Maugis riait de nouveau. Il m'a parlé d'un écrivain qui s'intéressait à moi et s'appelait Octavio. Il avait beaucoup écrit sur l'art et la magie. D'après lui, ce garçon m'avait croisé à plusieurs époques de ma vie et il s'apprêtait à écrire un roman ésotérique où je figurerais. Maugis me dit en riant de son air diabolique :

— Fais attention, c'est un sorcier !

Ce n'était pas la première fois que j'entendais prononcer le nom d'« Octavio ». Il me semblait que quelqu'un, Poppée peut-être, l'avait cité récemment. D'après Maugis, nous nous ressemblions beaucoup physiquement. Des jumeaux inconnus… Je lui répondis qu'il ne fallait pas que je le rencontre sinon j'allais mourir comme le chevalier de la légende allemande après avoir croisé mon double.

Maugis savait l'allemand, je l'ai questionné sur le *Sehnsucht*, cette nostalgie des endroits qu'on n'a pas connus. L'avantage des écrivains, c'est qu'ils sont cultivés, Maugis surtout. Il m'a tout de suite résumé l'affaire en deux mots que j'ai oubliés, mais c'était bien agréable. Quand il accepte de tenir des propos sérieux, il est très précis, intelligent. Malheureusement il y avait une serveuse et la conversation se détourna dans une direction qui m'intéressait moins, ne ressentant aucune nostalgie pour le cul de cette jeune fille que je ne connaissais pas. Alors je suis allé me coucher, prétextant que je partais tôt le lendemain.

Une fois dans ma chambre, pour m'endormir je fis la liste des personnes que j'avais connues à New York et qui étaient mortes.

Vers trois heures du matin, un mail de ma galerie me réveilla. Saatchi abandonnait ses offres sur mes œuvres. Il renonçait même à faire entrer un seul de mes tableaux dans les collections du musée. Au téléphone, mon galeriste me dit que c'était inexplicable, il n'avait jamais vu un tel revirement. Il soupçonnait une intervention extérieure, un fait nouveau qui aurait provoqué ce rejet, car c'est d'un rejet qu'il s'agissait. Je raccrochai avec un mauvais pressentiment.

Dès l'aube radieuse, je montai dans ma voiture et pris l'autoroute en direction d'Irun. Je m'étais réveillé dans l'affolement. Dès que j'arrête de peindre, au bout de quelques jours, je cesse d'être artiste. Je suis déchu du monde meilleur, du paradis intérieur où je trouve la paix. Le travail quotidien, cette routine semblable à celle d'un employé ou d'un artisan ne me protège plus. Toutes mes élucubrations de la veille sur le destin s'étaient dissipées. Posé sur le siège en cuir de la grosse voiture, le tableau de Khnopff n'était plus qu'une surface brillante imperméable à tout échange. Juste un bouquin illustré de plus. Mes mains posées sur le volant, mon pied droit enfoncé sur la pédale d'accélérateur me conduisaient dans une direction où aucun appel intérieur ne me commandait plus d'aller. Au contraire.

Après le mail de New York, j'avais reçu cette nuit, pour la première fois depuis une semaine, plusieurs messages de Théodora. Le premier : «*I want to fuck you*» suivi d'un autre, «*I m so excited*». Ils m'avaient refroidi. Qu'est-ce que j'allais faire dans cette histoire ? L'hypothèse la plus probable est qu'elle était soûle et qu'elle venait de se disputer avec son mari ou un amant andalou à 4:25 a.m., heure d'arrivée du premier message. Le défaut des gens riches, c'est de se conduire de manière instinctive et brutale, sans aucun respect humain. J'avais répondu «*I m not interested at all by your sexual projects*» suivi d'un second SMS «*nothing personal please*», à quoi elle m'avait rétorqué «*ahaha*».

Heureusement, ce genre de femmes ne ressent aucun désir pour personne. Seul l'argent compte pour elles, et toute ma fortune n'aurait pas suffi à ses besoins plus de quinze jours. En revanche, elle guettait visiblement la moindre distraction dans ce trou perdu. Créer un trouble avant mon arrivée en était une comme une autre. Je devrais jouer finement pour m'approcher d'Emina.

Je n'aime plus Bilbao depuis que la ville a été nettoyée. Je décidai de foncer directement vers Madrid. L'Espagne se refermait sur moi à travers les vitres de la voiture et je la voyais défiler dans mon rétroviseur au rythme de mitraillette des lignes discontinues de l'autoroute.

Le petit Ritz de Madrid possédait à l'époque le même charme désuet et étouffant que le Métropole de Bruxelles. Arrivé sans prévenir j'avais hérité d'une chambre sans vue, ornée de gravures anglaises représentant des courses de chevaux. Il était moins de trois heures de l'après-midi, le soleil filtrait à travers ces voilages qui protègent les fenêtres des hôtels d'autrefois et disparaîtront bientôt de la vie moderne au même titre que les bidets.

Je n'avais rien avalé depuis le matin, à part un café

d'autoroute, et je me sentais léger mais nerveux. J'ai fondu sur le minibar pour me servir un grand verre de vin blanc, j'ai pris une douche brûlante, puis une douche glacée, et me suis mis en route à pied pour le Prado. C'était une fraîche journée de printemps. Les arbres des paseos qui séparent l'hôtel du musée avaient une verdeur délicate presque nordique sous un ciel d'un bleu de porcelaine chinoise. Madrid me rend heureux, une joie virile, digne et sereine que je ne retrouve dans aucune capitale européenne. Même si l'Espagne ressemble davantage à la France à cause du mobilier urbain, de l'éclaircissement des façades et de quelques arrangements, l'élégance du climat, une âme limpide qui circule dans les avenues, l'emprise légère et solide de la royauté, les oiseaux, certaines perspectives me rappellent mon enfance. En marchant, je me demandai ce qu'étaient devenus mes camarades du Frente de la Juventud. Les plus compromis avaient fui au Brésil mais d'autres, les filles notamment qui nous plaisaient parce qu'elles étaient plus belles que les Françaises, devaient encore vivre ici, derrière les hautes et froides façades madrilènes. Aimaient-elles toujours autant José Antonio Primo de Rivera ?

Au Prado, à peine sorti des ascenseurs, je tombai sur une vieille connaissance. Un de ces chocs artistiques qui m'avaient donné envie de me lancer dans l'huile et la couleur au moment de mes premières grisailles. Un tableau absolument fou, long de près de dix mètres. Un décadent, un maniériste tardif du XVIIe échappé d'un cabinet de curiosités pour souverain dérangé. Je le croyais du Praguois d'adoption Bartholomé Spranger, mais je me trompais : la plaque indiquait Bartholomé Strobel, un Polonais. Comme l'opéra d'Oscar Wilde et de Strauss, c'est une Hérodiade, comme les vieux tableaux primitifs, une bande dessinée racontant en plusieurs épisodes au sein du même plan une histoire complète. La décollation de saint Jean Baptiste devant une assemblée de grotesques, de masques oblongs qu'on dirait sortis d'un film de Josef von Sternberg et des Bacon des années 1980. À l'avant-plan, la scène principale, celle du banquet d'Hérode, rassemble les portraits déformés de tous les princes européens à l'époque de la guerre de Trente Ans. Un banquet de monstres, une image cauchemardesque de l'Occident de l'âge classique. J'avais tout à fait oublié qu'il était à Madrid et le retrouver devant les ascenseurs me fit le même effet qu'une machine spatio-temporelle. Le vin blanc bu à l'hôtel aidant, je me mis à pleurer de joie. J'avais retrouvé l'envie de peindre et je décidai de rester quelques jours à Madrid pour copier au crayon cette toile, utilisant des feuilles de papier collées les unes aux autres pour réaliser un fac-similé de l'ensemble à taille réelle entièrement à la mine de plomb. Je calculai qu'il me faudrait plus de deux cents dessins. Un pur luxe invendable donc délicieux.

Du coup, j'oubliai les Bruegel, les Patinir et même les Vélasquez. Je restai devant les ascenseurs tel un adorateur dans sa chapelle pendant que les touristes me bousculaient pour suivre le sens de la visite.

Le soir, je dînai avec un galeriste. Un barbu rencontré à la foire de Madrid alors que j'exposais mes premières Vierges. Les Espagnols n'ont jamais renié la peinture, ma démarche lui plaisait, mon succès le flattait. Il m'emmena dans un restaurant que je ne connaissais pas. Je continuai ma cure de vin blanc.

Je lui expliquai mon projet et il me demanda aussitôt pourquoi je ne demandais pas à la chalcographie une reproduction pour me simplifier la vie. Il n'arrivait pas à croire que je préférerais copier à main levée dans ce couloir inconfortable plutôt que de m'installer au calme en usant le calque, le carreau et tous les procédés ordinaires des illustrateurs.

C'est en parlant que je découvre mes idées, et même des croyances profondes que je ne formulerais pas si j'étais seul. J'expliquai à ce garçon que la charge d'une œuvre ne se transmet qu'au prix de ce genre d'effort. Ma main œuvrant à quelques centimètres du tableau réel attrapait quelque chose de volatil et de secret qui ne pouvait passer autrement. En scrutant le vrai support, mes yeux recevaient d'autres informations que la simple forme, des informations mystérieuses émanant de l'être qui avait peint cela trois siècles plus tôt.

— Tu es religieux, me dit-il avec un respect que je n'aurais pas rencontré chez un Français.

Il me conseilla d'aller voir les Zurbarán de l'Académie royale. Il avait bu un peu vite. Il avait l'air bourré. Je l'interrogeai sur sa vie, il avait une femme, un enfant en bas âge, une famille. Pour se faire pardonner d'être aussi normal, il me proposa de prolonger la soirée dans un bar ou une boîte. J'étais partagé entre l'espoir de rencontrer une fille et la flemme… Un message de ma galerie new-yorkaise tomba à ce moment-là, on m'envoyait le numéro de portable de la marquesa de S-C. Une de mes collectionneuses madrilènes. Par hasard, cette vieille marquise se trouvait être la tante de Juan, un de mes copains du Frente de la Juventud. Il s'était suicidé à vingt ans en 1980.

Je suis resté une semaine à Madrid. Le temps de copier le tableau de Strobel, de profiter de la ville et d'une société agréable. Certaines personnes aident à croire aux rêves. Peut-être parce qu'elles vivent elles-mêmes dans une sorte de demi-rêve éveillé, un monde de fantaisie qu'elles se sont construit ou qu'elles ont restauré au mépris de tout le reste. La marquise de S-C était un condensé de XIXe siècle remixé dans des couleurs pastel à la Disney. Son âge réel était celui des légendes, ses cheveux avaient une étonnante couleur poussière que je n'ai jamais vue ailleurs. On aurait dit une perruque ou un bouquet d'immortelles mais je crois pour les avoir effleurés qu'ils étaient vrais. Elle avait pour compagnon Ali, un médecin marocain de vingt ans son cadet qui portait la moustache et avait l'allure d'un policier en civil. La marquise s'était tout de suite intéressée à mes projets, avec la bonne grâce d'une originale. Elle m'offrit de travailler l'après-midi sur la table de sa salle à manger dont les dimensions permettaient de reconstituer en taille réelle le Strobel (près de dix mètres sur trois).

À Tarifa, on s'impatientait. Théodora s'agaçait, légendant une photo de la marquise trouvée dans *Hola!* « *Why all these women of aristocracy look like old prostitutes ?* ». Pour me faire pardonner j'acceptai une mission et me rendis chez un chausseur acheter une paire de chaussures en satin gris auxquelles les bords brûlés, effrangés avec beaucoup d'art, donnaient l'allure d'une paire de souliers magiques conservée dans une gangue de poussière.

La marquise aimait les contes de fées. L'histoire d'Emina et de mon voyage l'intéressait encore davantage que l'avancement de mon grand dessin. Elle chargea son compagnon de se renseigner sur la petite.

Emina avait séjourné dans plusieurs institutions spécialisées, en Suisse et en France, mais c'était à Venise qu'elle avait connu la première atteinte de son mal. Ali nous obtint le rapport rédigé par un psychiatre au moment de l'hospitalisation. Je n'entends rien à l'italien et mes hôtes n'étaient guère plus savants. Nous comprîmes qu'il était question d'« être mangée par ses excréments » et d'un « enfant poilu ». Ce qui passionna la marquise.

Je m'habituai très vite à cette femme qu'on aurait dite sortie de la cour de Charles IV. Son maquillage de poupée embaumée et son nez camus habillaient un des esprits les plus baroques que j'aie rencontrés. Sa tournure mentale se révélait dans ses collections. Elle avait complété celles de son défunt mari avec discernement et bizarrerie. Les deux Balthus datant des années 1940 étaient excellents. Elle les avait remisés dans un coin, contre le portrait naïf d'un nain de chez Barnum, et une série de dessins de Gnoli représentant des cheveux de femmes de dos, non loin d'une chevelure de Dalí, reproduite à la manière de Bellmer.

Bellmer dont une poupée était confrontée à un sublime fragment de Christ du XIVe siècle semblable à un bois flotté. Certains murs étaient remplis de dessins vénitiens, comme dans les galeries du XIXe siècle. D'autres étaient vides. Elle avait eu l'audace d'acoquiner Lucian Freud (nu du début des années 1970) avec un Stanley Spencer. Elle possédait deux de mes Vierges et plusieurs crayons anciens, des études de boutiques à New York. Ces derniers étaient heureusement appariés à un drugstore de Richard Estes et à deux John Currin. Beaucoup d'œuvres étaient retournées contre le mur à la diable, jusque derrière les cabinets. J'y découvris deux Bérard et un dessin allemand Renaissance de toute beauté.

Je passai du temps chez elle, à travailler les têtes déformées qui se trouvent à l'avant-plan du tableau du Prado. C'est la marquise elle-même qui préparait la tambouille. Ali, toujours occupé à nos recherches, avait réussi à se procurer un autre rapport médical. Suivant un médecin suisse, Emina avait construit un délire paranoïaque autour de l'archange Michel. S'identifiant à Jeanne d'Arc, elle se croyait investie d'une mission destinée à rétablir l'ordre ancien en Occident.

D'après le rapport, la pratique du dessin et la formation qu'elle avait acquise dans le domaine de l'animation et des effets spéciaux avaient eu dans un premier temps une vertu thérapeutique. Mais cette amélioration avait souffert d'une contre-attaque délirante. Elle s'était vantée auprès d'une patiente fragile (polyanxieuse) de vouloir découper en parallélépipèdes les membres de sa famille, notamment sa belle-mère et sa demi-sœur, selon une technique de codage en 3D, afin de les ingérer et de les renvoyer dans une dimension inférieure, celle des séries d'animation qu'elle créait.

Lu avec une gravité imperturbable et l'accent marocain, le rapport horrible devenait comique. La marquise ne cessait de s'esclaffer. Surtout lorsque je lui imitais la grande chatte siamoise Théodora, enfermée par sa belle-fille folle dans le théâtre du *Muppet Show*. Ce soir-là, la marquise qui aimait les vieilles chansons françaises improvisa pour moi quelques airs, accompagnée d'Ali à la guitare. Je me souviens de ces deux couplets :

Mon Dieu, Dion que j'ai grand faim !
J'y mangerais volontiers mon poing !
— Mangez-y, belle, votre poing,
Car plus ne mangerez de pain.

Mon Dieu, Dion, que j'ai grand soif !
J'y boirais volontiers mon sang !
— Buvez-y, belle, votre sang,
Car plus ne boirez de vin blanc.

Rentré à l'hôtel, je me sentais moins gai. Mes projets me paraissaient compromis par la maladie mentale d'Emina. À en croire les rapports, la jeune fille était violente, suicidaire, d'une saleté repoussante. Un conseil de la marquise m'avait ébranlé : « Vous devriez vous montrer plus clair. Révéler à vos hôtes les vraies raisons de votre voyage et de votre intérêt profond pour l'enfant. »

Mais que dire de ces raisons ? Mon amour me semblait difficile à exprimer. L'enlèvement que je n'avais pas vraiment préparé, préférant me fier à l'occasion, n'aurait pu s'imaginer que si mes desseins visaient une fille plus accessible. Telle qu'elle semblait lunée, il n'était pas question de la séduire à moins de passer archange, je n'avais d'ailleurs jamais pensé à la séduire, persuadé qu'au premier regard mon amour pour elle serait si évident qu'il déciderait de tout.

Avouer au père d'Emina que j'avais rêvé de sa fille, que j'étais sûr de mon amour et que j'étais venu pour la chercher, était-ce le meilleur parti à prendre ? L'aspect désuet d'une telle démarche ne manquait pas de charme. Je craignais seulement qu'on ne me prenne pour un coureur de dot.

Un message de Théodora sonna la fin de mes réflexions : « *You are so chevaleresque.* » Quel oracle ! Toujours le sixième sens des agitées... Comme dans un conte ordinaire, la marâtre se révélerait le premier obstacle.

C'est en travaillant le lendemain au Prado que j'eus une illumination. J'étais en train de copier la figure d'Hérodiade à l'arrière-plan du tableau, portant la tête coupée de Jean Baptiste sur un plateau d'argent. Je me sentais heureux comme à chaque fois que je dessine, ombrant ses seins nus encorbelés de dentelle blanche, sous un petit visage méchant, couronné de cheveux blonds tressés comme des ficelles et d'un diadème gothique aussi irréel que le débris humain qu'elle portait tel un dessert surprise sur un bourrage d'arabesques : la robe d'une suivante dont la main ornée de bagues désignait le nez du saint. Reclus dans mon dessin, en communication directe avec l'âme de ce fou de peintre polonais mort depuis trois siècles, je compris soudain qu'Emina et moi avions la même manière de conjurer l'angoisse.

Moi aussi je défiais la réalité en m'enfermant dans une autre dimension. Nous dessinions tous les deux. Ma position d'artiste avait l'avantage de faciliter mes rapports avec le monde, sa démarche, plus radicale, avait pour défaut de l'en éloigner. Le bien-être que j'éprouvais à dessiner seul au milieu de la foule m'avait ouvert une porte. Je me sentais en communication avec elle, presque comme si je l'entendais chuchoter dans ma tête.

Je suis terriblement sain, mon esprit est inapte au délire. Je me disais que je devais l'aider à aller mieux, sans imaginer que l'inverse pouvait aussi bien se produire. Je ne la connaissais même pas et voilà que j'imaginais jouer un rôle de protecteur. En réalité, personne ne voulait de moi là-bas. Théodora avait sans doute trouvé une autre occupation et ne répondait plus à mes messages depuis la veille.

Cette nuit-là je fis un rêve, je marchais une nouvelle fois comme à Mortefontaine dans une vallée perdue. Mais ce n'était pas le même paysage. La végétation était différente, très sèche, quasi désertique. Il y avait une grande bâtisse de l'autre côté. Une ruine où vivaient des créatures ailées, moitié femmes moitié oiseaux. J'essayai de voir mais les branches des arbustes desséchés qui me séparaient du fossé étaient envahies d'insectes.

Je décidai de quitter Madrid sans attendre le marouflage des deux cents feuilles qui formaient mon grand dessin à la mine de plomb. La marquise avait offert de se charger du suivi. Je verrais ensuite si je faisais acheminer l'œuvre en rouleau à Tarifa ou dans mon atelier français. Ignorant les autres tableaux que je m'étais promis de revoir au Prado, je ne dépassai jamais le couloir des ascenseurs.

La veille de mon départ, je me souvins des conseils du petit galeriste et passai ma dernière matinée madrilène au musée de l'Académie royale auprès des moines de Zurbarán.

Écœuré d'avoir partagé tant d'heures avec ce fou de Strobel, je retrouvai l'inspiration de mes *Victimes* dans les austères drapés d'un blanc de cierge que surmontait la flamme des visages ascétiques alignés à deux mètres du sol comme une garde. Le monde soi-disant réel n'était qu'une illusion et mon enthousiasme se réarma au contact des vieux morts : frère Geronimo Pérez, frère Pedro Machado, frère Francisco Zumel, frère Hernando de Santiago… Les terres froides et fondues qui les avaient dressés dans la douceur de l'huile durcie par les vernis élevaient ma foi dans l'avenir, comme leurs yeux à jamais fixés sur le visiteur, mon cadavre derrière lequel ils apercevaient une autre vérité. Il y a un monde supérieur à la terre dont nous sommes formés et où leurs os reposent, supérieur aussi aux individus comme était supérieure leur fraternité, un monde éternel qui me faisait pleurer à l'instant où je les regardais. Mon élan vers Emina participait du même mouvement. Ce qu'elle croyait, si elle le croyait fermement alors je voulais le croire moi aussi. À fond et sans retenue. Elle n'était pas folle, j'en étais sûr, les moines de Zurbarán me le disaient, c'était le monde autour de nous qu'il fallait réformer. Sa force à elle allait nous y aider. L'Occident tout entier devait obéir aux anges.

À ma sortie du musée, le plein jour me ramena à des idées plus ordinaires. Mon illumination baissait, telle une lampe devant le soleil. La conversion comme le délire réclament d'avoir des idées fixes et ma sensualité, ma conscience du monde extérieur m'empêchent de rester clair très longtemps.

Le soir, à l'hôtel, je reçus un coup de téléphone de Pierre Angélique. Il était à Séville avec Théodora, que j'entendais parler derrière. Il me confirma que Poppée avait bien quitté son mari et qu'elle dirigeait désormais la fondation Umberto Brentano. « Tes tableaux sont dans la meilleure salle, un véritable musée dans le musée. Elle t'aime toujours », me hurla-t-il en français au milieu des rires. Ils étaient dans une de ces voitures à cheval pour touristes avec la petite Zibbedé, la fille de Théodora. Je demandai à Pierre si Emina se trouvait parmi eux. Il ne répondit pas, insistant pour que je saute dans ma voiture et que je les rejoigne tout de suite. Il y avait une fête organisée par DJMOmo pour la fin de la feria.

Le lendemain avant le jour, je repris la route du Sud, sans hâte, suivant les détours que je m'étais promis par Tolède et Cordoue.

L'invraisemblance paisible de ma situation m'apparut progressivement au cours de la nuit. Je n'avais pas parlé à Théodora et je n'avais aucune intention de la rejoindre à Séville, elle et sa bande. Pierre m'avait annoncé son projet de filer à Bangkok puis à New York avec DJMOmo. Théodora les accompagnerait-elle ? Séville serait plus calme sans eux. Valdés Leal, Murillo et Zurbarán ne bougeraient pas avant mon arrivée. À mesure que je m'éloignais d'elle, la vieille marquise de S-C me semblait un personnage inventé, même pas un rêve ni un souvenir, une fiction, une illustration de roman imitée d'un tableau, un poncif recopié plusieurs fois. Sa personnalité falote semblait prête à s'éteindre, comme tout ce que je laissais derrière moi.

Les autres, ceux de la vie réelle d'avant mon départ, prenaient dans mon esprit la matérialité instable de ces alias que sont les créatures de rêves. Leur identité se prêtait à des fantaisies subjectives, sans désormais interférer dans ma vie. Maugis, Lukardis ou même Poppée s'étaient montrés gentils, trop peut-être, plus qu'ils n'auraient dû l'être. Puis ils avaient disparu, s'effaçant sans laisser de traces, même pas un message. De la part de Lukardis, si attachée à moi, un tel silence paraissait improbable. Je finissais par croire que son mari avait vraiment reçu une lettre anonyme. Poppée m'envoyait, une fois de plus, des signes contradictoires. Après m'avoir menacé, elle me faisait des grâces à distance. Que signifiaient-elles ? Rien, sinon que ma cote s'était renforcée pour des motifs qui ne lui devaient rien.

Le soleil éclairait un paysage désertique. Sur un coup de tête, je sortis de l'autoroute. La lumière commençait à forcir, un village se dressait sur une éminence. Je garai la voiture sur le bas-côté poussiéreux. J'avais la tête encore pleine des arabesques que j'avais copiées sur la Salomé de Strobel. C'étaient d'innombrables fils, une résille qui me revenaient en tête à chaque clignement d'œil. Ils finirent par disparaître comme on efface un bâti. Les vapeurs de chaleur du moteur faisaient ondoyer le paysage que découpaient les montants du pare-brise. La réalité extérieure se trouvait désormais tout à fait absorbée par le miroir de mon imagination. Ce village anonyme planté à quelques centaines de mètres devenait mien en même temps que mon regard le photographiait. Il remplissait ma conscience, me conduisant à une jouissance immédiate, cutanée. Je ressentais ce bout de paysage sans singularité, typique de la région, d'une aridité mexicaine. C'était comme si mes organes et mon cerveau étaient enfin arrivés à maturité. J'avais le sentiment enivrant d'avoir perdu la conscience de ma propre personne et de ne plus exister que dans le paysage extérieur. Les Anglais ont une expression savante, « *unselfconsciousness* », pour définir cet état. Mais cet effacement de l'ego, cette autotransparence, étaient subjugués par l'impression que j'avais d'épouser la réalité la plus quelconque sans pour autant m'évanouir à l'intérieur.

J'ouvris la portière. Malgré la sécheresse de ce qui m'entourait, la pauvreté de la végétation, l'atmosphère était parfumée. D'infimes petites fleurs sauvages emplissaient le courant d'air frais du matin de leur présence.

Je sortis mon matériel de peintre et je commençai à travailler. Seul, heureux comme un matin de printemps dans mon atelier.

L'extase des Zurbarán remontait plus fermement. Pour la première fois depuis des années, je travaillais sans idée préalable, sans me poser de limites ou un modèle défini. Il me semblait qu'une force supérieure me guidait, un instinct pareil à celui des animaux. Il n'était plus question d'illustration mais de vie intime. Je travaillais sur un bloc très ordinaire, un gros carnet d'esquisses de papier gris que j'avais choisi au hasard. J'utilisais du graphite, un crayon noir de bureau. La fermeté de ma main, le tracé très direct et linéaire me surprenaient. J'ébauche souvent en flou avant de préciser. Mais là j'usais d'une technique qui s'apparente à la pointe sèche. Le vieux bout de gomme que je serrais dans mon autre paume ne me servit jamais. J'avançais vite avec cette hâte concertée que j'avais toujours vue comme un idéal impossible. La grande main, celle des vieux maîtres, mais sans penser à eux, libre comme un enfant.

Par un travers très humain, j'attribuais ce prodige à mes efforts. J'attendais ce jour-là depuis si longtemps. Il avait fallu que je parcoure ce long chemin, jusqu'à presque cinquante ans. La reconnaissance, ma cote artistique, la gloire que j'avais acquise enfin depuis peu me permettaient d'œuvrer comme un peintre du dimanche. Libre et sans préjugés. C'était si drôle et si léger que j'avais envie de rire tout seul. L'odeur fraîche du matin, la douce chaleur qui montait, le parfum des herbes odorantes et des petites fleurs de garrigue, cette main légère, l'ordonnance sensible et sûre de mon dessin m'enivraient sans me faire perdre une seconde la conscience agile de la réalité. L'ivresse fut si forte que j'eus un moment la sensation de flotter au-dessus du sol.

Impossible de confondre cette allégresse avec une simple bonne séance, j'avais passé un palier, tel un sportif. Et peut-être plus encore. Toutes ces ruptures avec ma vie antérieure me paraissaient désormais justifiées. J'étais attiré par l'avenir comme jamais.

Le dessin, un paysage, occupait la partie centrale de la feuille. Il était d'une grande netteté, il en émanait l'idée d'une forte concentration, un grain minéral. Aussitôt que j'eus terminé, je n'eus pas envie de le décliner comme c'est mon habitude en plusieurs esquisses. J'avais fini. Une heure s'était écoulée sans que je m'en aperçoive. Je remontai dans la voiture et je décidai de déjeuner avant Tolède.

C'était une de ces journées de voyage où tout paraît s'organiser naturellement avec bonheur. Je m'arrêtai dans une auberge dont la terrasse était ombragée par une treille. Le premier verre de vin, le bout de pain blanc trempé dans la sauce piquante me donnèrent une joie solitaire que je n'ai pas oubliée.

Tolède et ses cars de touristes ne me rebutaient pas. Je marchai au milieu de la foule, gravissant les ruelles pentues comme un homme qui travaille là et qui est appelé à accomplir une tâche ordinaire. Je me sentais le plombier ou l'électricien qui rend visite au Greco, une personne âgée, un de ces clients familiers que l'usage et le temps lui ont attachés. J'avais déjà vu plusieurs fois le tableau qui m'attendait. Je connaissais chaque chaise de la salle où cette grande merveille se laisse admirer. La folie du Grec n'était plus du tout folle pour moi, je m'absorbai dans les anges qui flottent au-dessus des habits noirs et les barbes en pointe. Ce jour-là, les nuées se défroissaient pour m'accueillir dans des violines et des verdâtres de guimauve. Seuls les êtres les plus éthérés, les visages flottants et déformés des amis de l'éternel, pouvaient assouvir une soif de peinture aussi ardente que le besoin que j'avais d'eau fraîche après la charcuterie de l'auberge.

Sur une feuille traduite en français que j'avais arrachée d'un catalogue ancien, je lus le protocole d'accord entre le peintre et Don Andréa Nuñez, le curé commanditaire. Les termes qui décrivaient l'œuvre à peindre étaient d'une simplicité et d'une précision merveilleuses. On y parlait du groupe, des deux saints descendus du ciel suivant la légende, pour aider à l'ensevelissement, du public d'hommes en noir et de la petite troupe céleste dont le vol fixé ressemblait à une toile peinte qu'on aurait froissée. L'extravagance de l'architecture était prévue par un texte commercial à la fois sobre et complet. En lisant le bon de commande, on n'avait aucune idée de l'œuvre mais la correspondance entre la peinture et sa description préalable laissait voir que nulle licence sauf le génie avait porté la peinture à ce point d'incandescence. Relevant les yeux, je me perdis dans la fantaisie merveilleuse des dalmatiques dorées portées par saint Augustin et son compère, manteau d'or dont les broderies reproduisaient d'autres scènes qui étaient autant de mises en abyme de l'Évangile, et reprenaient la vieille imagerie byzantine en l'intégrant dans le réalisme d'un surplis froissé par la besogne mortuaire. Le poids du cadavre faisait froisser la naissance de la Vierge alors qu'en haut tout flottait, comme une fleur sous-marine, dans le bocal de l'éternel.

Ces hommes si durs qui payaient le peintre pour son travail d'artisan avaient des trésors de croyance qui leur permettaient d'accepter ce qui nous paraît aujourd'hui un délire. La petite bourgade provinciale resserrée sur les cars de touristes, nourrie par un afflux de devises venues du monde entier avait pu produire dans le désert cette fleur symbolique qui s'y était fixée comme une merveille naturelle.

La salle fermait ses portes et je dus sortir avec les derniers visiteurs. Je remarquai un groupe francophone, des personnes âgées, des catholiques sans doute car ils portaient des crucifix et divers insignes épinglés sur leurs vêtements. On aurait dit des religieux en civil ou de vieux scouts.

Je les vis se diriger vers une buvette où je les suivis.

Je pris une bière à la table voisine de la leur. Je les entendais partager leurs impressions sur cette visite. Leurs commentaires me parurent si différents de ceux de touristes ordinaires que je me tournai vers eux, souriant sans m'en rendre compte de cet air bienveillant que je prends dans les réceptions mondaines quand je veux lier connaissance avec des étrangers.

Une femme aux cheveux courts et sandalettes de cuir du genre bonne sœur en goguette s'adressa à moi très naturellement :

— Monsieur, avez-vous vu l'âme du mort au centre de la peinture ?

Elle avait l'accent belge. L'étrangeté de sa question me la rendit aussitôt sympathique et je me levai, ma bière à la main, pour aller m'asseoir près d'un homme à moustache blanche qui portait une grosse paire de jumelles autour du cou.

Il m'expliqua qu'il avait aperçu le phénomène en regardant la peinture dans le grossissement de la lentille.

— C'est un bébé, comme dans la tradition byzantine…

— Enfin là, on dirait plutôt une méduse…

La femme qui avait dit cela était petite comme une souris. Elle rit, révélant de mauvaises dents.

— Montre donc à Monsieur la photo que tu as prise.

Le moustachu me colla sous le nez un appareil

photo numérique. Le détail qu'il avait choisi se trouvait exactement au centre de la composition. La distance ne m'avait pas permis de bien définir ce détail grisâtre qui était pris au bas de la déchirure en pointe marquant le passage du monde terrestre à la sphère céleste. Vu sur la photo, l'objet, grand d'une dizaine de centimètres, ressemblait à un fœtus pris dans le liquide amniotique.

— Vous voyez, c'est un bébé. Greco a suivi la symbolique byzantine mais il l'a floutée pour susciter l'impression au lieu de figurer le symbole.

Ce passage du symbolique au surnaturel nous occupa le temps d'une bière. Les touristes belges me signalèrent un autre détail : les clés du paradis que saint Pierre laissait pendre au bout de son doigt dans un geste irréel. Le peu de substance de l'infini, la légèreté, grande qualité des choses éternelles. J'avais eu beaucoup de plaisir à parler avec ces gens qui se révélèrent néanmoins assez rapidement plus communs qu'ils n'en avaient l'air. Certaines rencontres ne valent que pour quelques mots volés à l'indifférence, au défaut de fraternité qui caractérise les voyageurs modernes. J'eus le temps de comprendre qu'ils appartenaient à une communauté laïque qu'ils nommaient du nom ancien de « béguinage ».

Cette image de l'âme enfantine entra en moi comme une fulgurance. Je les laissai et je dévalai les ruelles de Tolède aveuglé par ma certitude intérieure, qui flamboyait comme la lumière sur les pierres grises de la rivière asséchée en bas du ravin.

Je remontai dans la voiture et filai sur la route

austère qui va de Tolède à Cordoue en passant par Ciudad Real.

Ciudad Real est une ville sans relief perdue au cœur de la Manche. Un décor banal planté sur un plateau sinistre… La faillite de l'aéroport internationnal est le seul événement qui ait attiré l'attention sur cet endroit depuis longtemps. Je m'arrêtai pour manger des tapas dans un snack. J'entendais le bruit morne de la télévision. Il était question de sport. J'étais perdu dans mes pensées au point que la trivialité me semblait pleine de grâce.

C'est le moment que la Daladier choisit pour m'appeler de Los Angeles. Elle s'ennuyait à mourir sur un plateau photo.

Je lui parlai de la marquise de S-C, le style de personnage qui lui plaisait. Elle me dit qu'elle avait vu une photo récente d'Emina sur Instagram. Qu'elle était sublime, avec un regard cerné, très triste. Elle me proposa de me l'envoyer.

— Elle n'a pas l'air légère…

Un compliment sans doute mais je trouvai bizarre qu'elle me parle de légèreté. Je raccrochai. Une femme s'était assise près de moi sur la terrasse. Elle berçait un enfant en chantonnant, il me sembla reconnaître de l'hébreu, mais je devais me tromper…

Emina venait de m'apparaître sur l'écran de mon téléphone. Je ne la croyais pas aussi blonde. Je ne lui connaissais pas ces yeux verts, cette bouche charnue, ce nez triangulaire. Elle avait changé depuis le tournage du documentaire d'Arte. Les cernes qui soulignaient ses yeux comme un maquillage témoignaient de souffrances endurées. Elle affichait plutôt seize ans que quatorze. Ce qui me frappa surtout, c'étaient les tatouages ou les crayonnages qui ornaient ses bras nus. En zoomant sur le bras, j'aperçus un mot allemand, MORGENDUNST.

Sa tenue très négligée semblait sale à côté de l'impeccable jogging blanc d'un rappeur noir qui posait près d'elle. Tous deux s'amusaient avec un singe capucin que la petite tenait au bout d'une laisse rouge à boucle dorée. Le rappeur regardait le singe, elle avait plutôt l'air d'être ailleurs, probablement droguée aux neuroleptiques. D'après la légende du journal, le singe s'appelait « Satan ».

En Espagne, les stations-services offrent toutes une piste de lavage et j'allai nettoyer ma voiture que des gamins avaient couverte d'inscriptions tracées dans la poussière pendant que j'étais au café. En lavant ces inscriptions, je pensai à Emina. Le bec du Kärcher giclait sur la carrosserie, mon visage se reflétait sur le carreau teinté de noir de la vitre et je m'adressai la parole à voix haute :

— Tu es en train de devenir fou.

Rassembler mes pensées était devenu une tâche impossible. Mon esprit baguenaudait dans tous les sens. Cela m'arrive parfois juste avant qu'un événement grave se produise et sonne le rappel de mes facultés mentales.

Quand je remontai dans la voiture, l'écran du téléphone allumé m'indiquait qu'un message était arrivé. C'était un mail de Pierre Angélique, un lien avec le site Internet d'un grand journal français. J'ouvris la page et relus la dépêche plusieurs fois.

« Incendie à la fondation Brentano à Bruxelles. Le sinistre aurait détruit une partie des bâtiments. À en croire la direction, aucune œuvre importante n'a été touchée par l'incendie. »

J'appelai la fondation mais je tombai sur un répondeur. Par prémonition, je savais que tous mes tableaux avaient disparu à jamais. Mes onze *Victimes* n'existaient plus qu'en photographie. Le communiqué de Poppée contenait une perfidie bien dans sa manière, « aucune œuvre *importante* ». Un message de haine moqueuse qui m'était directement adressé.

La rage se levait en moi. Elle brûlait mon ventre. J'essayais de me raisonner, de me convaincre que je me trompais. Impossible. De vieilles colères datant d'avant l'époque où je suis devenu peintre remontaient. J'avais peur d'un nouvel infarctus car je sentais une douleur dans mon bras gauche et toute mon épaule. Une humeur acide m'avait envahi l'estomac et enflammait toutes mes entrailles avec une corrosivité qui m'effrayait. J'avais besoin d'un médicament, ou d'héroïne… Je me dis qu'il devait y avoir un dealer quelque part dans une ville aussi sinistre.

Je cherchai le centre écoute antidrogue sur mon GPS, les abords de ce genre de lieu sont toujours infestés de camés. L'autre piste, c'étaient les prostituées à camionneurs. J'avais laissé un message à un de mes contacts marocains à Paris pour savoir s'il n'avait pas un cousin quelque part en Espagne. J'aurais pu faire cinq cents kilomètres pour un gramme de brown sugar. Un ding m'annonça un message. C'était la salope.

« Mon chéri, c'est triste... Tes toiles ont été endommagées par l'incendie. Je t'envoie en pièces jointes les photos que nous avons fait parvenir à l'assurance. Umberto va t'appeler bientôt. J'espère que tes vacances en Espagne se passent bien. Besos P. »

Je n'ouvris pas les pièces jointes. Le virus était trop fort, il aurait atteint mon cerveau. Je me retins de l'appeler, de l'insulter et de la menacer, je reniflais le piège, elle voulait sûrement faire un enregistrement. Je cherchais quelle douleur la plus atroce je pourrais infliger à cette femme tout de suite. À distance. Je laissai un message à Frappier. Puis je pensai à l'enfant. Je m'étais souvent dit que sa mort ne m'aurait rien fait mais à l'instant où je pensai à elle ma colère baissa de quelques degrés. Une sorte de fluide calmant envahit mon corps. Je ne lui voulais aucun mal. Cela m'était impossible. Malgré mon état, je notai avec curiosité ce revirement. La douleur d'avoir perdu mes tableaux, doublée de celle de m'être fait voler cette enfant, reprit le pas sur la fureur. J'arrêtai la voiture sur le bas-côté, je ne pouvais plus conduire, les larmes m'aveuglaient.

J'étais nu. J'avais perdu en quelques instants une grande partie de ma force. Les œuvres d'art que j'avais réussies étaient tout ce qui comptait à mes yeux. La vie, les valeurs ordinaires de l'humanité m'étaient indifférentes. Le monde entier aurait pu crever autour de moi sans que je souffre le moins du monde. Je me fichais de mourir mais la destruction de mes tableaux organisée par quelqu'un d'autre m'était insupportable. Je n'avais jamais prêté le flanc à une telle attaque. La méchanceté de Poppée avait su trouver le point faible. Je la savais assez audacieuse pour avoir organisé le déplacement des *Victimes*, sous prétexte de les mettre en valeur avant de commanditer leur destruction ou d'incendier elle-même le bâtiment. Pendant les trois ans passés au service de Tsahal, elle avait dû suivre un bon entraînement.

J'avais repris le volant et cherchais les quartiers défavorisés. Frappier me rappela. Il me dit qu'un incendie volontaire laissait forcément des traces. Il fallait la coincer légalement. Il écarta l'idée qu'Umberto Brentano soit au courant. Elle devait avoir agi seule par jalousie. Il avait un copain enquêteur d'assurances qu'il allait alerter. Il essaya de me consoler en me racontant que si elle avait voulu me faire du mal, mieux valait inonder le marché de mes œuvres plutôt que les détruire.

Après une heure de traque, je compris que je ne trouverais rien à part du shit dans un kebab et un bureau antidrogue fermé barré d'une affiche jaunie *Que es Buprenorphine sublingual ?*. Même les putes et les revendeurs les plus miteux avaient dû s'envoler par l'aéroport fantôme vers d'autres destinations.

Pierre Angélique restait injoignable. Une fois calmé, je sentais ma douleur devenir plus lancinante. J'avais peur qu'elle me diminue et me fasse revenir en arrière, à une époque où je n'étais pas encore celui que j'étais devenu aujourd'hui. En cherchant la route de Cordoue, je repassai devant des endroits que j'avais vus en arrivant avant d'apprendre la nouvelle, quand j'étais encore entier. Je commençai à imaginer la suite. Quel effet la disparition d'une part importante de mon œuvre allait-il avoir sur ma cote ? Je n'avais aucun point de comparaison avec un artiste contemporain qui ait connu le même accident. J'imaginais que la valeur des toiles encore en vente allait grimper. La fondation toucherait la prime d'assurance. La valeur de mes tableaux avait monté d'au moins 40 % depuis qu'Umberto Brentano avait passé commande. « Nous allons te détruire », m'avait dit Poppée. Il était probable qu'ils veuillent acheter d'autres toiles directement ou par des prête-noms. Pour en faire quoi ? Les chiffres ne me consolaient pas mais j'eus une remontée de souffrance à cette dernière question.

Vendus, mes tableaux auraient dû m'indifférer. Ils ne m'appartenaient plus. Pour me calmer j'essayais de comprendre pourquoi j'avais si mal. Une part de vérité, quelque chose de divin auraient-ils disparu dans l'incendie ? « Tu es religieux », m'avait-on dit. Était-ce là de la religion ou du fétichisme ? Étais-je un sage qui voit brûler l'offrande destinée à racheter son salut ou un fou à qui on a brûlé sa marotte ? Je me rappelai soudain avoir parlé à Poppée de la solidité exceptionnelle de mes tableaux grâce à des techniques de vernis anciennes, la première fois, chez Pierre Angélique... et une autre fois à la campagne, de la destruction du *Grand Dieu Pan*, sublime tableau de Signorelli, pendant la prise de Berlin en 1945...

La vérité éclata à mes yeux : j'avais rompu le pacte, elle avait brûlé les tableaux. La loi du talion.

Un orage effroyable tomba sur la sierra Morena. Le paysage désolé, qui marque le passage de la Manche aux confins de l'Andalousie, se prêtait à une fausse nuit dramatique, zébrée d'éclairs. Je roulais à toute allure, sous une pluie battante entrecoupée de grêlons. Les pauvres arbres, les rochers qui heurtaient la route comme si on les y avait poussés semblaient des apparitions. Ma colère essayait de s'atténuer. La tempête était passée à l'extérieur. La douleur se transformait. J'ai le respect du fatal. Tout ce qui arrive me paraît devoir arriver. Mes onze *Victimes* qui me semblaient faire partie de moi, n'étaient pas tout à fait perdues. Deux années d'efforts et de trouvailles ne pouvaient être effacées par le geste de Poppée. Même invisibles, les œuvres ne se résument pas à l'objet matériel qui a été détruit. Il restait des photographies. L'effet de mon travail durerait après la destruction des châssis entoilés. Mais j'avais beau essayer de me consoler, je savais que cette perte sapait ma confiance en moi. Après l'enfant imposé et volé, c'était la deuxième attaque impunie de cette femme contre ma force virile.

Tandis que je m'enfonçais dans la sierra Morena, l'orage venu du nord me poursuivait. J'étais toujours au cœur de la tempête, le glissement de la route sous ma voiture ne marquait plus aucun mouvement. J'avais l'impression que le temps s'était suspendu. Le morne et chaotique paysage restait le même et la durée n'était plus marquée que par les chiffres de l'horloge de bord comme si je m'étais enfoncé dans une autre dimension. La fiction qu'était ce voyage vers un but fabuleux, une jeune fille sortie du monde ordinaire ignorant tout de moi, et derrière, l'effacement brutal de mon passé fermaient une route devenue aussi fantastique qu'un décor de cinéma. La nuit tombait sous l'orage et le ruban d'asphalte continuait de tourner, les objets fixes de défiler avec une régularité qui donnait l'impression de déjà-vu. La route rétrécissait. Le GPS indiquait que je roulais toujours en direction d'Andújar.

Une rafale de pluie plus forte que les autres fit tanguer la voiture malgré son poids et sa vitesse, et je dus ralentir sous un déluge toujours plus extraordinaire. J'arrivai en haut d'une côte, sur un col. Il y avait un parking pour autocars où je pus me garer. Les éclairs continuaient de zébrer le ciel devenu noir. L'endroit devait être touristique car je devinais les lumières d'une auberge.

Une pierre dressée était ornée d'une inscription :

Las gitanas de sierra Morena quieren carne de hombres.

La partie supérieure de la stèle s'ornait d'un bas-relief représentant une tête de mort. Un nom polonais, Potocki je crois, un écrivain, ancêtre de Lukardis, était gravé sous la citation.

L'auberge surmontait le parking, comme la maison de Norman Bates dans *Psychose.* J'avançai sous une pluie glaciale abrité sous ma veste. Les murs étaient bâtis en moellons de pierre sombre, ceux d'un relais de poste construit pour durer mille ans. La première salle, à usage de café-restaurant, était déserte. Il y avait des tables en formica et des chaises en bois de style rustique. Les murs étaient décorés d'objets rouillés, des outils aratoires, d'innocentes fourches qui prenaient dans la semi-obscurité à peine éclairée par une glacière Coca-Cola l'allure d'instruments de torture. Sur l'armoire glacière, je vis un animal naturalisé : une sorte de coq monstrueux dont la seule queue ornée d'un panache de plumes avait l'envergure du chapeau d'un Méphistophélès de gravures romantiques. Sur le mur du fond était exposée une panoplie d'armes extravagantes, des fusils de chasse mais aussi des mousquets et des pistolets à pierre. Cette pièce à usage de terrasse se prolongeait par une autre salle voûtée haute de plusieurs mètres qui tenait du dancing et de la salle d'auberge dans *Dracula*. Au fond à gauche se dressait une cheminée monumentale enfermée dans une colonnade dont les fûts de bois torsadés étaient d'anciens axes de pressoir. Tout autour étaient disposées des banquettes et de grandes tables de ferme. Quelques lustres dépareillés pendaient çà et là. À l'opposé de la cuisine, un bar recouvert de cuivre et une longue ouverture à usage de passe-plat ouvraient sur une cuisine vide éclairée d'un néon plafonnier. Au-dessus du bar, au milieu d'une accumulation vertigineuse de bouteilles de toutes sortes, on avait accroché quelques photos révélant que ce relais de poste datait du XIXe siècle et qu'il servait de rendez-vous à une société de chasse. En levant la tête, je découvris un alignement de trophées qui couraient sur la muraille tout autour de la grande salle.

Un petit homme bossu sortit du fond de la pièce et me désigna la plus mauvaise table, la plus proche du sinistre néon de la cuisine. Il voulait s'épargner du chemin mais je refusai et insistai pour me rapprocher de la cheminée.

Le banc où je m'assis s'appuyait sur un mur de photographies. Parmi les chasseurs qui posaient devant leurs massacres il me sembla reconnaître quelques figures d'exilés nazis en Espagne. Très étendues autrefois, mes connaissances dans ce domaine étaient trop effacées pour leur donner des noms, mais je discernais quelques monocles, balafres et autres sales gueules en pantalon de cheval. Tout près des bûches, assis au bord du foyer comme un vieux chien refroidi, se tenait un homme de grande taille, l'air dur et fermé, qui devait approcher ou dépasser les quatre-vingt-dix ans. Il n'avait pas trop l'allure d'un touriste, j'en conclus qu'il vivait ici.

Après la guerre, toute une faune d'anciens nazis avait trouvé refuge en Espagne. En 1979, pendant la fête du Frente de la Juventud, un copain avait profité de notre séjour à Madrid pour nous en présenter quelques-uns. Je doutais que le propriétaire de l'auberge, peut-être le vieil ermite frileux, fût un nazi. Vu la décoration, il s'agissait plutôt d'un hurluberlu mégalomane, le genre d'aficionado qui tournait autour des exilés. Qu'un cousin éloigné de Goering soit venu chez lui chasser le lapin devait suffire à son bonheur. Je repérai, posés sur un radiateur, une pile de vieux livres de poche en anglais, en allemand, en espagnol. Un titre en français me rappela d'anciens souvenirs : *Le Matin des magiciens*... Je l'avais lu autrefois au collège.

Je regrette parfois de ne pas être écrivain. Il m'arrive de me sentir à l'étroit dans la peinture. Ce jour-là j'avais besoin de démêler mes émotions et de raconter le lien entre mes souvenirs et ce que je voyais autour de moi. Le caractère passéiste de mon œuvre, mon fétichisme étaient bien plus liés avec mes idéaux de jeunesse que je ne le croyais. Tout à l'heure à Ciudad Real, dès que j'avais appris la destruction de mes *Victimes*, je m'étais remis à haïr le monde moderne avec la rage de mes dix-huit ans. L'art avait fait rempart contre le présent, l'argent entré dans mes caisses m'avait toujours semblé un truc de gosse, un trésor de pirate. C'est à peine si je ne voyais pas dans l'autodafé de mes tableaux par Poppée une nouvelle victoire de l'art dégénéré. Il y avait un lien entre ma colère actuelle, le désir de pureté qui avaient été les miens jadis et la vision du monde que je tentais d'imposer par mes œuvres. Je repensai à l'âme enfantine du comte d'Orgaz. L'art du Greco, si frelaté par certains côtés, porteur des complications byzantines et des miasmes vénitiens, tenait par cette ferveur mystique gagnée au contact des Espagnols. J'étais religieux, ou plutôt il y avait de la religion en moi, mais pas assez. Je n'allais pas jusqu'à l'épanchement complet. Je vivais dans une ambivalence permanente. Mes émotions esthétiques n'aboutissaient qu'à un plaisir solitaire, une appropriation égoïste sans aucune ouverture sur le bien. L'âme des autres m'était aussi indifférente que le gibier à ces vieux nazis sur les murs. En rompant le pacte conclu avec Poppée, je m'étais libéré d'une souffrance si impure qu'elle ne parvenait même pas à se reconnaître elle-même. Je devais profiter de la perte de mes tableaux pour me guérir. Je pensai au dessin qui était resté dans le coffre de la voiture. Il m'offrait peut-être la promesse d'une autre alliance avec le réel qui viendrait remplacer le pacte. Le vœu secret qui me dirigeait vers Emina pouvait seul me remettre en contact avec le monde et rendre la nature non pas conforme à ma volonté mais sensible au dessein que la Providence nourrissait pour moi.

Les nazis avaient voulu créer un culte moderne, changer la vie et la mélanger à la mort selon des rituels de magie noire. En vain. Les cadavres accumulés étaient les preuves d'un archaïsme atroce et irréductible, comme les massacres accrochés aux murs ou les œuvres de Joseph Beuys. Nous, petits agités d'après guerre, avions lutté contre le totalitarisme soviétique, mais le totalitarisme n'était qu'un leurre. Le chamanisme nazi rejoignait les plus sombres perspectives du libéralisme contemporain. Le mal qui s'était incarné en lui était libre de triompher dans le fétichisme et les multiples miroirs d'Internet. Sans l'amour, je n'étais moi aussi qu'un imagier, un fabricant de fétiches parmi d'autres, un petit chaman sans espoir.

« Sale petit nazi arriviste », l'insulte de Poppée me revint. Elle avait raison, mais elle l'était autant que moi.

Le temps était venu de changer…

Je me sentais me transformer, mais l'opération alchimique ne se stabilisait pas très bien, la rage remontait chaque fois que je repensais à l'incendie et je retombais lourdement dans mon enfer.

L'homme assis près de la cheminée était mort. En tout cas il avait la pâleur rigide d'un cadavre. Les seules expressions de son visage lui venaient de lumières qui passaient, forcissaient ou disparaissaient sur un rythme qui n'était pas seulement celui des braises. D'ailleurs, il y avait des bleu pâle et des vert gazon intenses qui ne pouvaient être l'effet de la carbonisation.

En me déplaçant pour l'observer, je découvris qu'une petite télévision était posée sur la table en face de lui. La momie nationale-socialiste regardait du sport, la retransmission d'un match de football.

Au moment où le bossu m'apportait un double café, j'eus un appel de New York. Une voix que je ne reconnus pas immédiatement, celle d'Heather, mon ex-femme. Un autre fantôme. Je pensai qu'elle allait me parler de l'incendie mais, toujours très polie, elle m'expliqua que le bruit de ma mort par suicide ou overdose courait depuis quelques heures sur Internet. Elle était heureuse de m'entendre et voulait me prévenir que certains de mes dessins anciens atteignaient depuis quelque temps (déjà plusieurs semaines avant ma mort) des sommes folles. Un commissaire-priseur l'avait appelée pour savoir si elle voulait lui céder certains albums. Toujours urbaine, avec cette froideur américaine, elle s'apprêtait à m'envoyer un mail pour me prévenir quand elle avait appris la nouvelle de l'incendie par Facebook. Par ailleurs, elle me signala qu'un mail anonyme circulait un peu partout me dénonçant comme un ancien néonazi. C'était le service de presse de l'Armory Show qui le lui avait montré, il y a trois semaines. « Nous allons te détruire », m'avait menacé Poppée…

Dérangé par ma voix et l'usage de l'anglais dans son sanctuaire, le vieil homme se retourna en soupirant. Il n'y avait donc qu'un seul cadavre dans cette pièce… Le mien.

J'essayai d'expliquer où j'étais en riant à Heather mais j'avais oublié qu'elle n'avait aucun sens de l'humour. Elle semblait à la fois rassurée de me savoir vivant (comme on est rassuré d'apprendre qu'un personnage public a été l'objet d'une fausse rumeur) et étonnée, voire scandalisée de ce désordre très français. « Il faut que tu demandes à ta galerie de rédiger un rectificatif », me dit-elle de ce ton poli et policier que je reconnaissais désormais très bien. Deux minutes de conversation avaient suffi à ressusciter notre antipathie et je raccrochai sèchement. « Connasse », me dis-je, injuste envers ses bonnes intentions, avec cette rage qui me gênait comme un retour au passé et à des liens rompus depuis longtemps.

Sans trop réfléchir, j'appelai tout de suite ma galerie à New York. Le vieux se retourna une seconde fois en me fusillant du regard. Les nazis au mur me jaugeaient derrière leur sous-verre avant de m'envoyer au poteau. Il fut décidé, non seulement de faire un rectificatif, mais de porter plainte pour divulgation de fausse nouvelle. Nous étions d'accord pour penser que le revirement de Saatchi était une conséquence du premier mail diffamatoire. La galerie les appellerait demain pour dire qu'une plainte avait été déposée. Quand je lançai le nom de Poppée j'entendis mon interlocuteur, un jeune homosexuel d'ordinaire imperturbable, avaler sa salive. On me confirma que la cote du moindre gribouillis signé de ma main s'était envolée. La directrice qui avait connu la grande époque des années 1980 me dit que le phénomène lui rappelait ce qui s'était passé autour de Basquiat.

Il fallait réfléchir. Il y avait une belle partie à jouer si je prenais les bonnes décisions. Le café était amer mais je me sentais réchauffé par la joie mauvaise qui me vient dès que je pense à combiner des intrigues. L'Adversaire m'avait corrompu par un défi à mon intelligence. L'âme du Greco s'était éloignée de moi sans que j'y prenne garde. Le vieil homme se leva lentement en se cramponnant à la table comme s'il voulait l'emporter avec sa télévision, les crapules en photo sur les murs me regardaient d'un air plus débonnaire.

Sans attendre, je rappelai New York. Le téléphone passait mal à cause de l'orage et je dus me lever moi aussi. En contournant ma table, je me frottai au vieux qui oscillait doucement sur sa canne. Même courbé il mesurait encore dix bons centimètres de plus que moi et j'entendis qu'il grommelait quelque chose à mon adresse. Une malédiction en espagnol où il était question de m'envoyer au diable. Justement, c'était l'objet de mon appel. J'avais décidé de profiter de la situation pour disparaître. La nouvelle de ma mort serait démentie sans autre précision, de manière à laisser planer le doute. Le monde ne devait plus savoir ce que j'étais devenu. J'avais décidé de me perdre cette nuit d'orage dans les solitudes désertiques de la sierra Morena. L'impression récurrente de passer dans une autre dimension prenait corps, comme un lutteur je me servais de l'effort de mes ennemis pour le retourner à mon profit. Sur les murs, les nazis s'éloignaient, eux aussi avaient pratiqué l'art de disparaître, ils étaient pour quelque chose dans ma décision. J'allais travailler dans l'ombre d'un coin reculé de l'Andalousie, ou plus loin s'il le fallait. Je laissai aussi un message à Heather pour m'assurer de sa discrétion.

Demain je rendrais la voiture chez Hertz et j'achèterais un vieux pick-up Land Rover qui me donnerait l'allure d'un paysan andalou.

2

Saint Michel, prince des globes
et roi des chiffres impairs,
dans une fine arabesque
de cris et de belvédères.

Federico García Lorca

Héraldique, la jeune fille marche sur le quai le long du torrent. Derrière les broussailles et l'abîme, elle aperçoit les murs et les tours carrées du palais arabe. Elle a conscience d'être seule, sans pouvoir donner un nom à la présence qui l'accompagnait plus tôt, quand il faisait encore trop chaud pour marcher. La rive où elle se tient est maintenant plongée dans l'ombre. De l'autre côté du ravin, le soleil couchant colore le haut de la colline. Le palais de l'Alhambra imprime des lignes de géomètre sur la masse des organismes vivants, souillés, souffrants, des intestins, des pauvres feuillages, que seul un dessinateur habile pourrait éclairer. Le palais, qu'elle ne visitera jamais et qu'elle ne reverra plus une fois la nuit tombée, lui paraît d'une grandeur plate de décor, un monde en trompe l'œil, une perspective dont le fond lui échappe. Les murs dressés, leur géométrie encore humaine, appartiennent déjà par une enveloppe de poussière à la terre qui attend. Ce que la végétation, pauvre sous ce climat, ne peut faire, la faiblesse de la terre, sa patience, l'accomplira.

— Connasse ! Connasse ! Connasse ! Chasse-moi cette ordure ! Et t'as pas tout vu, attends un peu le treizième ! T'en auras treize dans ton pageot !

La phrase se prolonge par un rire, puis dans un

bruit incongru, un gargouillis, une imitation enfantine, excrémentielle. La Voix sortie d'un muret de pierre appartient à l'ordre des Voix méchantes, comme toujours quand les présences se logent à droite, là où est placé le foie inversé de la jeune fille.

Cachée sous les verrues d'une plante grasse, une seconde Voix, plus fausse, plus adulte, ajoute d'un ton grave :

— Povera Emina letare fecare dodo !

Nouveaux rires. Les Voix s'acharnent à la démoraliser mais la jeune fille reste ferme et suit le chemin que l'Ange a tracé pour elle à la craie sur le sol. Elle ne s'est jamais trouvée belle, sauf fugitivement dans un reflet ou lorsqu'une réponse lui vient sans qu'elle ait pris le temps de réfléchir. Le sérieux qu'elle met à étudier toutes les questions, son œil froid d'observatrice, son détachement, une lenteur fanatique, l'insomnie et les pâleurs qui en résultent la font ressembler à une chose ancienne : un os ou un meuble.

— Viens faire patame ma petite poupée !

Maintenant c'est la voix d'une marionnette, celle de Polichinelle, son parent combiné, qui s'est implantée au bord du ravin, dans un poste électrique. Elle est rude, contraignante sous la cajolerie, le ton qu'on prend quand on veut se faire obéir d'un enfant. Polichinelle cherche à la décontenancer, à l'humilier en évoquant des affaires qui, passé un certain âge, doivent rester secrètes. De cette présence et des autres, les Zurichois affirment qu'il s'agit de phénomènes étrangers, mais qu'il y a conscience d'une perception sans objet. Selon eux, la jeune fille sait bien que Polichinelle ne se cache pas derrière la porte de fer barrée d'une tête de mort, ni dans le tiroir de la commode de l'hôtel Alfonso XIII où il dormait ce matin.

Il n'empêche que les Voix la harcèlent et qu'elles parlent même plus fort chaque jour. Le dérangement a commencé par un chuchotement intérieur avant de lui sortir de la tête et de se multiplier. Depuis quelque temps, les présences ont acquis des facultés nouvelles, elles remuent les feuillages comme des gens ou des bêtes tapis dans les fourrés. Elles ont aussi le pouvoir de répandre de mauvaises odeurs.

À l'approche du poste électrique, l'air prend un parfum de musc et d'ordures, confirmant une fois de plus à la jeune fille que la nature n'est pas innocente, qu'elle s'abandonne à toutes les perversités.

L'évasion des idées, leur remplacement par des présences puis la mutation de ces présences en Voix sont les trois signes qui annoncent une poussée du mal. La vue s'empoisonne, les plantes, les objets, les murs apparaissent tatoués d'inscriptions manuscrites semblables à celles que la jeune fille se calligraphie au stylo-feutre sur les bras et les mains. Un laurier s'agite sans cause apparente. Ses branches sèches terminées en griffes frottent sur le crépi du poste électrique avec un bruit d'insecte. Chacune de ses feuilles est marquée d'un chiffre de couleur brune, brûlé au fer.

Sous l'emprise d'un automatisme de défense, la jeune fille se met en arrêt sur une jambe, une posture élaborée et bizarrement inhumaine, qu'on dirait mise au point par une cervelle de chien ou de kangourou. En apparence, les deux pieds reposent à terre mais c'est une feinte. Un seul pied s'appuie pendant que l'autre jambe flotte au ras du sol. La jeune fille la balancera à tout instant, en cas d'attaque, à la façon d'une chaussette plombée. Une technique de barrage que l'Ange lui a enseignée il y a peu.

Elle ne doit pas tenir la pose trop longtemps. La jambe-chaussette pourrait bien se muer en un nouvel estomac ou bien en un prolongement d'intestin, une descente d'organes sans issue, une jambe morte, frangée d'orteils en tissu d'entrailles pareils à des petits boudins d'apéritif, alourdie d'une sorte de plomb fécal, un agglomérat pseudo-organique, le patame, coulant mais obstructif, introduit en elle à la sonde par un infirmier chaque matin.

Elle essaye de ne pas s'obnubiler sur des papiers roses, déposés comme des offrandes ou des bonbons devant le seuil en ciment du poste électrique. Elle ferme les muscles de son nez, qu'on pourrait comparer à des coupe-cigares à cause de leur structure en ellipse tranchante, mais une image la traverse venue de l'Œil dessiné au stylo-feutre sur sa botte. L'Œil voit une langue humaine tranchée, enveloppée dans le papier cul comme un morceau de foie en papillote que quelqu'un, une Vénitienne, a essayé un jour de lui faire ingérer par la bouche. La nausée ne vient pas. Son manque de réflexe l'écœure mais son dégoût, tout à fait intellectuel, est contredit par son propre corps. Elle se met à saliver. Pour éviter de laisser couler au sol du liquide intime, elle lève la tête le long du mur de briques usées, cuites par le soleil, vers les herbes folles, vénitiennes, qui couronnent le poste électrique mais un blocage, provoqué par la couleur rose et ce qu'elle peut contenir dans ses plis, l'empêche de bien discerner les formes ou plutôt ce qui sépare les essences, les éléments. Le solide, l'aérien, le liquide se corrompent entre eux. Le ciel paraît d'abord un feu lointain, un incendie, puis un voile mouillé, tiède, flasque, accessible au toucher, une peau ou un tissu organique. Une chute de salive semblable à un torrent d'eau tiède se fait dans sa gorge. L'écoulement est anormal. Elle sent se coller sur son visage la membrane interne d'un organe en train d'accomplir une fonction, de l'expulser ou de l'ingérer plus profondément. À force d'intérioriser, de fermer les muscles en anneaux de ses yeux et de ses oreilles pour résister aux présences hostiles elle n'est plus dehors, à l'air libre, mais elle se contient soi-même. En levant la tête sa conscience-phalle a glissé dans la salive à travers le tube tiède de son cou.

Elle se sent au chaud, baignant dans une atmosphère confinée, chargée de matière alimentaire et d'humeurs. Coincée mais protégée. La première fois que sa conscience est tombée dans son ventre elle a cru que c'était définitif mais il lui a suffi de parler à voix haute pour remonter à l'air libre. Peu à peu c'est devenu un jeu, une pratique malsaine, un plaisir solitaire, un cache-cache avec les autres. Une conscience rétractable comme des cornes d'escargot permet une gymnastique délassante au début, puis à force d'aller-retour, on use ses réserves. Depuis quelque temps elle ne contrôle plus bien les mouvements de son sphincter intellectuel, situé, d'après ses observations, dans le larynx au niveau de la vertèbre C3, et l'entrée-sortie en soi-même se fait involontairement avec un spasme qui la pousse de plus en plus bas, bien au-delà de l'anneau gastrique dans des voies étroites. Passée à l'intérieur des entrailles au risque de se retrouver serrée dans les boyaux avec le patame, la corne rétractée de sa conscience-phalle joue avec le magma qui monte. Une fois, à cause d'une quinte de toux, elle s'est laissé déborder. Depuis l'accident, son attention connaît des courts-circuits. Elle a eu beau faire sécher sa tête des journées entières au soleil ou sur les radiateurs, elle n'est plus celle d'avant. Son esprit, alourdi de matières collantes, est capable de modifier les états les plus stables, mais il perd en même temps tout rapport direct avec le monde extérieur. Il n'y a plus d'*intérieur* et d'*extérieur*, la nature subit sans contrainte l'influence de ses pensées, le langage n'a plus de référence solide. La jeune fille doit prendre des précautions inimaginables à chaque fois qu'elle réfléchit. Autrement, le corps échappe à tout contrôle à la suite d'adhérences anormales. Il se crée des états intermédiaires, très dangereux, durant lesquels la conscience-phalle se trouve à la fois dans la nature et dans son ventre. À tel point qu'une nuit, en voulant décoincer son sphincter intellectuel, elle s'est déchiré le larynx en s'enfonçant une règle en fer dans la gorge.

Ses yeux arrivent de nouveau à départager les objets extérieurs mais en oubliant les connaissances acquises depuis la petite enfance. Entre la porte de fer ornée d'une tête de mort du poste électrique et la main tatouée au feutre noir de motifs chrétiens qu'elle y appuie, elle voit des liens naturels plus essentiels qu'entre cette main et son propre corps à quoi elle semble mal reliée par une tige de chair informe : son bras devenu semblable à un cervelas sur lequel un inconnu a calligraphié l'inscription MORGENDUNST. La croix grecque, le poisson symbolique des premiers martyrs, le carré magique des catacombes dessinés sur sa main au feutre noir appartiennent au même rébus que le macabre pictogramme du poste d'électricité. Le bout de chair qui monte du coude lui paraît insignifiant, une excroissance malsaine à effacer du réel. Elle ne sait plus qu'il s'agit d'une vision raccourcie de son propre bras. La lecture des formes est un code appris comme le langage. Lorsque ces connaissances sont brouillées à la suite d'une montée de patame, il n'existe pas de raison de penser que la main appartient au corps pensant plus qu'à la porte.

Dans l'espoir de se réimplanter tout à fait dans sa tête, elle s'efforce d'émettre un son mais elle en est incapable, un sentiment d'impuissance aussitôt attribué à une cause étrangère : une membrane posée à l'intérieur de sa gorge par une présence ou le transformateur à haute tension qu'elle entend vibrer derrière la porte en métal. Il s'agit d'une sensation de courte durée, d'un éclair hallucinatoire.

« T'as avalé ta langue ? »

Oubliant le ronronnement du transformateur, ce qui lui reste de conscience essaye de retenir la peur qui monte par le sphincter intellectuel en la rendant informulable, en empêchant les mots d'agir, mais la panique gonfle sa gorge comme un spasme et la force à voir l'image que sa conscience-phalle mal réimplantée se refusait à laisser entrer. La membrane cède mais, au lieu de crier, la jeune fille mal reconstituée avale une gorgée de salive poisseuse au goût de sang et de fer, un objet lui passe dans la gorge, elle sent une blessure, un vide anormal, horrible, au fond du palais. Elle est sûre qu'elle vient de se mutiler à coups de dents. Obéissant à la Voix elle a avalé sa langue. Le petit muscle est déjà digéré, il se trouve au fond d'un de ses pieds, devenu la parure interne, molle et sanglante du gros orteil-saucisse. Quand elle souffre ainsi elle devient plate. La mutilation lui fait perdre tout relief, elle se sent sèche comme une affiche collée au crépi sale du poste électrique. La jeune fille sans relief souffre le martyre à l'idée que ses dents abandonnées à l'influence d'une présence ont gâché sa vie par cette mutilation, et qu'elle ne pourra plus jamais parler, chanter ou embrasser l'Ange. Elle envisage un instant de profiter de ses nouvelles dimensions pour se glisser sous la porte mais elle est interpellée par une grosse Voix toute-puissante venue du ciel.

« T'as perdu ta langue ? »

Dilatée par la rage de ne pouvoir répondre, ce qui fut la jeune fille reprend son volume de chair et de sang. Mais la douleur qui poisse le fond de sa gorge est toujours là. De nouveau elle avale une goulée de salive sanglante, à moins qu'il ne s'agisse de ce liquide céphalo-rachidien que sa conscience-phalle traîne avec elle comme le plasma d'un nouveau-né ou la bave d'un escargot et qui se souille un peu plus à chaque fois qu'elle se balade dans son ventre, récoltant au contact des parois internes de minuscules particules d'aliments ou de patame qui l'étoilent et la corrompent, aggravant les problèmes électrico-moraux. Un débris de chocolat, la seule nourriture qu'elle parvienne parfois à avaler seule, sans l'aide d'un infirmier, peut provoquer des dégâts importants sur la fluidité des idées ou la coordination des mouvements. Sa jambe tremble. La jeune fille reconstituée est obligée de bouger les bras comme un balancier pour rétablir l'équilibre.

La grosse Voix toute-puissante insiste :

« Ki t'as cutere la lingua ? »

La jeune fille soupçonne les mains et les avant-bras tatoués d'inscriptions au feutre noir, MORGEN-DUNST, qu'elle voit passer devant ses yeux sans pouvoir les reconnaître ou les différencier des membres de quelqu'un qui se tiendrait derrière elle. Elle imagine maintenant ces mains-là se prêter à une mutilation irréparable. Elle croit se souvenir désormais avec certitude que la langue a été sectionnée par les mains tatouées, à coups de ciseaux à ongles. Glissante de bave (elle salive beaucoup en état de crise), elle a sauté comme une grenouille hors de sa bouche en échappant à ses doigts et elle est tombée par terre dans les papiers souillés. L'Œil de la botte voyait juste, il va falloir s'accroupir pour ravaler sa langue, la ramollir dans sa bouche et recoller les morceaux déjà séchés. Les policiers la trouveront alors, c'est arrivé à Zurich dans les jardins du Dolder, à quatre pattes en train de mastiquer des ordures… elle arrache sa main du poste électrique.

Tout s'adoucit, la tension se relâche. Voilà qu'elle perçoit une présence ailée qui s'est implantée de l'autre côté du torrent, dans la friche, dans une zone que le soleil couchant vient d'abandonner. Elle n'a pas besoin de regarder la forme ailée pour la voir, il suffit qu'elle y pense intensément et trois ou quatre visions successives la conduisent à elle sans pourtant les rapprocher. Ce sont toujours les mêmes images qui lui viennent sans qu'elle sache jamais si elle les a rêvées la veille ou s'il s'agit de souvenirs remontant à la petite enfance. La présence ailée est un double d'elle-même repoussé aux confins du visible, lointain comme un tableau de petit format en haut d'un mur qu'elle verrait en reflet dans un lac, un chat au fond d'une rue en pente, une figure sculptée sur un chapiteau plongé dans un puits, une image de livre d'enfants anglais du XIXe siècle oublié sur le carrelage d'une maison vide. Cet autre soi passé de l'autre côté du réel, inscrit sous le palais arabe comme une figure incrustée dans un paysage peint, lui demeure aussi mystérieux que familier. Seule différence visible en dehors de la vaste distance physique qui les sépare : le double d'elle-même posé de l'autre côté est ailé comme un sphinx.

Amies ou ennemies, les présences vivent mais elles ne sont pas. Il n'y a qu'elle (la jeune fille) qui *était*, avant, mais cela n'est plus vraiment le cas. Un recueil d'immondices, voilà autour de quoi se bâtit l'être adulte. C'est pour cette raison que les Voix la travaillent. Contrairement à ce qu'elles essayent de faire croire, les Voix ne sont pas de toute éternité, ni même anciennes. Elles sont apparues tardivement comme d'ailleurs, et ce n'est pas un hasard, cette présence ailée qui se tient de l'autre côté, dans l'inaccessible. Avant la maladie, avant que le sang ne s'écoule d'elle, l'autre jeune fille, l'Ange, faisait partie d'elle-même mais elle l'a fuie comme pour protéger la part la plus intime, ce qui devait rester hors d'atteinte.

Un sanglot musical se fait entendre, une lamentation psalmodiée. Les chants viennent d'une hotte de restaurant, voisine du transformateur. Tapi à l'intérieur du bruit de la soufflerie, ce psaume dont émane une charge vaguement religieuse, protestante, est inaudible à un tympan normal. Mais la jeune fille sait décoder les messages cryptés dans toutes les trames musicales que le langage secret du monde élabore en flux perpétuel. Il y a un lien, bien sûr, entre les chants sacrés cachés dans le bruit de la hotte et la présence de l'autre ailée sur la colline d'en face. La vie de la présence ailée est bien mystérieuse. Elle apparaît, elle disparaît, comme si ses ailes aux plumes infiniment nuancées lui permettaient de passer d'un ciel à l'autre sans plus d'effort qu'un battement. On l'a vue à Venise, à Versailles, à Zurich et même dans certaines vallées noires de l'Engadine. L'Ange appartient à l'Occident chrétien, mais on l'a vu à aussi à BKK sur le dôme doré d'un building, à Dubaï ou, évidemment, à Savanna-la-Mar. La jeune fille imagine pour ce double éloigné des occupations sereines. Une vie de sphinx. Et si elle aussi est malade, ou plutôt si la partie de la jeune fille qui forme sa sœur ailée de l'autre côté du vide a emporté avec elle une partie de son mal, alors sa maladie à elle doit être plus aérienne, chuintante comme un froissement d'air, et s'élever bien au-dessus des problèmes de sang et de patame, elle doit roucouler en rêvant, en tournant sur elle-même dans les gouttières et les endroits suspendus. La jeune fille se souvient d'avoir vu ces présences roucoulantes par les fenêtres d'un appartement posé sur les toits de Paris. Il y avait une guitare accrochée au mur, il faisait beau, une pureté de début de printemps, elle était avec son père… Elle était.

La nuit tombe et la jeune fille a de plus en plus de mal à mesure que la nuit tombe à discerner les limites de sa personne et à occuper le corps d'une jeune fille plutôt qu'un arrosoir abandonné, une vieille carcasse, une grenouille écrasée sur la route ou toutes sortes d'êtres ou de choses prêts à s'animer aussitôt le soleil disparu. À cette heure obscure, les mots « vie » ou même « patame », perdent tout sens. C'est pour ça que DJMOmo, l'imposteur qui a volé la place de son père, si sale et si accapareur, secoue les colonnes de l'hôtel toute la nuit, pendant qu'elle travaille… et qu'elle ne sait plus qui est « elle » à proprement parler. La nuit c'est le domaine de DJMOmo, l'homme au ventre roux, la trompe, l'horreur qui a vampirisé son père depuis qu'elle est devenue folle.

Non ce n'est pas pour ça… La jeune fille est retombée en soi-même, le tourniquet s'est effondré. Elle a retrouvé son pantalon plein de chair, ses bottes aveugles, son sexe sale, ses idées normales. Elle n'y voit pas plus clair mais la présence de DJMOmo, rien que le fait d'énoncer son nom, la remet dans son corps. Le double ailé a disparu. À moins qu'il ne se cache avec la pénombre dans les tours dérobées du palais arabe.

Que viennent faire maintenant dans sa tête les colonnes du hall-mosquée-rendez-vous de minuit de l'hôtel Alfonso XIII ? Que viennent faire les colonnes sinon symboliser la présence de DJMOmo qui l'envahit avec sa trompe ?

Elle entend une petite voix sortir de son bas-ventre. C'est Polichinelle, la version télécommandée de DJMOmo, qui fouille dans le patame. Il s'étonne qu'elle ne soit pas plus propre, d'une voix nasillarde, vibrante, de marionnette ou de moulin électrique. On dirait une blague, un moustique, un vibromasseur, un truc de ventriloque ou d'officier de santé. L'énoncé du mot : *DJMOmo* entraîne aussitôt ce qu'elle nomme : *mal au ventre*, suivant une nosologie polichinellienne aussi peu adaptée à ses entrailles que le Z zuricho-théodorien : *schiZophrenia* l'est à tout le reste. Mais l'autre nom, le sien, qu'une voix de chien vient d'appeler sur la route, lui échappe. La fuite des noms propres permet de mesurer sa baisse intellectuelle, de pointer combien elle s'abêtit, mieux que des conceptions abstraites. Les Zurichois, les policiers, les pompiers, les bomberos, les pantins de bois et les robots de piscine ont toujours eu du mal à la suivre. La réduire aux noms propres, c'est la forcer à reconnaître son infériorité, la permanence de sa maladie, lui appuyer d'avance la tête dans les toilettes, ce que les hommes font aux petites Anglaises au pubis rasé dans les films pornographiques que DJMOmo visionne sur ses tablettes.

Il faut repartir. Un vent de crépuscule a remplacé le soleil, il vide la jeune fille de son angoisse et lui rappelle le passé et tout ce qui l'a déjà fuie. La mélancolie qu'elle respire, c'est l'âme retrouvée un instant, le temps pour le souffle d'une caresse. Enfin un peu de vide, enfin de l'air libre. Le vent célèbre la tristesse, mais la tristesse est infiniment plus douce à la souffrance que le bourrage. Le baiser d'adieu est une tentation qu'elle aurait repoussée autrefois tant qu'elle n'était qu'intelligente. Depuis qu'elle voyage en Europe, qu'elle *est* Europe, la jeune fille qui a connu autrefois, en Amérique ou à BKK, l'appel d'une inspiration fraîche et nerveuse voit le crépuscule général des idées envahir ses appartenances. Le monde lui apparaît désormais abandonné à la poussière, à la nuit, à la mort et au temps qui passe.

Les lampadaires s'allument. Leurs globes translucides diffusent une lumière pauvre, telles ces rares ampoules blanches des villes d'Asie centrale, Ispahan, Boukhara, Samarcande, où la nuit l'a conduite en chevauchée céleste bien des fois quand elle rêvait encore ou plus exactement quand le rêve n'était pas encore collé à la réalité par le sang et le patame. L'éclairage urbain, pauvre, misérable même, « recueilli » au sens que lui donne la ferveur, une lumière d'église, une flamme de cierge électrique, modèle les bas-reliefs des façades où l'ordre arabe, l'empreinte wisigothe, l'éclectisme XIXe siècle et les torchis sans âge s'empilent construisant des décors à plusieurs couches, en mille-feuilles, des monceaux d'architectures solidifiés en placard de sacristie par la pauvreté et la poussière. En bas des façades, ras le caniveau, respirent des ouvertures grillagées, lourdement ferrées, en dépit de leur bois sec et friable. Le vent nocturne y attrape une odeur de cave. Autour des lampes, la jeune fille cherche à voir voler les présences observées dans les villes d'Asie centrale mais durant cette période ici, en Andalousie, les insectes nocturnes sont rares.

À force de regarder une boule de verre cintrée d'une potence de fonte en forme de pertuisane fleurie, lune-jasmin électrique blanchissant les feuilles de l'arbre à caoutchouc qui la serre sans la tenir, l'entoure sans la garder d'une chute, l'encadre sans daigner l'orner, la couvre sans l'abriter, comme d'ordinaire le milieu naturel (mère nature) en use avec les visiteurs ou leurs incrustations, à la différence de la vie prénatale et aussi des dessins où l'intestin des lignes permet de lier les choses entre elles, la jeune fille finit par apercevoir de petites présences vertes et translucides du type *éphémère*. L'une d'entre elles, grande d'environ un centimètre, s'est posée sur sa main. Une vie entière cherche à s'attacher à elle. Ce qui ne pourrait être qu'impression (« sentiment ») chez quelqu'un de moins appliqué et de plus apeuré devient chez elle une immense joie tactile, intellectuelle, durable et magnifique qui fait rayonner les sens. Elle se sent chaleureuse à l'égard du petit animal à la couleur d'artifices semblable à certains fards à yeux, un état qui lui est le plus souvent étranger, selon cette nouvelle règle qui semble délimiter ses « sentiments » dans un système d'alternance, au sens de courant alternatif et non de dilemme. Son moi chaleureux est devenu totalement indépendant de son moi ordinaire, plutôt invulnérable.

Elle regarde le globe sans ciller jusqu'à perdre contact avec les motifs floraux qui, comme à chaque fois qu'elle perd le contact avec le visible, se muent en partie symbolique de son corps, ici des cils, des poils mouillés où se plante la lancette de fer forgé. Le symbole entraîne le symbole et elle ressent une présence, Polichinelle, son parent combiné qui essaye de la pénétrer entre les jambes ; c'est une pression pointue qui lui fait serrer les cuisses. Avant la grande crise qui l'a secouée pendant l'année précédente, elle avait lu qu'un des symptômes du *mal* qui la travaille était une vision symbolique, médiévale, de la réalité. La Folie a commencé quand l'intelligence humaine s'est détournée du symbolique. La hiérarchie s'est dérangée et les débris de l'unité médiévale sont devenus l'apanage des fous. Leurs esprits sensibles aux symboles commencent par voir des rapports entre les choses (c'est vrai) et puis les choses finissent par se confondre (ça devient folie). La preuve que ses yeux sont des sexes c'est que leurs cils sont sales comme des poils de sexes. Ces poils qui lui ont poussé quand elle est tombée malade. Mais la preuve que les yeux ne sont pas des sexes c'est qu'ils voient la beauté de la création (au lieu de satisfaire avec un frottement, un chatouillis glaireux). Pourtant certaines fois, quand elle plonge dans un grand vide intérieur effrayant, ses yeux lui paraissent si laids, si morts, si pourris qu'elle pourrait planter des échardes de bois pleines de merde dans ces huîtres pourries, ces petites fentes glaireuses. Le monde s'illuminerait enfin vraiment de sa lumière éternelle – « Hepp yourrselv », lui suggère une Voix mauvaise cachée derrière le lampadaire. – « Plante-toi donc tout de suite quequechose de sale dedans », – « oute suite »... En période de crise, la lampe qu'elle porte en elle baisse et son regard n'arrive plus à évaluer les choses. Il y a même eu un matin à Savanna-la-Mar (la veille d'une panne générale de courant) où un trouble électrique provoqué par des ondes extra-terrestres avait paralysé les muscles de ses paupières. Là c'est le contraire qui se passe, elle sent ses yeux s'ouvrir de l'intérieur sous l'influence de la structure de l'insecte toujours posé sur sa main. C'est bon mais c'est dangereux. Elle risque de se faire mal avec le bois qu'elle vient de ramasser par terre dans un geste automatique, suggéré sûrement par une présence mauvaise qui s'est emparée de son bras.

— Tu ne veux pas faire patame avec papa ? Face de cochonne ! Face de cochonne !

La Voix de Polichinelle s'est éloignée ou plutôt elle a baissé, elle est basse au sens physique du terme, cachée sous un caillou. La jeune fille n'a aucune peine à chasser les miasmes hallucinatoires de ses longues mains blanches. Des mains de tableau ancien, « tes mains de juive », dit DJMOmo, aux paumes en fuseau. Au moment exact où le nom de DJMOmo était prononcé à l'intérieur de sa tête, l'insecte s'est envolé, comme l'Ange, comme ce qui est autour d'elle lorsqu'il la rappelle à l'ordre. Une tristesse immense, soudaine, perçante, la prend et puisqu'elle ne sait plus pleurer, elle se met à rire. Le rire signifie aux autres qu'elle pleure ou plus exactement qu'elle pleure de ne pas pleurer. Ce rire sans joie terrorise sa famille. Il a l'avantage d'effrayer parfois aussi les Voix. Mais pas aujourd'hui : « Mon pauvre boudin, on dirait que c'est ta mère qui t'a abandonnée », lui suggère une vieille Voix salope déguisée en touffe d'herbe jaune comme des poils. C'est vrai que maman ressemblait à une libellule. Comme à chaque fois qu'une émotion arrive à percer le patame, elle se sent revenir à la raison. Pour ne plus entendre Polichinelle, Voix devenue minuscule qui continue à insulter ses bottes de géante, elle s'efforce de rétablir la réalité, en se rappelant le nom du lieu où elle allait avec Théodora tout à l'heure, sans trouver de réponse (preuve qu'au fond elle veut lui obéir en perdant ce que son corps esprit morceau de bois mort peut consentir à lâcher).

La jeune fille s'assied sur le muret qui borde le chemin du côté droit de la route, là où tout à l'heure on apercevait encore le palais arabe. Les pierres ne parleront plus car son poids d'oiseau va les démantibuler. Elle sent son ventre d'oiseau qui presse la ceinture, le gros train arrière d'adolescente qui écrase la saleté blanche, l'intime et aussi le salpêtre qui tache de pertes les mille fentes du velours usé. Les moellons déchaussés branlent sous elle. Seul le poids nouveau de sa croupe empêche les pierres de glisser au sol le long de ses jambes. Cuisses maigres de chanteuse de rock'n'roll serrées autant qu'il se peut, elle vérifie le trajet parcouru, inspecte Galitzine et Bélisaire, les bottes de cuir fauve à talons carrés, ses camarguaises qu'elle aime tant qu'elle conserve dans une poche un bout du talon de Galitzine dont les clous lui piquent les doigts à chaque fois qu'elle y met la main. Couronne d'épines. Galitzine, Bélisaire, ses appartenances ont des noms. Pas des noms trouvés, non, des noms à elles avec une âmelette et une petite conscience-vergette de botte. Des noms macérés, retenus assez longtemps en elle avec les chaussettes au fond du tube de cuir sec. Les siennes ont des yeux dessinés au stylo avec un trou pour laisser passer la pupille. Les objets sont ses sujets. Elle les trésorise… elle les tésorise, non elle les théorise, non elle les théodorise, non elle les terrorise, non… bref, l'Ange l'a influencée. Elle baptise les objets qu'elle aime afin qu'ils lui soient dévoués, les vêtements surtout, depuis Salt Lake City, depuis toujours.

— Don't zit zerre yourr blood iz going to burrn ! et bla-bla-bla. Le mur a beau gronder, il ne bougera pas, immobilisé sous elle comme un serpent de pierre. Sous leurs dehors terribles, les Voix sont aussi impuissantes, modestes, immatérielles que les fous eux-mêmes.

Où est passée sa couronne ? Elle tâte son front, étonnée de sentir les cheveux en direct sans la pique intermédiaire des pointes fleurdelisées, de tourelles qui repousseraient ses doigts si la couronne était en place. Elle a dû la poser hier comme chaque soir au pied du lit. Cette habitude lui vient de la petite sainte endormie du vieux tableau-carapace qu'elle a vu l'année précédente à Venise avant que les poils ne lui poussent au ventre à cause de l'enfant malade du pont. Depuis, car on apprend beaucoup des saints, elle sait comment se découronner et où poser ses attributs sans maniérisme. Elle a dû oublier la couronne à l'hôtel, quand Théodora l'a forcée à se dépêcher. Heureusement qu'elle est invisible.

En tout cas ce n'est pas la faute de Galitzine ni de Bélisaire si elle a traîné en route. Elle n'est pas si folle, quand même… elle connaît le bon caractère de ses bottes. On voit dans leurs yeux qu'elles n'ont rien à se reprocher… Les longs cils peints au stylo Ball Pentel ne cillent pas, le regard est franc derrière la chaussette. C'est bien sa faute à elle si elle bouge avec une lenteur de joueuse de marelle, une conscience de soi pataude qui lui obstrue la nature depuis ses premières coulées.

— Ton sang va brûler ! Ton sang va brûler ! Ton sang va brûler !

Tout est froid au contraire… La brûlure n'existe que dans les mots. Pas besoin d'être zurichois ou auxiliaire de santé pour le savoir. Le mur pue par les interstices, il sent très fort l'os humain, il incite à s'isoler, à l'ignorer le plus possible, et ensuite à l'inscrire. C'est seulement dans ses dessins que la jeune fille peut réduire au silence ce genre de phénomènes grâce aux légendes en charpie, de longues bandes de mots qui oscillent au-dessus des objets comme les oriflammes sur de vieilles images chrétiennes. Une première inscription reproduit ce qu'elle a entendu, une seconde la répète et la recouvre à peu près, puis vient une troisième et ainsi de suite, jusqu'à ce que le gribouillis soit si barbelé de sens perdu qu'on n'entende plus rien que le souffle de la dessinatrice. Il est possible aussi, si le temps manque pour réduire la magie en image sur du papier, d'écrire directement sur les objets. C'est une technique de conjuration proche du graffiti ou du tatouage. Elle s'adapte bien aux supports manufacturés : canapés, sièges de voitures, banquettes de salle d'attente, lunettes de cabinet. Tout ce qui peut enfermer les présences mauvaises... Une troisième technique, scatologique, s'apparente à un délire, elle prend trop en compte la matière et l'odeur de la matière pour pouvoir s'élever bien haut. Au lieu de préserver, elle encombre et finit par noyer l'espoir. Un peu comme lorsque les gouaches trop mélangées deviennent marron, d'une teinte sans relief qui ne rend compte d'aucun mouvement, d'aucune vie humaine. Il s'agit de cette manie malpropre que les Zurichois appellent le *barbouillage*.

— À force de te gratter le ventre, les poils vont te pousser à la face...

La Voix ne parle pas d'elle mais de l'enfant-mendiant-monstre qu'elle a vu à Venise au début de l'année noire. Un nævus pileux. Une boule noire pleine de poils lui avait poussé autour de l'œil à une place qu'aucun vêtement ne pouvait masquer.

Pour humilier la jeune fille, les Voix s'amusent à

la confondre avec des êtres de passage, surtout s'ils sont laids. – « Regarde le chien qui tourne en rond sur le trottoir, on dirait toi ! »... Toi et les autres... On se sert d'approximations, de confusions propres à la démence pour la rabaisser.

Elle oscille d'avant en arrière pour effacer avec le buste les traces que les mots du mur laissent sur le paysage. Cette oscillation-gomme purement symbolique ne doit pas être confondue avec l'autre, celle de tout à l'heure, l'oscillation-purge destinée à éviter le barrage intestinal. L'une efface, l'autre secoue mais l'expert en confusion n'y voit qu'automatisme. Ce disant elle vérifie avec ses mains quand même que rien ne lui pousse entre les jambes. Un accident est vite arrivé. La bave froide d'un caillou la fait frémir. Depuis que les poils ont poussé sur son ventre, après le mendiant de Venise, ses sautes d'humeur ont pris un rythme infernal, elle dépense des vies d'avant sans pouvoir compter l'argent ou les choses qui lui tombent du ventre, des vies qu'on mettait à l'époque des années à parcourir, elle les brûle à la vitesse d'une journée ou même d'une visite avec DJMOmo à Zurich. Alors qu'avant la petite fille intelligente pouvait apprendre une langue ou un dialecte étranger en deux ou trois nuits d'insomnie, maintenant (si ce mot voulait dire quoi que ce soit) la jeune fille peut osciller du buste sur un coin de lit pendant six semaines sans sentir plus qu'un bâillement dans son emploi du temps. Le temps de la maladie ce n'est pas la vie mais la négation de la mort. La vitesse d'un rêve la soustrait aux significations et la déprime profondément dans une profondeur sans larmes et sans avenir, avec ce goût d'os que la superstition donne à tout ce qu'elle retient dans sa bouche. À fuir, se dit-elle aussitôt, le ridicule réticule de la jeune fille *héraldique* en apostrophe au-dessus de la route, comme une virgule dessinée sur un mur d'hôpital, comme elle-même qui croit marcher au-dessus des choses vers le paradis alors qu'elle hésite au bord, entre enfer et bouillon, culottes et reposoir à la façon de tout le monde ; avec, en plus, une maladresse, une application, une prudence pitoyables. Oubliée, la prophétie de l'éventreur, oublié, le roman de chevalerie, oubliés, les chemins qui mènent au ciel. Un automatisme dansant l'isole de l'être en exigeant des attitudes, un « maniérisme », disaient les Zurichois dans leur rapport. Les traces révélatrices d'une démarche morbide la trahiraient si elles n'étaient oubliées à peine posées à cause de la dureté du bitume. D'ailleurs voudrait-elle corriger la manière dont elle pose ses deux pieds, elle ne le pourrait qu'au prix d'un effort qui en déformerait encore le naturel. L'école n'est pas l'être, encore moins la thérapie, le roman n'est pas la vie. Le sublime se trouve plus que jamais inaccessible. Elle se voudrait *héraldique*, raffinée, mais elle sait bien qu'elle n'est que bizarre, folle et souvent prétentieuse, une adolescente sans rien de mieux qu'une atteinte de troubles mentaux. L'héraldique n'apparut qu'après la déchéance des ordres anciens à une époque très inférieure au paysage…

Très inférieure aussi à l'enfance. La jeune fille se sent observée par les quatre phares d'une grosse voiture qui monte la pente aussi lentement qu'elle tout à l'heure, mais avec bien plus d'aisance. 12 cylindres. Une machine de caïd. The King of Granada. The King of España… The King of Europa… Le Caïd… Alcade… Alcade Momo… Alcadada Momo… Almohada Momo… DJMOmo. Sobriquets espagnols, non maternels, mais sobriquets quand même. Comme l'anglais de Théodora. Évasion des idées. Le palais arabe de DJMOmo et Théodora et leur abus de pouvoir mou, ce sont les machines étoilées. Toujours les mêmes… À BKK, à Paris, à Moscou… Partout. La flottille. L'invincible molle armada de voitures de place. Molles comme des oreillers, noires, brillantes comme les vieux sacs italiens de Théodora… Sacs italiens, miroirs noirs, l'époque heureuse de la petite fille intelligente, vraie jeune fille à l'époque. La machine à l'allure de corbillard ne porte pas pour rien une étoile scellée sur le capot. Lucifer. Vite, une légende en oriflamme pour contenir la nouveauté, la présence prochaine de Théodora, dans une seule dimension. La jeune fille compte ses billes salivaires comme les mailles d'un tricot avant de légender l'air ambiant d'un doigt teinté d'eau, un geste élégant, une écriture ancienne, gothique, qui suit une mystérieuse calligraphie de volutes, d'arabesques et de circonvolutions.

Comme toute information donnée par le corps, ce geste de calligraphe doit être prolongé. Les gestes cessent de se retourner contre vous et de vous trahir sitôt qu'on les prolonge. Détourner un geste de son intention de départ en le doublant, en lui donnant une autre raison d'être, est pour la jeune fille la seule manière de brouiller les pistes et d'arriver à ce que les gestes lui appartiennent. Les présences extérieures, arriérées affectivement comme les Voix, ou plus intelligentes comme les auxiliaires médicaux et la famille n'arrivent pas à suivre, tout comme les individuations tourmentantes (présences intérieures plus subtiles, habitant les mains, les pieds, la tête) qui cherchent sans trêve à régénérer leur énergie en déchaînant la violence du monde extérieur contre le corps qui les abrite. Un accident, une fracture, un écrasement d'ongle, un œil crevé regonfleraient ces entités perverses en énergie pour plusieurs semaines.

Aussi bizarre que cela puisse paraître à un observateur non averti, toutes les entités, aussi perverses soient-elles, sont trompées par cette transformation qui conduit le geste simple à n'être plus le geste de départ. Le geste prolongé, bifide, la danse des fous, est une arme fragile qui conserve intacte l'ambivalence naturelle aux jeunes filles, et préserve le secret de leur conscience-phalle. Quand la jeune fille serre la main à une présence incarnée, au lieu d'aller se laver tout de suite pour éviter la compénétration, au risque de s'arracher la peau ou de faire une sale rencontre aux toilettes, elle continue son geste en caressant l'ombre de la présence incarnée ou en dessinant une étoile de bienvenue dans l'air devant la porte symbolique qui a fait entrer la présence incarnée en présence du regard déclencheur (ses yeux cérébraux). Habile transformatrice de gestes, voulant jouer – au sens masturbatoire du terme – avec le plaisir inversé de voir apparaître et donc disparaître Théodora, puisque l'apparition d'une personne entraîne logiquement sa disparition. La jeune fille transforme le doigt qui lui servait à écrire et envoie un bouclier de peau en paume de main s'interposer entre ses yeux cérébraux et ceux de l'ombre noire. Les mots appellent les morts. Avant d'épouser la paume qui l'attend, la voiture se glisse derrière un calicot d'avant-bras orné d'une phrase dure, cinglante, une épée dessinée au feutre, le Rosebud… non ! la claymore gaélique de la jeune fille d'avant les règles. Morgendunst ! Une phrase écrite au feutre qui barre la paume grise de la jeune fille, les plis de la paume qui veut contenir la Mercedes mais qui n'arrive pas à glisser derrière. La phrase manuscrite dessinée dans l'air écrit :

JE SUIS L'ÂME DE L'OCCIDENT CHRÉTIEN

L'âme, la lame. C'est elle qui a écrit cela. À chaque bain forcé elle le réécrit, quitte à encourir la colère des auxiliaires de santé. Sûrement c'est « elle », Moi. Depuis que Moi s'est envolé en partie et qu'une partie de son esprit a été perdue avec certains objets terrestres, le mot « sûrement » sonne à ses oreilles comme un objet détaché du plan qu'il occupe en général pour les autres. Lorsqu'on lui dit *sûrement*, elle comprend aussitôt le contraire, elle s'interroge, elle soupçonne que ce n'est pas sûr du tout ou, en tout cas, qu'on n'est pas sûr que ce soit sûr. Depuis le début du voyage elle a *sûrement* accompli nombre de gestes qu'elle n'a pas accomplis. Même le souvenir du palais arabe s'efface du monde tel qu'il fut. La seule certitude concerne la chrétienté et la foi qu'elle y porte. En tant qu'âme, elle se doit d'être forte et d'oublier toute contingence pour ne se consacrer qu'à cette œuvre de ferveur. L'œuvre dépend d'elle, de son vœu, de sa capacité à cacher aux autres qu'elle n'est pas perdue mais qu'elle sait où elle va. Les saints sont comme le vent, la pluie, la poussière, les fourmis, ils vont là où il faut.

Le nombre 37 qu'elle a lu tout à l'heure en creux sur une vieille façade, la façade derrière quoi… C'est un signe. Elle en est sûre. Non. Elle en est pleine. On n'a pas besoin d'être sûre quand on est pleine, que l'on est remplie d'une mission, d'un vœu, comme les petites fourmis qu'elle suit du doigt sur le vieux mur wisigoth. Elles vont. Elles viennent. Elles ne savent pas mais elles font. Elles sont l'armée, le vœu multiplié, la figure de Dieu. 37 c'est une ombre à comprendre. Maintenant voilà qu'elle compte les fourmis car rien n'est innombrable. Il y a des heures comme en ce moment où souffle le vent. Depuis qu'elle marche sur le sol européen, depuis son deuxième voyage, le vent souffle continûment autour d'elle, le soir, à la tombée du jour. Un esprit discret, léger, enveloppe légère comme la brise que le soleil éteint fait bouger autour d'elle à mesure que la nuit s'avance.

La haute stature de Théodora dressée sur l'asphalte fait ressortir la mission de la jeune fille et la beauté restaurée de l'Occident chrétien. Elle se sent plus heureuse, plus qu'heureuse. Portée, une portée de petits animaux qui vont naître au monde. Elle est du matin, de l'aube, du printemps mais la vieille nuit européenne ne l'effraie pas. Comme la Sainte Armure, Jeanne d'Arc, celle dont elle doit s'inspirer pour obéir à la volonté de Dieu. Elle aussi, la Sainte Armure, la jeune fille le sait maintenant, a dû sentir ces moments de joie et d'élévation. Elle sent qu'elle s'élève. Voilà qu'elle lévite au-dessus du ravin. L'Ange n'est plus jamais auprès d'elle dans ces moments-là. Il est resté là-bas, près du palais disparu, pour la laisser s'accomplir. Comme le long poème italien qu'elle savait par cœur autrefois quand elle croyait que les bagages, le vomi lui étaient utiles.

— Mina !… We arre all waiting forr you zince half an hourr !

Théodora, notre mère à toutes ou celle qui se prétend telle, veut l'empêcher de s'envoler. C'est son rôle. Il est bon qu'Emina redescende et se soumette. Pour le moment. L'heure n'est pas encore venue.

— Look, you have lozt yourr vezt in ze park. Lot of animalz now ! Look ! You arre rreally dirrty and you zmell verry bad…

Ceci n'est pas une veste mais un blouson. Ce n'était

pas un parc mais le jardin du musée. Ce n'est pas de l'anglais mais du sabir et il n'y a d'animaux que dans ta tête de chatte siamoise, Théodora. Rends-moi ma pelure et ne va pas la perdre à la *laundrry* de l'hôtel où tu oublies toujours tout ce qu'il y a de plus cher alors que moi j'ai besoin d'avoir mes pauvres peaux et mes odeurs autour de moi. Pourquoi cette imprécision volontaire dans l'expression ? Surtout dans ta bouche à toi, chatte, qui fais du shopping où que ce soit dans le monde ? Autrefois, avant les fourmis, Emina aurait été agacée par le bel objet qui se prétend sa belle-mère, cette imprécision méprisante, anglo-indo-siamoise, qui la renvoie à la non-spécificité de son enveloppe à soi, Emina, un peu trop masculine pour devenir à son tour maman comme Théodora…

— Mina, you rrememberr the cava Zanta Zpirrito ? We prromize to Zibbedé.

Emina soupire. Telle est la vie sur terre. Se charger de Zibbedé. Lui donner des buts à atteindre, des caves, un ordre du jour. Une petite sœur égale un soldat. Une armée de croisés à soi seule. Une répétition. Zibbedé est un mauvais croisé, rien d'une fourmi ni d'un simple soldat. Elle pense, elle croit, elle juge, elle contredit. Mais bon… il faut travailler pour accomplir sa mission. Et l'un des travaux consiste à s'occuper de Zibbedé.

Toute force contraire étant facteur d'unité, la personnalité de la jeune fille se reconstitue à ce contact. Les organes se simplifient, le patame s'échappe dans une bonde cérébro-spinale prévue à cet effet, les dispositions magiques, les arrachements saugrenus, comme le vol de sa main gauche par le mur wisigoth (ou les fourmis) – un incident dont elle ne tenait même pas compte, car les infidélités sont fréquentes de ce côté, sa main gauche n'ayant de cesse de se désolidariser et de se soustraire à ses obligations pour aller intégrer d'autres systèmes moléculaires plus attractifs, tout se réorganise dans un processus de réunification mimétique. La rivalité étant, comme on le sait bien, le liant principal de l'unité générique des zones froides, c'est-à-dire la personnalité, le corps, le charme, l'éternel féminin, cet ensemble satellite de la zone poilue constituant par impérialisme le « beau sexe ».

En son absence Zibbedé s'est rapprochée de Théodora. Elle en a profité pour tisser des rapports intimes avec cette jeune fille qu'est encore sa mère. Avant, Zibbedé préférait la nurse, Emina ou Maya l'abeille et pleurait quand Théodora la prenait dans ses grandes mains. Désormais Zizi sait que les dollars, les yens, les livres sterling, les bahts, le papier de soie des objets neufs et chers sont secs et froissés comme les mains brunes et noueuses de Théodora. Théodora aime qu'on l'aime. Rien qu'à la manière dont sa maman prononce son nom, on sent bien que Zizi a marqué des points. Depuis qu'Emina a été déchue, Théodora qui la flattait au début pour plaire à DJMOmo s'est détachée d'elle. Subtilement maman est redevenue Théodora, celle d'avant le mariage, la fille en voiture blanche, la reine des pages mondaines du *Tatler.* Elle a rajeuni et préfère maintenant s'afficher avec Zibbedé avec qui elle se trouve des accointances : le goût des vêtements, des massages, des noodles, de la sieste ;

l'horreur de la pauvreté, le désordre intellectuel, toutes sortes de préoccupations qui les unissent en plus du sang mélangé. Zibbedé tire Théodora l'écervelée sang mêlé vers le bas et c'est réciproque. Le côté métaphysique de Zibbedé, ses merveilleuses idées de petite fille ont disparu. Lors du premier voyage en Europe, deux ans plus tôt, Zibbedé était encore un bébé, une poupée qui malgré son nombril appartenait à moitié à Théodora et à moitié à Emina. Emina était encore tenue pour un génie et leur père parlait de l'élever au rôle d'éducatrice.

— Look Théodora ! Princess of Asturias likes Momo on Twitter !

Cette manière d'appeler leur père « Momo » est ridicule. Zibbedé sous l'influence de Maman devient elle aussi préoccupée par la faveur des gens célèbres. En appelant son père « Momo », elle cherche à s'accaparer un peu de la gloire de Momo qui n'appartient qu'à DJMOmo et qu'on devrait lui laisser de la même manière qu'on ne touche pas aux boîtes de crème glacée Ben & Jerry's qu'il étiquette à son nom avec des Post-it… Comme par hasard, cette manœuvre s'accompagne d'un rabaissement de maman à Théodora. On rajeunit maman, on la transforme en petite sœur pour s'emparer de Momo ou plutôt de la gloire de DJMOmo, car Momo en soi, ce gros caca, n'intéresse personne. Or Momo c'est Momo… Il a eu cinq femmes avant Théodora si tu veux savoir… Des Zibbedé, il y en a aussi plein d'autres. Quinze à la douzaine. Certaines comme toi Zibbedé, *darling*, se sont laissé tourner la tête, d'abord par Momo lui-même avec ses cajoleries : « Zizi, tu es ma petite favorite, va donc me chercher mes cinq litres de chocolat-caramel mou, va donner mes grosses chaussettes de sport à la laundry de l'hôtel, coupe-moi les ongles de pied et je te ferai un baiser dans le cou et puis je t'offrirai un téléphone ou un bracelet ou un bébé ou les trois à la fois, etc., etc. D'abord par l'argent de Momo qui peut tout acheter, puis maintenant par la gloire de DJMOmo. Certaines, comme la Tahitienne, se sont brûlé les ailes. Elles sont rentrées dans le lit de Momo puis elles se sont retrouvées pleines, obèses, en clinique. Momo paye la clinique, Momo peut pousser le caddie tout seul, il peut reteindre tout seul ses cheveux et les poils de son ventre en roux clair comme avant, il peut même se tailler les ongles de pied tout seul avec une rallonge spéciale au coupe-ongles ou un pourboire à la masseuse, mais la Tahitienne ne redeviendra jamais la petite poupée d'autrefois. D'autres, comme Mina, se sont révoltées et se sont retrouvées à Zurich…

À l'arrière de la voiture Emina se rapproche de Zibbedé mais la petite la repousse, elle a peur, ou plutôt elle fait croire qu'elle a peur pour attirer la réprobation sur Emina. Emina voudrait l'aider, Emina veut toujours aider mais elle n'arrive plus à parler. Ses idées l'ont fuie. Elle voit les formes de Zibbedé, son visage rond comme ceux des poupées des collections dans les vitrines de Savanna-la-Mar. Mais ce rapport elle n'arrive plus à le faire. L'analogie n'a plus de ressort. Elle reste figée, fixée sur son double sentiment, l'ambivalence zurichoise : haine jalouse de Zibbedé / envie de protéger Zibbedé… amour physique pour ses petites mains douces, ses pieds de cochon de lait / envie de la dévorer, d'enfoncer les pouces dans ses yeux. Ce dédoublement ne peut coexister en elle et s'appuyer en même temps sur des lignes réelles. Aussi les formes qui sont celles du visage de Zibbedé lui échappent-elles. Elle cherche à les fixer en s'attachant à trouver les figures qu'elles évoquent. Mais l'analogie est morte. Barrée. Les yeux, vivants comme deux animaux sous une pierre, essayent d'échapper à l'emprise griffue de son amour.

— Théodora, help, Mina becomes crazy…

Du haut de ses 37 ans et de ses 47 kilos Théodora s'interpose. Elle met sa longue main mélanique de singe ornée de bagues anciennes entre le visage de Mina et celui de Zibbedé.

— Aiiou. You bite me bitch…

Malgré son mètre soixante-seize, elle n'a pas la stature d'une mère. On dirait la troisième fillette de la tribu ou bien un travesti. Les femmes de Momo. Pauvre Théodora !

— Mina keep cool… Put yourr theethz in yourr pocket forr the mouzie.

Emina compte les doigts de Zibbedé, tord les orteils de Zibbedé qui râle. Douze orteils pour le premier pied, onze seulement pour le second. Boiteux ! Comme Zibbedé bientôt…

— Ailleouille Théodora, help! Mina looks horrible…

— Mina ! Ztop…

En réalité le drame de ces femmes-là (elle met dans

le même sac Théodora et Zibbedé) c'est qu'elles n'ont pas de religion. Momo devrait être la religion de Théodora et ce n'est pas le cas mais comment Momo pourrait-il être la religion de quiconque ?

L'amour humain ne peut tenir lieu de religion. Voilà la maladie qui affaiblit l'Occident chrétien. Il est impossible d'adorer Momo ou même DJMOmo sans avoir envie très vite de le dénoncer, de le pendre par les pieds, de le traiter comme Mussolini. D'ailleurs en Italie, tout le personnel de la Villa d'Este a remarqué que Momo ressemblait davantage à Mussolini qu'à Jésus. La faute du caramel mou, du sang de cochon, de la contre-plongée et du manque de perspective verticale, surtout avec son pyjama. Momo le premier n'hésite pas à imiter les dictateurs quand il est de bonne humeur parce qu'un concert a réuni cent mille personnes.

La nuque posée sur le cuir du siège arrière, Emina cherche les preuves d'une hypothèse qu'elle a conçue sur les visages. Une théorie. À Zurich, à Paris ils se méfiaient de ses théories. Ils ont voulu la convaincre qu'il vaut mieux manger que penser, lui montrer que ses théories étaient dangereuses pour soi. Pour elle ? Pour qui ? Quelle horreur sans nom de devoir se méfier de soi. De qui ? Le but des Zurichois, le but des Voix et de toutes les présences, sauf l'Ange, est de la pousser à douter d'elle-même. Théodora, Momo et bientôt Zibbedé sont entrés dans le jeu. Qui la détournera du doute ? Qui remettra la jeune Europe dans la voie de l'Occident chrétien ? Quel taureau ? Quel Satan réconcilié ? Quel Jupiter ? L'Ange est trop faible, trop aérien. Se méfier d'elle, d'eux est une chose, se méfier de soi, de l'Europe, perdre sa confiance, sa conscience, voilà qui détruit pour de bon tout espoir de grandir. La peur, c'est eux qui la lui ont inculquée en même temps que tout ce qu'elle recrachait, intact, dans son pain, au bout de quelques heures. Selon sa théorie, les visages changent dès qu'ils se tournent vers les autres. Surtout les charnus… Zibbedé par exemple, bon cobaye pour ne citer qu'elle, n'a pas le même visage lorsqu'elle regarde sa maman ou moi. Aussitôt que le visage se détourne il change, il prend l'empreinte du regard de l'autre. Il se formule. Il truque. Les visages sont truqués comme les masques, des masques rapides, des masques d'eau, des masques de nuages. On pourrait croire, à Zurich, ils avaient essayé de lui faire dire ça, on pourrait « imaginer », seuls les salauds « imaginent », on pourrait craindre que les visages ne changent dans notre dos. Mais c'est faux, car elle voit dans le dos. Elle sait ce qui se passe derrière, elle est entraînée pour ça. Des nuits entières elle s'est exercée à voir dans son dos… En revanche il est impossible à quiconque de voir les visages que les autres tendent aux autres lorsqu'ils se détournent de nous. Il ne faut pas *imaginer,* il faut s'engager pour savoir ça.

— Aïe ! Mummie… she tried to hit my head !

Ah Maman ! Quand même… On y revient. Fini les minauderies, les *Théodora,* les *darling*, les gnagnagnas. On revient aux *fondamentaux*, comme ils disent dans l'industrie du disque. Le fondamental de Momo, à part son pyjama, ce sont les paillettes, les crèmes glacées et les devises. Quant au fondamental de Zibbedé, la base de son orgueil personnel, les fondements de sa métaphysique, ses fesses, elles se laissent plus facilement attraper que le reste.

— Aie ! Mummie ! she pinched my belly…

— Mina if you dont ztop I put the linkz…

Les bracelets. La force. Depuis Venise, depuis Zurich, depuis Paris surtout, Théodora et Zibbedé ont pris des méthodes de flics. Fini l'amour, le bel amour, les simagrées, on sort les menottes, les bâtons, les cachets, le compte-gouttes. Le masque tombe.

Repli général, tout le monde tremble dans la Mercedes, même Junior de Tanger. Dans le grand rétroviseur qui inclut l'intérieur dans le ciel, le chauffeur montre à Emina des dents toutes blanches entre des lèvres prune de zob.

— M'mzelle Mina sois gentille, esvépé.

Les gentils… On ne sait pas ce que cela veut dire, dans ta bouche au sourire en cactus. Tes gentils à toi sont les infidèles en quelque sorte. Pour en revenir à la théorie des visages trompeurs, suivant le processus que les Zurichois appellent « la persistance d'idées morbides apparemment abandonnées », il faudrait disposer de miroirs plus grands que ce rétroviseur derrière ceux vers qui se tournent les visages. Il faudrait d'abord une attention spéciale, une vivacité photographique en 3D sensible aux menues divisions des secondes ainsi qu'aux polygones qui permettraient de saisir les plus subtiles modifications, les manœuvres en cours, les falsifications involontaires, les cactus…

Que viennent faire ces cactus dans cette théorie ? Il faudrait une fois pour toutes empêcher le monde extérieur de pénétrer dans les raisonnements. On reproche à Mina d'être trop renfermée mais elle se trouve toujours trop ouverte. Impossible depuis deux minutes de se concentrer sur une idée sans cactus. Ses yeux cérébraux deviennent des garages à cactus. Il en rentre de partout et comment se concentrer sur une idée quand de grands cactus noirs et gris s'arrangent pour se disposer au bord de la route en ombre chinoise sur le ciel couleur d'émeraude de mélodrame. Féminité, voile. Il faut vite baisser les yeux vers les pieds préhensifs de Théodora qui a ôté ses chaussures blanches laissant briller les barrettes de strass à l'horizontale.

Comment s'appellent les cactus ? Ils défilent derrière le carreau comme les jeunes filles qu'elle a vues défiler à Milan aux shows avec Théodora. Les prénoms des mannequins qu'on ignore toujours. Les cactus aussi ont des noms puisqu'ils sont tous différents. Comment appelle-t-on les races de plantes ? Des genres ? Des familles ? Les races n'existent pas pour les végétaux ni les noms d'individus. Ou plutôt on les ignore, car ils ne les déclinent jamais. La déclinaison n'est pas leur fort. Le déclin oui. Comme tout ici-bas à part l'Éternel. Combien de temps vit un cactus ? Fuite des idées. Molécules associées. Le réel fait fuir les cactus qu'il va bien falloir affronter dès que Junior ouvrira les portières. Emina a beau essayer de se restreindre à ses idées, à l'espace vide qu'elle a su créer entre la couenne de Zibbedé et la sienne, sa conscience s'évade. Malgré les lignes de marelle que dessinent le cuir de la Mercedes, les lignes en forme d'Y que le corps impose dès qu'il paraît, les carreaux de la jupe en tartan de Théodora, ses cuisses nues couleur de bois et de miel, les cadenas de ses sacs, malgré tout ce qui sert à recadrer le réel comme les carreaux d'un peintre, les choses continuent à vouloir l'entraîner. Les cactus traversent les vitres et se reflètent sur le cuir noir et les grosses lunettes noires de Théodora qu'elle ne quitte plus depuis qu'elles ont débarqué en Europe. « Sorrrry girlz, I'm a little famouz, you know ! » Joueuse de flûte, la réalité ordonne la fuite des idées et voilà qu'Emina se laisse captiver, entraîner dans la ronde, même si sa pensée, sa théorie et la concentration qu'elle exige ont construit un réseau d'explications utile à lui rendre inexplicable tout le reste. Aussi, quand la voiture s'arrête et que les portières commencent à s'agiter et que les bras de Théodora se tendent vers les filles comme des cactus, elle y va.

… Voilà un long moment qu'elles sont entrées dans la cave, une cave civilisée, une grotte de démonstration, une cave témoin que les touristes sont autorisés à visiter les jours ouvrables. Les horaires sont différents de ceux des musées ou des bains publics, ils s'apparentent à ceux des restaurants, des cabarets. On n'y sert pas à boire mais on y trouve les chaises en plastique des cafés du tiers-monde, un canapé rouge avec des pieds d'or, une statue de la Vierge en plâtre peint, avec des bijoux dorés comme ceux de Théodora et derrière une télévision à écran plat grande comme une vitrine. Les parois arrondies de la cave renforcent la rigidité parallélépipédique de la télévision. À l'écran les couleurs sont vives, fausses, tellement déformées. C'est la première fois qu'Emina n'arrive pas à se concentrer assez pour que le découpage du réel organisé par les cristaux liquides dessine véritablement quelque chose de déchiffrable. En général, les télévisions, les ordinateurs ne lui opposent aucun trouble. À la différence des fenêtres. Il est possible, se dit-elle sans ressentir la moindre envie d'en savoir plus, que cette impossibilité ne soit pas un effet des médicaments mais provienne de l'angle où elle se trouve placée par rapport à l'écran plat. Aussitôt formulée, une telle hypothèse lui paraît une déchéance de la folie imputable aux psychotropes, une régression hors du système magique.

Les visages des habitants de la cave qui, eux, parviennent à déchiffrer dans la télévision une certaine réalité sont illuminés par les lumières rouges et bleues. Leurs cheveux abondants, leur indice facial caractéristique, leur petit menton pointu ressortent. On dirait les frères et sœurs de Théodora qui s'est statufiée au milieu d'eux, debout, haute stature, comme les grandes femmes dorées entourées d'anges des peintures byzantines. Avec une tête plus petite que celle des vierges de Byzance, de plus en plus minuscule à mesure qu'elle se dresse, avec sa bouche merveilleuse, sa langue érectile et lourde, d'un joli rose crabe, ses grands yeux obliques de chat siamois et ses lourds cheveux noirs liés par un simple chiffon de couleur, les bras à peine écartés du corps, elle semble en majesté. L'Inde et la gitanerie ont des liens qui n'apparaissent qu'à certaines tournures du visage de Théodora, quand elle porte les couleurs qui la rendent plus indienne que chinoise, l'orange ou cette robe à motifs roses qu'elle se vante souvent d'avoir achetée lors de son premier voyage à Paris. Près de Théodora, comme un petit enfant, le vieillard de la tribu laisse remonter à la surface un masque hindou rougi par la saturation des cristaux liquides. On dirait le chef peau-rouge Geronimo. Lorsqu'il s'est tourné tout à l'heure vers Théodora, ne pouvant résister malgré sa résignation à la grande lumière de la beauté, Mina a vu ses yeux bleu transparent, blindés de cataracte, presque blancs.

La seule personne de la famille à ne pas regarder

l'écran est une fille de l'âge d'Emina. Assise dans un fauteuil couvert de peluche rouge, idole de pèlerinage, elle tient dans la sorcellerie de ses bras un bébé qui lui a été fait par un homme dont Emina sait aussitôt qu'il ne se trouve pas à présent dans la grotte. Emina le devine à la manière dont la petite manipule l'enfant, une peur d'être abandonnée se traduit par un refus de s'abandonner, une retenue. La distance palpable, le triangle vide qu'Emina pourrait dessiner entre le corps des deux êtres vivants ne se compte pas en volume d'air et encore moins en ombre et lumière mais en coquette distance affective, en refus visible de contact. Cela n'est rien au regard de ce qui les unit comme les deux têtes d'un même corps, un Géryon de manga à la queue annelée. Contrariant le détournement du visage de la mère au sommet du triangle, persiste au fond la soudure interne de la chair qui date d'avant la naissance. Le fond que scrute la consciencephalle d'Emina (où elle croit déceler la soudure intestinale du monstre) est un pull-over de laine synthétique de taille 12 ans, d'un bleu sale et jaune qui remonte sur les bras de la petite et libère un peu de son ventre plat, bronzé, soyeux comme un baiser donné à celle qui la regarde et qui perdant les limites de sa propre enveloppe est tentée de réclamer l'enfant pour elle, jalouse d'un lien si simple qui lui sera toujours refusé.

Les cachets bleus des auxiliaires de santé, le jus âcre du compte-gouttes bloquent le passage à l'acte mais l'intensité du regard d'Emina éveille l'attention de la petite. Les deux s'évaluent dans un silence printanier et féroce, pareilles à des animaux ou à des enfants en bas âge. Les sons de la télévision rappellent à Emina les salles communes de Zurich mais l'intimité familiale du clan rend l'atmosphère plus acceptable.

Un court miracle s'opère. La personnalité dispersante d'Emina se reconstitue un instant autour du désir de prendre dans les bras l'enfant de la fille-statue qui la regarde. Elle retrouve les sentiments d'une femme normale, les contours grossiers, précis et objectifs qui sont ceux d'une personne. La profondeur non incrustée, libre, de l'être humain dans la réalité la pare un instant (pour mieux les lui soustraire l'instant d'après) de tous les sentiments dont les germes sèchent en elle. Dès que l'affectif est touché, une douleur fulgurante se réveille. Elle se trouve paralysée par le front ou plus exactement par l'interstice de matière cervicale, une petite masse blanche qui se trouve entre ses sourcils.

En termes d'anatomie individuée, elle appelle cette partie du lobe frontal le *bigorneau*. Le bigorneau forme une masse hélicoïdale spongiforme de couleur brunâtre ou presque noire que certaines pensées inaccessibles aux cerveaux ordinaires peuvent rendre innervée au point de diffuser une douleur intolérable à l'ensemble du cortex. Une sorte de sinusite infectieuse rayonnante extrêmement douloureuse et fulgurante qui se réveillerait d'une poussée brutale d'origine sanguine. On imagine qu'un fort reniflement puisse avoir un effet d'aspiration et que les objets sensibles aspirés par le nez se retrouvent dans des canaux minuscules, une pelote de nerfs où se mêlent l'optique, l'auditif et l'olfactif, opérant un travail de déchirement interne du bigorneau comparable à celui que pourrait créer un cristal de soude ou un morceau de paille de fer introduit au plus profond des sinus. Faute d'autre prise, le réel s'enfonce dans la tête par le nez comme un corps étranger qu'aucune opération, aucune médecine ne peut extraire. Le sujet reconstitué recentré sur le mal devient semblable à une infection locale, figurine intérieure en forme de mollusque sanglant isolé sur le bois sale d'une table de torture par les crochets d'un bourreau du Moyen Âge.

Face à la douleur objective, se dresse aussitôt une résistance, un barrage mis en place par la tournure obsédante de ses idées. La maladie, qu'Emina accepte alors de reconnaître, parce qu'elle ne se confond pas avec une privation mais avec une forme d'œuvre, une articulation, la réaction secondaire à une douleur interne, se manifeste comme un système de défense. La vérité provoque une souffrance si vive qu'elle est obligée d'installer des échafaudages, de mauvais pansements pour endiguer la crainte. Vue sous cet angle, la part active de la folie est un ensemble de mensonges, d'échafaudages disjoints par le vortex de la tornade intérieure, de mauvais pansements à demi détachés qui pendent comme des peaux mortes autour d'une face. Du chamanisme… Avec le temps, le surgissement de la vérité devient de plus en plus douloureux et suscite des rétractations occultes nullement positives, des automatismes venus du temps passé à se mentir, de la multiplication des précautions inutiles et des récupérations hasardeuses, de longs tunnels catatoniques…

C'est là que l'hallucination opère sa magie. Comme dans les vieux films muets. L'hallucination est une défense de l'être vivant normal qui persiste à souffrir, une tentative réussie de diffracter le complexe.

La couleur que diffuse la télévision déréglée se divise au contact du fond incertain de la grotte en de multiples petites cavités ornées de figures incises, bas-reliefs minuscules ou camées. La petite fille à l'enfant, toujours à peu près immobile sur sa chaise, se trouve ainsi dans l'hallucination incrustée (enfin !) sur un fond solide. La multiplication des œuvres en creux, semblable à l'ouvrage de l'abeille dans ses rayons, dédramatise le sujet central. C'est le principe du bourrage, ce travail obstiné, hachuré, cette activité persévératrice improductive qui rend le sujet central à la fois cohérent et étouffé dans un complexe si vaste et si anecdotique qu'il ne regarde plus personne et ne peut même plus être vu par celui qui souffre. Le dessein est la disparition du sujet dans les circonvolutions, les maniérismes extraordinaires qui ramènent tout au premier plan au sein d'une toile d'idées tressées comme un ouvrage de dame ou le fond d'ordure d'un autoportrait.

La vérité était qu'Emina n'aurait échangé pour rien au monde sa vie d'étranges merveilles contre une existence moins sérieuse. L'individualisme, défaut de malade, défaut familial, défaut de l'époque, se corrigeait d'une certitude intérieure, fruit d'une révélation. L'Ange lui avait annoncé une mission à accomplir. Par un certain nombre d'actions violentes, de cérémonies dont la nature restait incommunicable, elle devrait soutenir la reconstruction de l'Occident chrétien, aider à rétablir la suprématie du Saint-Père et rendre à Rome sa puissance passée. Elle avait su garder ce secret presque complètement. Elle s'en voulait d'y avoir fait allusion une fois devant Zibbedé. Mais la petite ne semblait pas l'avoir répété à DJMOmo. Ou alors DJMOmo s'était-il hâté d'oublier ce qu'il avait dû prendre pour une folie.

Cette mission n'absorbait pas l'esprit d'Emina à la manière d'une idée fixe ou d'un délire de grandeur. Restée en cela assez enfantine, elle y pensait parfois mais l'oubliait souvent. Elle avait trop à faire avec les Voix qui heureusement n'avaient pas eu vent de la parole angélique.

Les paroles de l'Ange lui revenaient sous des formes inattendues, ici par exemple la transmutation hallucinatoire de la gitanilla en une image mariale inspirée par une sculpture qu'elle avait vue dans un musée l'année précédente. Il ne s'agissait pas exactement d'une hallucination mais d'une vision. Il y avait bénéfice. La jalousie, toute féminine, qu'elle avait ressentie en voyant la petite tenir son enfant dans les bras, avait subi, par une grâce qui lui était propre, une transformation mystérieuse des zones froides en élan de ferveur.

Le bienfait se fit ressentir longtemps après qu'elles furent sorties de la grotte. Emina restait heureuse, une chaleur durable se maintenait en elle dans une région profonde de son abdomen. Pour en conserver l'effet plus longtemps, elle savait qu'elle devait se taire et se garder d'ouvrir le moindre volet de chair aux présences qui l'entouraient. Une discipline qu'elle pratiquait volontiers. L'entourage était habitué à ses replis catatoniques. Aussitôt remontée dans la voiture, elle se blottit contre la portière arrière, dans la position d'un être humain qui voudrait dormir.

D'un de ces gestes que les mères répètent par automatisme sans intention affective, Théodora disposa un plaid sur le corps recroquevillé. En lui frôlant la joue, l'alcantara de la bordure annonça à la jeune fille qu'un voile l'isolait désormais du reste des passagers. La chaleur de la laine retardait en elle l'autre chaleur plus intense, d'une nature inhumaine. Une étiquette cousue en pavillon sur la bordure de faux daim griffa le bord de ses lèvres alors que l'inscription brodée en relief, étiquette d'un hôtel vénitien, s'imprimait sur son front comme les lettres de feutre qu'on cousait autrefois sur les bonnets des fous. Le repli sur soi d'Emina avait commencé à Venise, avant Zurich. Le premier voyage en Europe devait se terminer dans un brouillard lumineux, une brume de lever du jour sur la lagune, épaissie de plusieurs nuits d'insomnie. La dernière image de légèreté d'esprit lui laissait le souvenir d'une petite cité HLM datant du début des années 1980, où elle s'était perdue sur la Giudecca, après le pont, non loin du Hilton d'où DJMOmo avait appelé la police pour la première fois. De Venise, elle gardait le souvenir de l'ascenseur vide du Hilton l'après-midi vers quatorze heures, d'un pont moderne en brique, puis d'un HLM, de cages d'escaliers de secours en béton peint de couleur pastel. Ça sentait la poussière et le soleil pâle de l'après-midi d'hiver éclairait de menus débris oubliés par des souris ou des enfants.

Au moment où les souris vont l'entraîner dans des circonvolutions de chaleur interne, les souterrains de féerie que freine seule sa joue collée sur le cuir blanc, Emina sent une main effleurer son flanc et la présence chaude de Zibbedé contre son dos. Avant qu'elle puisse trouver un bon calage entre les vaguelettes de cuir surpiquées de la portière et l'appui-bras central, la petite main de l'enfant se comprime déjà mollement à l'intérieur de sa paume. Elles sont deux désormais sous la couverture.

Emina préfère que les rôles soient inversés. Elle entreprend de faire passer le petit corps soyeux et rebondi par-dessus le sien sans que la couverture les découvre et glisse sur la moquette de laine blanche. La couverture s'est relevée, quelqu'un, Théodora, aide le monstre maladroit que forme le double corps d'enfants à trouver un bon emboîtement. La plus grande repliée en cuillère autour de la petite. Un bourdonnement annonce une modification. Deux écrans plasma s'allument sur le dossier des sièges avant. Deux cartes GPS s'éclairent : deux pointes ouest de l'Andalousie dessinent en bicorne une barbe jaune d'ocre détourée du bleu ordinaire de la cartographie maritime.

Sous la couverture, les limites corporelles déjà floues d'Emina se gomment tout à fait. Ses mains se fondent sur les muscles dodus des épaules de l'enfant au point de ne plus s'en différencier. La chair de la paume gauche cesse d'être sensible, elle épouse secrètement et déjà confusément les cellules consanguines. La masse compacte s'arrête à l'extérieur du double corps du côté de Zibbedé, là où la couverture se soulève, sur la pointe lumineuse de l'Europe. Là où l'Occident trouve sa fin dans une pointe bien dessinée, rocheuse, escarpée jusqu'au rocher des singes. Au bout du double corps, les cristaux liquides éclairent Jumbo, un gorille en peluche, un doudou, que l'enfant emporte partout avec elle au cours de ses voyages. Vêtu d'un costume sombre qu'accessoirisent une paire de lunettes solaires et un talkie-walkie, le gorille sécurise la zone comme les gardes du corps de DJMOmo lors du concert de Malaga.

Aux antipodes, dans une région située au bas du dos d'Emina, une zone de formes arrondies, molles, évolutives, proche de la zone poilue, les frontières n'existent plus. Dans cette première pointe ouest située à gauche et donc un peu plus à l'ouest que celle gardée par Jumbo, les risques d'invasion, de confusion, de perte d'apanage, de vol ou de viols, sont multipliés. Le dédoublement géographique symbole de la multiplication des organes migrants que la maladie a opérée depuis Venise, le manque de dessin arrière du monstre double engagent pourtant une seule responsabilité, celle d'Emina, si multiples que soient les membres. Cinq, six estomacs, un seul anus, voilà le drame. Pour une raison qui échappe à l'entendement, le dédoublement d'anus est impossible. Toute tentative, même légère, opérée avec une règle en fer ou un tournevis entraîne rétractation, douleurs, sang. Le sang anal n'étant qu'un avatar du sang menstruel, non seulement le résultat escompté n'est pas obtenu mais le dédoublement s'opère au niveau du vagin, ce qui entraîne une évaporation inquiétante de l'anus, évasion multipliant les risques de déjections par la bouche et le nombril. Sans parler du risque majeur : la naissance d'un enfant par l'ancien anus devenu vagin de fortune, mais un vagin sale et étroit, ce qui entraînerait forcément la naissance d'un avorton tubulaire ou perlé en fumées de biche.

Comme un fait exprès, la couverture se relève sur cette partie encore humide laissant passer l'air, le vide qui sépare, vers la part la plus exposée, le corps de l'enfant à jamais du corps de la mère. De celle qui l'a chassée d'elle-même, la forçant à prendre tout à cœur. Mais Théodora n'est pas sa mère. C'est une belle silhouette opaque dont le profil se dessine sur le second écran animé désormais d'une publicité en espagnol. Un fond qu'elle épouse à merveille. Derrière le courant d'air encore refroidi par le contact glacial du sac à main, loin au-delà des à-pics glacés couronnés de ferrures, d'un cadenas doré et de quatre ongles manucurés et vernis en transparent, la voix de l'inhospitalière, aussi dure et cadenassée que tous les sacs à main du monde, téléphone en sabir aux gens qui l'intéressent, aux vendeuses d'accessoires, aux assistantes de médecin, à la retoucheuse de Séville, à Bianca sa voyante, aux femmes pratiques, soumises, encore prêtes à lui répondre à cette heure de la soirée. Emina s'enfonce sous la couverture pour ne pas entendre Théodora. Interpréter son sabir pourrait la conduire bien au-delà de l'état où elle se réfugie tant bien que mal. Les efforts nécessaires au décodage tendraient à l'égarer ou plutôt à la diviser au point qu'elle cesserait de sentir la suture rassurante qui l'unit au corps de Zibbedé.

Le bas du monstre, lui, est assuré, comprimé par le cuir blanc, il se fond à la machine de plusieurs tonnes lancée sur l'asphalte européen en direction du nord-ouest de l'Andalousie, via l'E 26, comme en témoigne l'étoile rouge presque inactive, qui avance imperceptiblement sur la carte lumineuse. Toponymie nocturne: Loja, Antequera, Aguadulce... Temps estimé avant l'arrivée à Séville: 1 h 18 min.

Sans parvenir à oublier son dos, cette viande froide qu'elle voudrait détacher d'elle comme tout ce qui la renvoie au chagrin, Emina se concentre sur le corps de Zibbedé. La petite est née d'une éventration qui devient celle d'Emina par contrepoint de la femme jadis éventrée, comme en témoigne la fine ligne horizontale qui raye le haut de la jolie vulve bronzée, close et finement bordée de fourrure de Théodora. Cette ouverture ancienne est bien refermée, bien recouverte. Théodora téléphone par-dessus, dure, sexuée ; Théodora que Mina se reproche de ne pas attirer charnellement par la simple opération de son dos nu.

La voix de Théodora suffit à tourner cette offrande en dérision. Son visage informe, l'image brouillée qu'Emina s'en fait ignore le dos offert dont la posture la désespère. Elle imagine son dos comme un sourire refusé, une soumission de lèvres mal jointes offerte et négligée. L'amour d'Emina pour Théodora est un sentiment inhibé, palmaire, fait de couches de viandes blanches plaquées comme des côtes de veau sur les joues d'un visage. Son corps n'est qu'une merde blanche comme tout ce qui veut faire oublier l'intérieur. Le blanc n'arrive pas à détacher le vermillon autrement que comme une sorte de rose industriel de jambon sous vide. La terre verte des entrailles n'y suscite pas les ombres mystérieuses que la peinture ancienne savait ouvrir sous les aisselles ou à quelque point fourchu, intime en haut des cuisses des grands nus. Tout y est plat, glaireux, grisâtre, pourri. Emina fuit sous la couverture cette levée de pourriture froide qu'est la vision de son dos qu'elle offre malgré soi et qu'on refuse forcément.

Les extensions, les circuits ajoutés, la multiplication des membres, le souffle chaud, la soudure transpirante, l'effet de serre de la cloche de laine polaire, mais aussi la rivalité, la haine fratricide soude un monstre double. Emina resserre les doigts sur la paume molle de Zibbedé et glisse son autre main dans la fente de cuir blanc qui s'enfonce entre la banquette et le dossier. Surprise de n'y rencontrer aucun débris, ni miettes ni boîte à poudre, ni argent ni liquide, elle s'y agrippe pour éviter de flotter et d'être renvoyée sur Théodora par le dos obstiné de la petite qui se gonfle et se dégonfle à la façon d'un muscle.

Un scrupule scientifique lui vient : il faudrait qu'elle profite de sa position et du voile chirurgical jeté par Théodora sur ses agissements pour explorer la partie antérieure des entrailles, située du côté du ventre de Zibbedé. Quand ça l'arrange comme en ce moment, elle oublie la froideur de Théodora en la rendant complice d'un projet à quoi la grande chatte siamoise ne participe pas, si ce n'est par l'opacité soigneuse de ses propres entrailles, bien pliées, enveloppées de chair entretenue comme du papier de soie, de tissus soyeux secs et au besoin de shopping-bags qui n'ont de chirurgicaux que le prix et la propreté. La part la plus dispersée d'Emina, celle qui ordonne les différences et lutte contre la confusion, cherche à différencier, à faire le tri entre tous les organes qui se mélangent en elle. Les six estomacs par exemple ne sont pas qu'un vrac entassé sans responsabilités. Des canaux, un réseau, un maillage les relient forcément chacun à l'un des deux systèmes. Tout labyrinthe a son plan. Emina imagine l'état actuel du réseau en tenant compte de l'effet de plateau, d'offrande ordonné par le plan horizontal de la banquette. Un tas de boyaux, de méduses, emmêlés comme les fils et les méduses accrochés derrière les boîtes électroniques que DJMOmo trimbale de suites impériales en suites présidentielles dans tous les palaces du monde connu, et qu'il installe de préférence à proximité des salles de bains et du water-closet pour empêcher toute femme d'avoir une vie intime. Un tas grouillant, noir et gris de poussière où surnagent de vieux mouchoirs pleins de sang ou de sperme, des mégots de joints, d'antiques cocottes de cocaïne dépliées, des miettes, des crottes de souris, un vieux bout de casque.

Un jour, à Paris, à la suite de l'ingestion accidentelle par Zibbedé d'un miniclown Ronald McDonald en matière plastique dure, Emina avait pu établir d'après un cliché radiologique une comparaison entre l'anatomie de sa petite sœur et celle d'un rognon de veau sous vide, suivant le principe bien connu de la dérivation organique par assimilation dévoratrice, principe symbolisé par les matriochkas achetées par DJMOmo dans le duty free d'un aéroport, DJMOmo dont un Zurichois lui a fait se souvenir après coup qu'il avait travaillé comme clown dans les fast-foods lors de son immigration aux États-Unis au millénaire précédent. Ingérer ses parents : elle avait compris la leçon de Zibbedé. Il y a tout à apprendre des enfants de moins de sept ans. Emina supposait depuis longtemps que le ventre de la petite était divisé en différents hémisphères reliés par un nerf central, une sorte d'épine grasse, comme un rognon de veau. Cette particularité anatomique méritait d'être explorée, elle permettrait peut-être d'expliquer le goût de Zibbedé pour la matière, sa capacité à absorber l'argent de DJMOmo comme une tirelire cochon sans pour autant que la fente centrale soit mise à mal. Un nerf gras permettant, c'est bien connu, de diffuser les traumatismes internes sous forme de chatouillis inoffensifs. L'âme devenant une sorte de plante de pied un peu plus molle et moins sensible. Des viscères en rognon de veau, une âme en plante de pied constituaient les premières bases d'une théorie organique de Zibbedé. Mais il ne s'agissait que de simulation en images mentales simples, d'un portrait chinois, non d'une vraie exploration symbolique…

Une fois de plus, le babil d'une voix humaine vient interrompre son travail intérieur. La conversation de Théodora est faite de conversions successives à de multiples états d'âme qui ne sont pas les siens. Sa voix cassée et nasale, ces *z*, ces *r* qui reviennent comme des zébrures ou des grondements sismiques n'accentuent qu'à peine les failles transformantes mais l'oreille d'Emina en note les moindres fourches. Dans de tels moments, l'aliénation d'Emina n'est qu'une volonté de protéger les autres du morcellement. Si elle n'arrive pas à se contenir dans la catatonie elle se disperse, se désagrège en voulant se prêter à plusieurs. L'éclatement intime prend chez elle toutes les formes possibles, y compris celle de la charité, du don de soi. Alors qu'elle s'apprêtait à explorer chirurgicalement le ventre de Zibbedé avec des bistouris de fortune (ses ongles sales et le double décimètre en fer qu'elle cache dans ses bottes), elle se trouve sollicitée par un devoir de secours à la personnalité de Théodora.

Comment faire face sans scission à l'éruption de deux désirs contemporains, de deux créances qui l'écartèlent ? Un glissement de la couverture lui révèle une fois de plus la vertu symbolique du monde extérieur. Les deux écrans plasma diffusent maintenant deux programmes différents qui reflètent chacun une préoccupation morale, comme un mirage de Venise ou de Murano diffracte celle qui s'y mire.

Sur l'écran de gauche, des images de BKK, un DVD tourné par Théodora pendant la tournée *Candlelight & Dubonnet on Ice in Bangkok © DJMOmo 2011.* À droite, sur l'écran zibbedesque, un dessin animé, *La Famille Dupont season 1 © Studio Disney-Pixar 2013.*

La lumière de la veilleuse éclaire le visage de Théodora entre les images plates de BKK, métro aérien, façade de béton inachevée, rivière sans nom où les ordures sont des fleurs, et le reflet dans la vitre teintée de la Mercedes sous forme d'un masque impeccablement plastique. BKK filmé par Théodora et l'avatar de Théodora en reflet sur la vitre entretiennent une relation spatiale de cause à effet qui permet à Emina d'interpréter la grande belle figure de mère indifférente et de démêler, comme elle a appris à le faire durant les interminables catatonies, les liens qui unissent la figure au fond, les êtres à la parure de souvenir et de réalité qui en constituent l'arrière-plan. Alors qu'on la croit isolée « dans son monde », Emina atteint dans ces portraits intérieurs au bourrage psychologique ultra-fouillé, un niveau de réalisme, une complexité, une richesse de perspectives à quoi nulle conscience normale n'a accès. C'est l'avantage de la conscience-phalle si fragile et si facilement blessée. Le réalisme dément est bien supérieur à l'analyse ou aux froides réflexions des psychologues. Il reconstitue par polygones la réalité des surfaces, sans toutefois la rendre trop plate, ce qui permet au sujet de tenir au fond, de ne pas se sentir détaché ou expulsé.

Participent au charme désespérant de Théodora assise, et donc au peu charmant désespoir d'Emina vautrée, cette absence de vie intérieure en dehors des pénétrations et des expulsions toujours occultes de mots barbares, comme des crachotements parasitaires, et aussi ses origines, multiples et en même temps totalement irréductibles à la notion d'origines ou aux chronologies. Théodora est une figure symbolique de la vie moderne, synthétique et baroque. Sèche et ravissante et finement poussiéreuse, comme ces tanagras dont elle tient le rôle décoratif à l'intérieur de la famille (tout en y occupant la place du chef à cause du donjuanisme de DJMOmo), elle ne peut être définie qu'en termes esthétiques comme une beauté précieuse. D'autant plus fière de ses reflets que Momo prend plaisir à en disloquer la matrice, pour mieux rétablir ensuite le désordre moral résultant de ses insultes et de ses coups en tant que reine-totem composée du ménage. Théodora, que la vie d'hôtel rendait encore plus insaisissable, ne s'animait tout à fait que dans la multiplicité des conversations alternées de ses multiples téléphones mobiles. Ange de la trahison, au sens imagé donc affaibli d'« ange », véritable Protée, *personnalité complexe* au sens zurichois du terme, elle s'était montrée bonne et mauvaise pour Emina, jusqu'à ce que l'activité affective de la jeune fille soit diminuée en surface par la maladie. Confrontée à un défaut d'émotion chez un enfant, elle avait été blessée par le désintérêt apparent d'Emina et avait fini par nier tout à fait l'existence de la jeune fille. Dans les natures égoïstes, l'échec de la séduction appelle le meurtre. Théodora avait été la plus rapide au jeu de l'indifférence, Emina se martyrisant des abandons successifs dont elle était victime de la part de ses proches. L'inexpressivité, ce masque que la grande présence folle mettait sur son visage pour mieux la torturer, lui avait fait perdre d'abord les reflets dissociés, les « amis » comme disent les gens normaux, qu'elle avait pu trouver au hasard des écoles privées où l'on n'avait cessé de l'inscrire et de la retirer. Puis le monstre composé qui avait contribué à son éducation lorsque sa mère s'était suicidée : sa marraine allemande, tata Claudia ; tata Mimi, une tahitienne, et enfin tata Annette, une choriste française expatriée à New York, ces trois têtes aux entrailles communautaires nourries par Momo s'étaient détournées d'elle petit à petit. L'Allemande et la Tahitienne à cause de l'éloignement, la tata française parce qu'elle était méchante comme tous les expatriés français. Le dernier tunnel catatonique avait eu raison de son dernier soutien. Devant les dégâts, celui que les Zurichois s'obstinaient à appeler son « père » s'était à son tour lassé d'elle. Confronté à son immobilité, ce martyre de trois mois subi sur une chaise de formica 1960 face à un mur, DJMOmo avait cessé de venir la voir. Il ne pouvait se douter que, pendant qu'il essayait d'établir le contact, sa voix parvenait à Emina pleine de messages dont elle avait perdu momentanément le code. Elle se concentrait avec patience à travailler et à retravailler, tissant d'infinis réseaux, l'idée qu'elle se faisait de Théodora. Il ne pouvait se douter non plus de la peur immense et inexpressive que les abandons successifs, le dernier surtout, provoquaient dans une partie d'elle-même où s'était déplacée son affectivité : le muscle crural. La seule marque émotive qui subsistait en Emina, au milieu de son intense concentration intellectuelle, était un tremblement de la cuisse gauche intervenu après la dernière visite de DJMOmo.

Aujourd'hui dans la voiture, la chaise catatonique n'est plus là, la cuisse gauche de la jeune fille ne tremble plus, mais elle sent monter en regardant Théodora la peur que lui inspire le reflet traversé d'étoiles, la morphologie de ce visage tant scruté. Oubliée, la nuit passée, oublié, le lit chaud de l'Alphonse XIII, oubliés, les ronflements de bouledogue et la petite bave si suave qui coulait de sa bouche à son épaule nue, oublié, son cœur de reine qui battait sous son sein. La peur revient, montant comme du patame dans le corps horizontal. L'horizon, la femme qui téléphone, c'est la mort de l'amour. L'indifférence. Sans les images de BKK défilant joyeusement dans un second reflet, l'inanimation du beau visage haï aurait fait replonger la jeune fille. Qui déjà ? – la jeune fille sans nom. Pour redevenir quelque chose, pour bloquer la crise, elle doit se concentrer à nouveau sur la figurine intérieure, la beauté digérée à jamais mienne.

Ce travail imaginaire, cette reconstruction intérieure en maillons à partir de milliers de données réelles, redevient aussitôt si absorbant qu'elle craint de ne pouvoir en sortir. Le processus réclame des millions d'études préparatoires, des recoupements si millimétrés qu'il peut user une vie entière. Le seul point de comparaison, bien que très loin d'avoir la même ampleur, était un logiciel 3D conçu par Disney-Pixar pour élaborer, en extension du *Muppet Show*, la série *La Famille Dupont.* Cette reconstitution en image intérieure d'un avatar de Théodora lui avait demandé trois mois d'élaboration, encore le résultat n'était-il pas parfait. Comme souvent la technique achoppait sur des obstacles très simples dont le premier était la peau. Reconstituer les composantes en relief d'une personnalité et d'un corps selon les habituelles données cellulaires en polygones ne posait aucune difficulté. Le temps nécessaire à l'ébauche, d'infinis calculs simples mais trop nombreux pour un cerveau humain ordinaire, s'évaluait chez ce génie dévasté, en jours. Trois journées passées sur une chaise le front bien posé contre un plan vertical (le mur) et trois nuits d'insomnies dans la même exacte position suffisaient pour calculer et construire un maillage de polygones divergents. La beauté plastique de Théodora était très facile à définir en proportions et en volume : petitesse de la tête, amplitude des yeux, longueur générale des membres la rapprochaient de figures de vieux dessins animés comme *Les Aristochats.* Au premier abord, Emina avait cru pouvoir résoudre assez vite aussi les difficultés habituelles posées par la peau. La nuance caramel, le lissé particulièrement fin de la surface granulaire de Théodora était plus facile à imiter que des objets de structure moléculaire pourtant plus simples comme le fromage de Gruyère. La lumière, les ombres, cette translucidité propre à la reconstitution 3D, s'y distribuaient suivant un estompage et des valeurs peu différents de celui du sac Hermès en cuir naturel, « *my Herrmez bag* », qui prolongeait habituellement la patte avant droite. Il en allait de même pour le caractère et l'expressivité vocale. Une nasalité grinçante de type est-asiatique, une élocution heurtée, une sonorisation poussée dans les sifflantes apicodentales (*z*), le *r* rocailleux de la langue siamoise, une morale publicitaire faite de formules simples, de slogans exprimés dans un anglais rude et primaire. Pour définir la voix synthétique, Emina avait utilisé une phrase qui revenait en refrain dans la bouche de Théodora : « *Happinez iz eazy.* » Pour donner du relief en particulier dans les modulations d'humeur, il avait fallu mixer cette première piste avec les voix du canard d'un dessin animé de Tex Avery, Daffy Duck. En crise, Théodora 2 devenait un canard survolté, les messages menaçants ou rageurs étant transformés en cancans de palmipède du type « coin-coin ». Son caractère obéissait à des moteurs très simples, une série d'appétits ordinaires aux personnages féminins de la comédie contemporaine : coquetterie, convoitise, gourmandise, amour immodéré des devises et des cartes de crédit. À ces données simples s'ajoutaient des spécificités : un désordre mental dû à une éducation mal bouclée dans les écoles privées de BKK, une vantardise aiguisée par la prise d'alcool ou de stupéfiants, une tendance à perdre tous les objets de valeur en sa possession : montres anciennes, broches, cartes de crédit, enveloppes de cash et surtout téléphones – un téléphone mobile par aéroport et par taxi en moyenne. Cette dernière saillie offrait les avantages d'un défaut récurrent, le type même de running gag qui donne un relief de caractère indispensable à un personnage de série. Il fit dilater de joie le ventre d'Emina, au plus noir de la catatonie lorsque des escarres commençaient à s'ouvrir sur ses cuisses blessées par l'arête de plastique décollée de la chaise de cuisine.

En trois mois d'immobilité, Emina avait accompli le travail d'adaptation d'un être extérieur échappant à tout contrôle, et donc objet de souffrance, aux dimensions d'une effigie intérieure presque tout à fait réduite aux proportions et aux exigences d'un usage ludique tridimensionnel. Théodora 2 était une poupée intérieure douée de l'humour, de la simplicité et de l'efficacité d'une créature d'animation. C'est à ce moment que le test d'incrustation de Théodora 2 en tant qu'avatar invité à l'intérieur d'une série, *La Famille Dupont*, devenait possible. Ce travail d'incrustation nécessitait l'usage d'un computer, d'une tablette ou d'une télévision, des objets interdits par les Zurichois.

Il aurait donc fallu déverrouiller la catatonie sans dissoudre l'image intérieure et perdre en un mouvement de cils ou d'orteil réactivé les millions de données nécessaires à la mémorisation et à l'animation de l'avatar. La seule solution était la création d'une double mémoire, une sorte d'ombre porte-valise, de disque externe, qui aurait conservé l'avatar dans son état de fonctionnement jusqu'au moment propice, quand la jeune convalescente à nouveau mobile serait laissée à proximité d'un écran plasma ou même d'un téléphone cellulaire. Cette création seconde nécessitait une opération douloureuse pour la conscience-phalle dont la principale fonction était d'enrayer toute tentative de fragmentation du sujet. Contrairement aux théories simplistes des Zurichois, Emina combattait en permanence, de manière bien plus efficace que les molécules chimiques, contre la multiplication ou la division de sa conscience-phalle, cette fameuse fissuration du moi, sur quoi reposait la symptomatologie du Zurichois Bleuler. C'était même ce combat qui occupait les tunnels catatoniques, cette guerre de positions contre l'envol divisionnel.

L'Ange lui offrit une échappatoire : un berlingot de jus d'orange déposé par un officier de santé sur son plateau. L'infirmier, un novice, ignorait le régime particulier d'Emina à base de patame liquide injecté à la sonde. Le processus de copie et de transfert par rayon infra-psychique ne prit qu'un éclair de temps. Une fois l'avatar 3D de Théodora passé dans sa nouvelle enveloppe, il fallait mettre le tout à l'abri. Emina avait donc réveillé petit à petit son corps en apnée. Récupérant le bras gauche que le mur avait transformé depuis trois mois en luminaire décoratif éteint, elle avait caché Théodora 2 sous sa blouse. L'avatar, ironie du sort, avait ensuite transité en clandestin dans le sac de la vraie Théodora avant de se reposer dans le minibar du Dolder-Palace. En transférer l'export avait été l'affaire d'une seconde.

— *Wherre iz my Herrmez bag ? Oh nice ! Pedrro love my frriend !*

Pedro, le vieux chien chinois, lève les yeux par-dessus ses lunettes. Il regarde Théodora qui vient de faire irruption sans y être invitée dans la série consacrée par Disney-Pixar à sa famille. La crête blanche qui lui tombe au-dessus des pupilles accentue encore la froideur du regard. Comme à l'ordinaire lorsqu'une bouteille de vin blanc se trouve dans le champ, le museau est rouge brique. Un vague grognement en français (sous-titré en anglais) informe qu'il est en train de relire sa collection de faire-part de décès. Un gag récurrent qui fait toujours rire Zibbedé au bout de cent épisodes. Aussi snob que méchant, Pedro, le sous-chef de la famille Dupont, collectionne les faire-part de décès de ses « amis » morts depuis quarante ans. En tant que Muppet asiatique arriviste, Théodora ne peut que susciter le mépris de Pedro, en tant qu'épouse de DJMOmo, star mondiale, elle bénéficie toutefois de quelques points. Reste à savoir ce qu'en pensera le vrai chef de la famille, la fille de Pedro, Zénia, un Muppet obèse souffrant de boulimie agressive. Théodora avec sa silhouette d'Aristochat et son carnet mondain acheté en duty free au country-club de Hong-Kong ou de BKK a tout à craindre de cette confrontation.

Avec cette inconscience magnifique qui la porte, Théodora s'est appuyée sur l'épaule de Pedro qu'horri-

pile tout contact physique. Les longues boucles brunes caressent le museau sanguin du vieux chien. Pedro se dégage, une lueur ironique et glaciale s'allume dans ses petits yeux rouges, vite disparus sous l'écran de ses lunettes derrière un reflet dur. Le méchant des Muppets au Moulin-Rouge *(ce film qui l'a lancé avant le développement de son personnage au sein d'une série autonome) vient de trouver une proie qu'il croit facile. Qu'adviendra-t-il de l'affrontement ? (à suivre)*

L'œil d'Emina tressaute sur un rythme désaccordé avec le rire silencieux, intercostal de Zibbedé. L'incrustation n'est pas parfaite. Sa Théodora s'intègre mal dans la famille Dupont. L'appartement parisien du vieux chien chinois, d'un rouge romantique, ce cabinet de collectionneur bourré d'objets précieux niché en plein faubourg Saint-Germain (une version 3D des gravures de l'époque), rejette trop en avant l'avatar importé, un peu rustique, de la chatte siamoise. C'est aux contours que le problème se pose. Il y a autour du corps de Théodora des efflorescences en barbe, ces zones d'ombre qui bavent sur les zones de fond en contact immédiat. Emina doit retravailler les contours et essayer de comprendre mieux comment, tout en limitant son être, la peau de la vraie Théodora s'intègre au réel, aux objets, à l'air ambiant. En revanche, malgré les imperfections techniques, le bout d'essai est prometteur : la psychologie est bonne, les dialogues fusent bien. L'hostilité naturelle de la famille de chiens chinois à crête à tout étranger ne servant pas à leur stratégie d'entrisme, leur *social disorder* opposé à la naïveté barbare de Théodora, la position de rivale qu'elle occupe, crée une bonne dynamique de gags, une opposition de type chiens contre chats où les chiens jouent le rôle des chats.

Sur l'écran de gauche une masse sombre tend à attirer le monde extérieur dans son tourbillon. Emina reconnaît aussitôt le chignon noir en nid d'hirondelle et l'œil de biche d'Amy Winehouse. Avant la maladie, comme toutes les filles de son âge, Emina avait sa chanteuse préférée, celle dont elle collait les photos sur les murs de sa chambre. Elle l'avait choisie à sa ressemblance : maigre et pâle, sombre, tatouée, destructrice. La mort d'Amy Winehouse avait précédé d'un jour la dernière grande crise. Selon les Zurichois, ce décès prématuré aurait actualisé le traumatisme provoqué par le suicide de sa mère. Le détachement que l'enfant avait manifesté au moment du décès constituait pour eux le premier symptôme connu du mal qui allait la toucher deux ans plus tard.

Entre Emina et Amy passe l'ombre de Théodora, le temps pour elle d'aller poser un téléphone en recharge sur le vide-poches central. Emina n'a pas besoin de la regarder pour le savoir, aucun geste de Théodora ne lui est étranger, elle a si bien décomposé sa gestuelle et ses automatismes durant le processus d'ingestion recréatrice qu'elle pourrait à la limite se contenter de l'ébauche d'une intention quelconque à la commissure des paupières, pour anticiper aussitôt le mouvement complet. La passion qu'Emina voue à Théodora repose sur un jeu entre proximité et dédain, sur la souffrance que provoque la beauté ici-bas et la déréliction qui en découle. Amy, qu'elle n'a jamais rencontrée, aurait pu tenir, comme pour d'autres adolescentes scolarisées avec elle, la place d'une mère idéale, imparfaite, belle, laide, pucelle et jumelle. L'une était proche mais lointaine, l'autre semblait lointaine et proche

L'anormale intelligence d'Emina ne se contentait pas d'un artifice. Dès le début, elle avait compris la faiblesse de ce genre de dévotion, elle se trouvait ridicule d'aimer ainsi comme des milliers d'autres adolescentes une chanteuse célèbre. Lorsqu'elle rentrait à Savanna-la-Mar pour les vacances ou qu'elle rejoignait sa famille dans n'importe quel hôtel du monde, l'autorité narquoise de DJMOmo rendait impossible toute ferveur à l'égard de personnages qui n'avaient aucun secret pour lui. La dévotion exige mystère et humilité. Baignée dans l'industrie du disque, sortie des niaiseries homosexuelles de la pension, Emina ne pouvait vénérer longtemps celle que DJMOmo nommait la « bouffonne alcoolique ». DJMOmo n'avait aucun respect pour personne. Son mépris et ses sarcasmes avaient d'autant plus d'impact qu'il n'insistait jamais. Un chuchotis méprisant lâché d'une voix éteinte d'asthmatique avait suffi à détruire toute possibilité d'amour chez la jeune fille. C'est le rôle d'un père.

La mort d'Amy lui rendit son prestige. Dans la tiédeur du petit Ritz de Madrid, derrière d'épais rideaux doublés de voilages poussiéreux qui la protégeaient des incendies extérieurs, Emina avait passé un long après-midi de juillet à regarder en boucle un clip en noir et blanc gothique et charbonneux qui mettait en scène la morte enterrant son propre cœur dans un cimetière. L'odeur de la chambre, les voilages, les épais rideaux, les passementeries défaites dont les pompons pendaient comme des testicules ou des nids d'araignées auraient pu lui rappeler l'appartement de la place du Brésil le jour de la levée du corps de sa mère, mais sa mémoire dissociative avait détaché les souvenirs de l'affectif. Sa conscience-phalle lui permettait d'isoler sa vie intérieure de la corruption temporelle. Le retour éternel d'Amy dans un cimetière anglais qu'elle ingérait image par image avait plus de réalité que la place du Brésil ou que les couloirs du petit Ritz de Madrid. L'ingestion accomplie, Emina s'était détournée de son idole. Un seul mouvement de Théodora vivante là maintenant, une infime variation des contours caramel sur le siège de cuir blanc de la Mercedes, suffisait à faire disparaître l'image plate de l'œil de biche, le tourniquet à l'amazone si élégant qu'Amy savait donner à ses jambes pour sortir d'une limousine, la manière qu'elle avait d'enlacer les accoudoirs des fauteuils Louis XVI et les souvenirs de la mère. Le trauma continuait à défiler quelque part mais sans affecter des élaborations intérieures beaucoup plus sophistiquées et intéressantes que la simple souffrance affective, cet affect primaire tout juste bon à remuer une petite fille normale. Emina n'excluait pas qu'il existât en elle un organe secondaire spécialement adapté pour digérer ce genre de pathos. La mort d'une mère avait moins d'importance pour la conscience-phalle qu'un subtil arrangement de données permettant la construction d'une animation intérieure. Une illusion créatrice valait mieux que la souffrance ou le deuil. Lorsqu'ils analysaient cette froideur comme la manifestation renversée d'une hypersensibilité morbide, une sorte de retenue ou de déni propre aux psychotiques, les Zurichois sous-estimaient les vertigineuses perspectives de l'orgueil morbide. À ce jeu, la perversité d'un DJMOmo, qui avait eu le vice d'inviter la chanteuse en bout de course à participer à la tournée *Candlelight & Dubonnet on Ice*, avait trouvé son maître. Le combat était inégal. L'orgueil démesuré d'Emina la mettait à l'abri de toute tentative de séduction extérieure, même la cruauté. Le jeu intime la détachait si bien des affects extérieurs que toute manipulation visant à l'émouvoir en était bloquée. DJMOmo avait eu beau se réjouir à l'idée d'humilier une deuxième fois la femme qui avait engendré Emina, à travers un avatar, et par là de ressusciter la souffrance de la petite afin d'en sucer les larmes, rien ne s'était passé comme il le souhaitait. Les rires sans joie des aliénés sont leurs larmes, mais le rire d'Emina n'avait pas retenti.

Sur la scène du stadium de BKK au milieu du bûcher des light shows et des surmultiplications en avatars multiples de la silhouette mussolinienne de DJMOmo, elle amaigrie, fragile d'Amy, tremblotante sur ses corsaires et ses mules, ressemblait à ces chiens qu'on fait cuire dans les rues. Le ventre roux de DJMOmo était capable de la contenir tout entière. Ce ventre-ballon qui tressautait au rythme des synthétiseurs sous les pinces à seins, les tatouages obscènes ou fascistes, avec cette pelouse rousse qui incendiait un slip en strass et coton, ce ventre avait été amoureusement filmé par Théodora, plus peut-être que par tous les grands noms de la photographie ou du cinéma qui étaient passés avant elle. On pouvait supposer, devant la délicatesse de certains plans, que Théodora avait accès à des émotions sensuelles, au frisson. La théorie de la déité froide que caressait Emina certains matins dans son lit était contredite par la volupté qui émanait de ces images. La contradiction portait la marque du grand serpent rouge qui pendait sous les strass comme une couleuvre endormie : elle n'était que suggérée et seulement une seule fois. Cette simple affirmation, molle, dansante que les stroboscopes et les synthétiseurs n'arrivaient ni à masquer ni à démasquer, ce regard porté sur le serpent, ses œufs, la vie qui était libre d'en naître comme d'un ovule, valait plus que toutes les pixélisations, les polygones, les romans et toutes les heures perdues dans des chambres d'hôpital à se meurtrir en dévotions et à méditer.

Une contraction intime exterminatrice manqua d'expulser hors du ventre de la jeune fille toute une guirlande de parasites, de présences oubliées dont un Polichinelle préorgasmique, combinard, ridicule, désœuvré, réduit à la taille d'un fœtus de poule nageant dans la glaire. Les avortons de la folie en sont sa pire dérision. L'horrible rire, le petit rire immonde qui avait retiré dès Venise à la jeune fille toute possibilité d'amour ou d'émotion commençait sa dévastation en sourdine avant d'éclater à l'extérieur, tel un signal d'alarme ou une giclée d'humeur sur le cuir blanc et les bois de la Mercedes… La colère jalouse, qui atteignait chez la jeune fille les dimensions d'un symptôme grave, se manifestait ainsi par des expulsions et des exactions exercées en représailles contre les créatures du dedans. Les ondes de cette colère murée se faisaient aussi sentir à l'extérieur bien au-delà du fumet des renvois gastriques. La force neuronale de la rage arrivait mieux que la concentration 3D à pirater les vidéos. L'immense plateau du Stadium de BKK, filmé pourtant plus de six mois plus tôt, en fut bouleversé sous l'œil inattentif de Théodora. Une irruption volcanique, montée de patame rougeoyant samplée sur un autre film plus ancien mixée en montage parallèle avec l'éclosion d'un œuf de serpent ou d'alligator en sépia, divisa l'image en plusieurs quartiers autonomes alors que la tribune centrale ornée de la croix se teintait de sang. Puis l'œil du serpent-alligator, sa pupille verticale aux allures de vagin clos à peine ému par un début de spasme, obscurcissait les immenses portants de la scène jusqu'à faire disparaître le personnage gesticulant, l'histrion maudit qui occupait la tribune en brandissant d'une main le cercle de Vénus, de l'autre le thyrse d'Apollon. Derrière lui une lune de mort se reflétait sur les eaux noires et blanches d'une mer non spécifiée. Des lettres roses se levèrent sur l'horizon. Le banc-titre en italique : *Candlelight & Dubonnet on Ice* annonçait la montée wagnérienne des boîtes à rythmes.

Pour mettre fin à une telle débauche d'effets, il n'y a que les bombes ou les tirs d'armes automatiques. La cérémonie qu'Emina projetait d'accomplir à Bruxelles ouvrirait le premier acte de sa mission. Les rêveries, les projections, commençaient à s'épuiser. Elles pâlissaient devant la grandeur du projet. Sur la scène du super-stadium de BKK, le volcan imaginaire que sa rage avait suscité s'était transformé en un mamelon cracheur de lumière qui servait au reste, à la gloire de DJMOmo comme l'œil du serpent ou le diable de théâtre d'ombres apparu à droite en silhouette. Cet art de transformer la vie en animations, le rejet et l'hostilité du monde extérieur en arc de triomphe et en trophée, d'intégrer à l'intérieur d'un show des antagonismes des plus destructeurs était le reflet mais aussi la cause des troubles d'Emina. Élevée dans les coulisses de cette fête foraine, de ces congrès permanents, de ces retraites aux flambeaux réorchestrées dans tous les super-stadiums d'Europe, d'Asie et même d'Afrique, comme le concert césarien de Lagos où elle s'était évanouie sous l'oppression de la foule, Emina n'avait pu à cause de tout ce bruit se consacrer aux travaux spirituels, à la recherche de la vérité. L'aspect périssable de la marchandise, les flyers de carton oubliés sitôt vendus à des millions d'exemplaires que trois semaines après son passage à BKK on trouvait par terre au free market, les shows de plus en plus lents et gigantesques qui ne serviraient au mieux qu'à rendre ici et maintenant plus difficile le relevé des ombres sur la face de Théodora, enrageaient et désorganisaient le juste désir que la jeune fille avait de rendre au monde contemporain une hiérarchie et des principes. L'ordre de l'Ange lui revenait alors : la première tâche à accomplir était un sacrifice dont

DJMOmo et douze des membres du premier cercle seraient les agneaux. Zibbedé était bien sûr condamnée mais fallait-il sauver Théodora ? Qui peut dresser le protocole d'un massacre ? L'Ange ? Les troubles qui allaient précéder la réconciliation finale seraient difficiles à arranger, cette cérémonie n'en était que le premier filage.

Derrière les deux écrans plasma, derrière les stores tramés de la Mercedes, la pluie sanglante a recommencé. C'est une pluie sèche, comparable à celle qui noya Sodome, Ninive ou Pompéi, sauf qu'il ne s'agit plus de cendres chaudes et de débris de lave semblables à des plombages dentaires, ceux que la jeune fille recrache après une séance de claquage de dents particulièrement violente, non, il s'agit ici d'une éruption de sang humain sous sa forme sèche, poussiéreuse et toutefois grasse et gluante. Dehors, à la lumière intemporelle de la perception sans objet, la jeune fille sait que le paysage ruisselle désormais de cette matière brune et sèche qui coule comme du gras le long des troncs d'arbres, des objets manufacturés, des cyclotouristes. La nuit est verte mais trouée de confins gris, lugubre à mesure qu'approche l'Œil de la Destruction. La vision de la jeune fille s'est adaptée à l'obscurité, selon un processus connu depuis le XIXe siècle sous le nom de lycanthropie morbide. Dans sa bouche, les dents se sont allongées et effilées comme celles de certains poissons carnivores qui fraient dans les fleuves sans nom de la forêt amazonienne. Elles sont si longues qu'elle ne pourra plus fermer la bouche avant longtemps. Le regard qu'elle coule à l'extérieur n'a plus les mêmes vertus spirituelles, il n'éclaire plus l'esprit et les données qu'il transmet sont aussi anonymes, précises et féroces que le sonar d'un prédateur aveugle.

Au sommet d'une mamelle de poussière montée de la sierra se dressent les tours carrées d'un second palais arabe. L'Alhambra copié a subi une altération par rapport à l'original : il est rétréci aux dimensions d'une termitière ou d'une boîte à chaussures. Posée à mi-distance de l'horizon, cette crèche est le réceptacle d'une charge négative tapie à l'intérieur comme un enfant mort-né. Aucune lune ne pourrait l'éclairer. Il en va de même pour les ânes, les intestins et pour la quantité de sacs-poubelle, de valises crevées, de débris d'appareils domestiques qui s'exhument maintenant un peu partout dans le paysage. La montée d'ordures est un phénomène tardif, il n'est apparu qu'il y a peu, une ou deux minutes peut-être, mais il a tous les aspects d'une réforme durable. Que ce soient les Voix, les présences, ou les petits tourments qui grouillent un peu partout, le point commun des phénomènes anormaux est d'aller toujours augmentant. Certains apaisements font penser qu'ils ont été détruits par la chimie ou qu'ils se sont envolés avec les paroles ; c'est leur tromperie favorite. Quoi de plus angoissant que le silence pour celle qui sait que les Voix vont revenir ainsi que tous les petits monuments poussés au ras du sol pour blesser, griffer, empêtrer, mortifier les pieds, les mollets et les organes non protégés ? L'atmosphère guerrière des grandes pluies sanglantes, les pressions fortes provoquent chez la jeune fille des extractions d'organes soit par descente à travers les voies naturelles, soit par capillarité des tissus. La douloureuse fragilité des parties molles, l'enveloppe d'humeur grasse qui les entoure, ce placenta ordurier crée des adhérences, et s'y collent des mégots, des crachats, diverses poussières. Le seul remède, incertain, se réduit à soutenir les organes à l'aide de filets protecteurs tramés comparables à ceux qu'on utilise pour envelopper certaines salaisons, ou à détourner un objet structurellement cousin : filet à papillon, housse de ballon d'enfant, collant de résille, filet à provisions, macramé.

Sous un monceau de pommes de terre, à moins qu'il ne s'agisse d'amassement de crânes ou de cailloux, la jeune fille a aperçu le temps d'un éclair la croupe d'un cheval mort à demi enfoui, sans doute dans l'idée d'échapper aux frais d'équarrissage. La queue dépasse des boulets terreux comme un chasse-mouches ou la parure de certains casques militaires d'autrefois. La croupe, souple, brune, soyeuse suscite l'envie de la caresser en dépit des ordures qu'elle doit contenir. Cette vision, trop furtive pour être précisée, lui évoque saint Paul. Un Saul renversé que la pluie de pommes de terre maudites, infectées, a laissé sonné sous le paysage sept fois lunaire. Au loin, derrière trois croix plantées à l'envers que le sang fait luire comme des épées, les lumières orange des zones urbaines sculptent dans les nuées des falaises et des gouffres. Le vert qui dominait s'est éteint petit à petit, atténué par la trame des stores. Dans le ciel doucement chauffé par les éclairages périphériques devrait apparaître sous peu une gloire. Une femme géante entourée de têtes d'enfants ailées, têtes de morts de moto-club. L'assomption de la Vierge aux chérubins morts, *Mater Tenebrarum,* est une chose si laide à voir que la jeune fille endormie cherche à se boucher les yeux avec les trompettes de ses oreilles pendant que ses dents aiguilles s'enfoncent dans les filaments de ses lèvres. Le sommeil la paralyse et elle ne peut, immobile, que se laisser dominer. La grande présence folle, Lucifer, se colle à elle la pénétrant de partout. La légion des incubes et de tous les esprits mauvais venus à travers les sierras des gouffres brumeux de Gibraltar lui insuffle mille autres rêves sanglants pareils à de la fumée.

La jeune fille s'est posée sur une bergère rose. Décentré dans la suite Isabel de l'hôtel Alfonso XIII, la seule intacte dans le bâtiment en travaux, toujours en angle au fond d'un couloir ou d'une fausse issue, portes fermées sur une autre suite pleine de gravats, double éteint, abandonné de celle-ci où luisent les voyants rouges des appareils, et les faisceaux étroits des lampes de contrôle, son père se tient peut-être. Le doute est permis car sa masse corporelle molle et changeante anéantit tout effort d'éclairage. C'est une sorte de pyjama symbolique qu'il revêt en même temps que le vrai, lorsqu'il redescend les marches lumineuses, désormais éteintes, suivi par d'âcres projections de sueur et de reniflements. Morveux, bouillant, inexistant, silencieux, il se faufile dans l'obscurité des coulisses et personne n'y prend garde. Les cinquante assistantes aux casques-micros débranchés se fichent désormais de lui comme d'un spectre. Redescendu, il marche sur ses clapettes molles, toutes paillettes oubliées et, s'il en sème quelques-unes sur son passage, elles noircissent en tombant sur le sol noir mat des coulisses tels de menus déchets, des graines antisouris. Quelque part dans l'enchevêtrement des coulisses et des fils d'Ariane de l'électricité, se trouve une loge, toujours la même, toujours différente, sommaire, mal meublée, mal construite, une petite prison, une cellule de dégrisement, où il va achever de transpirer et d'abandonner toute lumière. Là, mouillé, sans douche, puant, il aime revêtir un de ses nombreux pyjamas, cet anticostume de scène que Théodora lui achète à Paris. Le pyjama aspire ce qui lui reste à expectorer, toute gloire éteinte, ver luisant agoni, il ne lui reste plus qu'à se faufiler de dédale en dédale jusqu'à la grosse voiture noire qui l'emmène à l'hôtel. Parfois Théodora l'attend, parfois non. Lorsqu'elle a bien voulu veiller dans la voiture, elle se penche sur son épaule comme ce soir dans la suite, trouvant dans les poils mouillés de sueur quelque secret breuvage, quelque plaisir avilissant à être l'épouse trop belle de ce gros fantôme.

À portée de crachat de la bergère rose, le rouge d'un charbon ardent, la fumée d'un cigarillo mentholé, à moins qu'il ne s'agisse d'un cône de poudre d'ange, signale la présence de l'affreux sacrement, de l'homme qui paye pour toutes et pour tous. Son silence est un reproche muet d'avoir dû passer un moment seul. Il annonce à Théodora qu'elle va devoir s'humilier. L'avilissement progressif d'une femme est un travail cent fois accompli, le seul dont il ne soit jamais lassé. La démolition de la beauté, l'écrasement sous sa plante de pied molle entre les pinces molles de ses cuisses, l'abaissement permanent, verbal, hurleur ou simplement tactile, réveillent sa paresse. Pourquoi ? Impossible d'asservir Théodora. Ils vont se battre, c'est sûr, mais il n'en sortira rien. Quelques fils débranchés, des appareillages électroniques aussi coûteux qu'un cockpit de Boeing, fichus par terre, tombés dans le marécage de mégots et de verres d'alcool renversés, au pire un bobo, un ongle arraché, une dent branlante. Quelle colère, quelle ruée pourrait venir à bout de Théodora ? Il a trouvé son maître, ne l'appelle-t-il pas lorsqu'il est soûl et totalement perdu «*my last love*» ? Romantisme d'ivrogne, mots qui coulent dans sa barbe avec les grosses larmes salées mêlées de glace au caramel. Ce combat de plusieurs années est entré dans la boîte crânienne d'Emina, comme une double présence, un étirement de chiffons par de petits animaux joueurs. Emina intériorise l'opposition entre homme et femme, à supposer que ces deux-là appartiennent à un genre défini, malgré ses sacs à main à elle ou ses testicules pendants à lui, comme un combat de petits animaux qui s'agiteraient en spirales sur une place normalement réservée aux concepts et à la haute philosophie. L'âme n'est pas un parc à jouer où les minichiens d'un ménage en conflit, les yorks, les bichons, les chiens chinois à crête, les Érinyes domestiques, pourraient s'ébrouer en toute impunité.

Ils n'en ont rien à faire. Ils sont comme ça, ils ne pensent qu'à leurs jeux : gagner de l'argent, se remplir la panse, acheter des banalités et se battre, fourailler, se fourrer, faire patame, voilà leur secret. Des années qu'il n'a pas réfléchi à autre chose qu'à ses intérêts ou à ses combinaisons, à l'enfer du rythme ou alors à des lubricités inspirées par des excitants. L'Occidental chrétien chez lui a cédé la place à un animal, mi-slave, mi-singe, mi-nègre, mi-cendres, un suceur de mégots, un renifleur de poussière, un sorte de grosse paire de bijoux gangsta toujours à la limite du débordement de la petite coulée délicieuse ou de la colère sombre, animale, une brute, un jouisseur, un bélier. Voilà l'Occidental. C'est pour ça qu'il porte un masque solaire piqueté de petits poux en strass, parce qu'il n'a plus d'yeux, au sens où ceux-ci ne sont plus les fenêtres de l'âme. Un condamné à mort rendu fou à force de renégocier l'échéance de sa peine : voilà l'Occident. Tout est à refaire.

Son père l'observe-t-il ? Difficile de le savoir. Dans l'obscurité peu à peu déchiffrable, sous l'écran vert de la visière de base-ball, le casque, sa couronne de roi ou de pilote oscille, battant un rythme électronique à peine audible. Les tablettes lumineuses au nombre d'une demi-douzaine, toutes branchées sur des sites pornographiques ou boursiers, éclairent par flashs comme des phares de voiture, le masque solaire semi-transparent orné d'une gorgone de plastique doré, le nez graisseux, le sphincter buccal, les grandes lèvres poilues puis l'effondrement massif et mou de la falaise picotante, vague de graisse mentonnière piquetée de pointes blanches que la mollesse des tee-shirts ou des cols de pyjamas ne suffit pas à comprimer mais qui n'entreront plus jamais dans un col de chemise. L'architecture affalée de son enveloppe ne procède que par vagues successives, aucune élévation, son corps ressemble à celui des escargots mais sans l'armure. Un étron. C'est lui-même qui le dit. Et c'est pour cela qu'il pue et non à cause des nappes de gaz comprimées dans sa panse. Il n'a aucun respect pour l'amour des autres, pour les traditions, les lois, la religion, l'hospitalité, la vertu, le courage. Il coule sur le monde, dégouline, envahit, triomphe par le seul principe qu'il connaisse, une idée de bébé : l'attraction terrestre. Tout finit toujours par tomber. Dans sa bouche, dans ses poches, entre ses jambes. D'ailleurs il laisse tout tomber par terre sur les moquettes des hôtels, sans se baisser jamais, il n'en est plus capable, préférant racheter le matériel, les poudres, les pilules, les cigarettes, les verres d'alcool, les pots de Ben & Jerry's, les billets de banque, que de faire l'effort de se pencher. Si sa clapette en plastique ornée de la virgule de Nike se détache de ses orteils, parce qu'il a battu du rythme ou qu'il a essayé de fourrer son pied quelque part, il ne la ramassera jamais, restant boiteux jusqu'à ce que Théodora, l'esclave la plus chère au monde, la lui enfile, en prenant garde de ne pas toucher le poulpe griffu.

— Alors pépette, quoi de neuf ?

Ses mots s'adressent à Emina, Emina qui est allée se poser quelque part dans un recoin de la chambre, dans les plis d'un rideau comme un papillon de nuit. Pourquoi s'en prendre à Emina alors que Théodora et Zizi s'acharnent à essayer de distraire sa fureur en l'éventant, en le tapotant, en le baisouillant de mots doux, dans le gling-gling des bijoux et des chaînes d'or, comme les esclaves infibulées d'un roi nègre ? Il a saisi que son ancienne favorite voletait dans son coin pour s'isoler de lui, négliger sa présence et s'abandonner à la philosophie, à la recherche de la vérité et échapper une fois de plus à la raison. Pascalienne, redevenue belle comme avant la maladie, la jeune fille s'est blottie contre l'huisserie d'une fenêtre entre le drapé poussiéreux du rideau et le double vitrage givré par la climatisation. Derrière les palmiers gris du paseo de las Delicias où dorment des perruches, elle suit les phares des voitures, un groupe d'êtres vivants qui remontent le long des grilles du Palacio. Qui n'est jamais devenu fou ne connaît pas le bonheur de voir la réalité du monde ressusciter une nouvelle fois en lieu et place de la perception sans objet et des visions morbides. Le simple claquement de talon d'une chaussure de femme, le roulement creux et stupide d'une valise trolley, des rires, de vrais arbres, les grilles rouillées, pourtant hérissées comme des instruments de torture de l'Inquisition, mais bonnes, simplement parce qu'elles sont vraies, l'existence même de l'Espagne, la nuit andalouse, tout rassure, caresse les sens, redresse les possibles. À l'opposé des formes avachies, des casquettes de base-ball, des cachets et de la musique électronique, à l'opposé de celui qui l'a rendue folle, le vieil Occident peut encore exister, sortir de la nuit médiévale où la guerre économique l'a plongé, renaître. De nouveau, les palais seront habités par des puissances ferventes, et le trône de l'église sera rétabli.

Emina perçoit à travers les murs, les moquettes et le plancher vibrant sous la boîte à rythmes, le grand hôtel vidé, explosé par les défonceuses, noyé dans les poussières du plâtre et les gravats des faux plafonds écroulés. Par privilège, les actionnaires de l'Alfonso XIII pressés par la maison d'Espagne ont préservé la suite Isabel, capsule de luxe ancien, catholique, au milieu du chantier. C'est bien le goût de son père de forcer ainsi les autorités déchues à prélever, pour lui le destructeur, un peu de luxe ancien de belle volupté disparue. Puisqu'il n'a pu obtenir des Arabes la réouverture du Ritz de Paris, il s'est acharné sur Séville et il a eu gain de cause : un grand hôtel détruit à soi seul, un bunker au milieu des colonnes ébranlées, des stucs schizoïdes, fendus par des crevasses, dangereux arrangement d'où pendent des filets de poussière, de vieilles crasses couleur de tarentule.

Partout des bâches, une mer de plastiques transparents du genre de ceux qui étouffent dans les mers souillées du tiers-monde les animaux mangeurs de méduses. Ainsi la vérité est-elle toujours voilée, offrant des décombres d'opérette, des enveloppements fantomatiques, des facilités, un lissage rendu possible par la minutie des techniques modernes. Le détachement perlé des vieux instruments de musique, la lumière de demi-teinte des grands peintres d'autrefois, même si eux aussi participaient à la trame démoniaque de l'imagination, tout ce travail bien supérieur aux logiciels les plus puissants ou aux méditations bien reculées dans les salles télé par l'esprit d'une folle, tout ce travail est non seulement repoussé mais détruit par l'avancée technique, les rénovateurs de fresques, les ingénieurs du son, les décorateurs, les iconoclastes.

Le goût, cet indice de l'âme, se réduit à la perception des différences, non seulement des nuances mais, entre les nuances, des sauts, des minimes failles qui permettent aux objets des sons de retrouver l'unité à la seule lumière de la clarté. L'éclair de l'intelligence, la clarté, cette communion de l'âme et du monde, cette création est rendue impossible par le flou de la fausse précision technique, les effets de surface, le voile d'Isis, le glaçage. Cela, l'ombre grasse dans le coin de la pièce, bloquant tout par son ventre et ses instruments, cela il ou elle, peu importent les lois de l'accord, le sait. L'opposition entre DJMOmo et Emina n'est pas seulement celle d'un père et d'une fille, d'un violeur et de sa victime, d'un vieillard et d'une fleur fraîche, mais celle du chaos et de l'ordre ancien. Sans s'arrêter à la raison ou à l'ironie où se confine ce comptable branleur avec ses dépenses et ses excès, elle fait fi et coincée dans le pli du rideau, elle n'est pas acculée mais ouverte sur le monde, bien plus que lui dans ses recoins, ses placards, sa technique, ses lumières et ses limousines.

Pour le faire enrager, Emina lui montre sa consciencephalle, l'arme qui le détruira lui et toute sa clique. Rose et timide, le symbole physique de l'âme pointe entre ses lèvres. On dirait un petit animal moqueur, une limace joueuse, le museau de la souris Jerry de Tom & Jerry.

— Ah petite salope ! Tu me tires la langue... Tu ne perds rien pour attendre !

Il ricane de sa propre méchanceté. Combien de temps dans sa vie aura-t-il passé à rire sur lui-même, à pleurer sur lui-même ou, et c'est nouveau, à se compisser. C'est l'inconvénient des entassements, de l'avarice, du poids, de l'âge. L'égoïsme grandit et la malpropreté aussi, le corps déborde d'humeurs. Plus d'hygiène, des années qu'il n'a pas pris un bain. Le bandeau solaire fait défiler ses strass sous une lampe de contrôle. Emina sait maintenant qu'il ne la quittera pas des yeux. Ses fausses dents luisent dans sa barbe. C'est la danse des petits poux. Il n'a pas dû avoir le courage de mettre son pyjama. Il porte juste un tee-shirt et, en dessous, en bas, dans les plis, c'est le mystère sans cesse éventé, le nid du serpent et de ses œufs. Ses poils lui suffisent, souvent il ne porte rien d'autre.

— Tu devrais toi aussi te mettre à l'aise ma chérie, j'ai envie que tu danses pour moi.

L'envie vient de l'intérieur d'Emina. Lui chauffe la base du ventre là où la boue s'élabore. Comme de l'eau chaude, il sait titiller, réveiller des envies immondes dans tous les êtres qu'il colonise. C'est son système à lui pour attirer les autres, les amener à s'intéresser à lui, à piocher les deux œufs qu'il réchauffe sous lui. Il leur promet de la poussière, de l'argent, un cornet de poudre, un parachute, des caresses. L'envie de danser monte autour d'Emina, une vapeur, un patame gazeux, la brume de Venise. Pour s'y opposer, il faut qu'elle s'extraie d'elle-même. Sa maladie a commencé comme ça : un besoin de s'extraire pour échapper à ce que les étants normaux appellent l'orgasme. Elle cherche une issue. Le plancher ou la vitre ? L'hôtel ? Les entrailles ou le vent nocturne ? L'eau des fontaines ? La grande ville éteinte aux lampadaires Art nouveau ? Les chaînes du Palacio ? Las Delicias ? Les statues debout sur le ciel ? Les papillons, ou bien, çà et là, une vitrine allumée ? Des êtres ? La philosophie pourrait jouer le rôle du souterrain par où s'échapper.

Mais Emina ne sait plus où s'ouvre le col du sphincter intellectuel.

— Nous le savons bien, ma puce, la Bible en témoigne : depuis toujours les filles dansent pour leur père…

Qui est nous ? Il y a du moi dans *nous*, mais *moi* n'est plus là, plus à vendre et que sait-il des traditions chrétiennes, ce barbare de la côte Ouest, ce Beach Boy, ce Barbapapa, ce milliardaire, ce slip ?

Le travail inférieur, les mille petits agents de l'envie la vident de son courage, elle va bientôt perdre la force de résister. Déjà elle ne peut plus s'isoler, se compartimenter assez vite pour fuir en elle-même ou dans un organe périphérique, une prolongation d'appoint mise à sa disposition par la maladie. On ne joue pas à cache-cache avec le néant. Même la nuit extérieure, la nuit chaude de Séville, lui fait défection depuis que quelqu'un, Théodora sans aucun doute, a allumé en grand la lumière de la salle de bains. L'espace de liberté qu'ouvrait sous la joue d'Emina le plan glacé du double vitrage a fait place à un écran pornographique, une promesse d'orgie. La fête va commencer, la grande poupée magnifique s'y prépare, révélant derrière les appareils à sons, les fils sadiques de l'électricité, les loupiotes obscènes des consoles, une croupe brune, suspendue, couverte d'une simple enveloppe de soie crème fendue d'ombre verticale, frangée de dentelles et de fine fourrure, amie de tous les miroirs.

Très loin derrière, dans l'eau du miroir, une seconde figure apparaît petit à petit. Pour la discerner, il faut changer la focale, resserrer le sphincter oculaire, flouter la poupée du premier plan qui devient ce qu'elle devrait rester : un ornement décoratif du cadre. L'autre figure vient inverser le sens du spectacle. Elle semble avoir perdu ses ailes, à moins qu'elle ne les ait repliées derrière elle, dans une élégante posture inspirée de certains papillons de nuit ou des colibris de Savanna-la-Mar. La jeune fille ailée bouge, légèrement agitée, vibrant d'une impulsion secrète venue d'un courant d'air ou de son système nerveux. Elle est prête à s'envoler. Derrière elle, de grands carreaux noirs et blancs dessinent un décor abstrait, bordé sur chaque flanc par des rideaux de théâtre d'un rose usé. Une conscience normale dépourvue des facultés propres à la conscience-phalle verrait dans ce tableau le reflet en abîme de la jeune fille appuyée à la fenêtre, reflétée par le miroir, lui-même reflété par les carreaux. Ce serait la vision d'une intelligence baroque mais saine, l'explication logique du phénomène. La conscience-phalle, plus fine, donc plus incertaine, discerne certains détails que l'œil nu ne sait apercevoir. La distorsion majeure entre la perception sans objet et la perception normale se réduit à une infime modification des plans, une invraisemblance optique, un jeu des sept erreurs. La jeune fille ailée se trouve de face ou de trois quarts, le visage orienté dans le même sens que celui de la vraie jeune fille, tourné vers la fenêtre. Comment pourrait-elle se voir de face, s'il s'agissait d'un reflet, alors que pour regarder la vitre, elle tourne le dos au miroir ? Il s'agit donc bien d'une autre présence, les êtres comme la jeune fille, les fous, ne se voient pas, ils se dédoublent. Ils sont plus riches d'autant d'avatars dispersés çà et là, prêts à prendre en charge les défauts de l'âme qu'une conscience unifiée ne peut accepter. Ainsi l'envie d'obéir aux ordres de l'autre, l'envie de danser et de se déshabiller pourrait-elle être prise en charge par la jeune fille ailée ou le corps inhabité qui voit le reflet dans le miroir.

Lui, au premier plan, s'agite, sa masse corporelle à lui n'aime pas jouer les enjolivements. Il bande, il réclame de l'attention. Sous le bandeau étoilé, sous les gorgones de plastique bleu, entre les poils, un gros muscle rose et gris frétille. Une conscience chargée, dénaturée, limitée à l'instinct, dépouillée des yeux de la raison. Ce mouvement sert seul à animer le tableau puisque Théodora est partie derrière la cloison, au fond de la salle de bains, ôter son petit linge ou simplement remuer de l'eau, faire couler des liquides, humecter des lingettes, brasser des affaires de femme. Maintenant voilà que deux grandes oreilles d'âne en forme de mains étoilées oscillent des deux côtés de la masse faciale. L'une d'entre elles est éclairée d'un fanal rouge, un cigarillo. Contre le muscle rose et gris, les sphincters buccaux se referment sans trop se resserrer de manière à laisser passer l'air qu'il expire en faisant un bruit de trompette bouchée, de lâcher de gaz, de prout.

Ah ! Du vent, il en aura fait dans sa vie… Puisqu'il est dit qu'on progresse toujours, les gains, les profits de la sagesse n'ayant pas de siège, l'être compense par d'autres enrichissements : l'argent, le cancer, la pornographie, les toutous et les fonctions naturelles, les déjections, les gaz. Quand l'accumulation d'aliments sucrés, d'alcool, de cacahuètes, de croûtes de fromage n'arrive pas à suffire à la tâche, il s'anime avec des solutions d'enfant, des blagues. Caca-pipi, voilà la vie ou ce qu'il en reste. Ému par son geste, il semble s'agiter, vibrer dans sa graisse, rissoler dans son fauteuil voltaire. Il va se lever, c'est sûr… Malgré les fils qui l'attachent par les oreilles comme des tubes de goutte-à-goutte. Le lit de la maladie dont il ne peut s'arracher sans souffrir, c'est la musique primaire dont on entend mieux le rythme depuis qu'il a laissé glisser les écouteurs sur ses épaules. Une glace fondue, un monceau, il faudra une sacrée décharge pour lever ça. Un courant de chaise électrique. D'ailleurs ça sent le poil brûlé, en bougeant son casque il a dû faire tomber le charbon du cigarillo quelque part dans sa toison. Il se lève. Tout un événement à quoi Théodora devrait assister au lieu de se cacher dans la salle de bains, vite ! Avant que les fils des écouteurs, les tubes enroulés autour de son ventre, tant la paresse est bonne tisseuse, avant que tout le carcan de son inutilité le fasse retomber sous un couvercle comme un diable dans sa boîte. Il se lève tout branlant et, surprise ! Pour une fois, il n'est ni nu ni en pyjama, il porte un caleçon long, voire une pièce plus habillée : un pantacourt, un jogging… non, un smogging… un grand étui mou avec un élastique qui lui descend au ras du pubis. Monté sur ses clapettes, branlant comme un colosse.

Va-t-il retomber ? Même pas. Il reste incertain, il branle sur ses babouches américaines, ses pieds d'éléphant gonflés par une sorte de chyme liquide s'écrasent sur le sol, voûte plantaire effondrée, gros orteil aplati. Les centaines de chaussettes de contention que Théodora lui avait achetées à la parapharmacie du Taj Mahal ont depuis longtemps fini à la poubelle. Une dissymétrie s'accentue entre la jambe gauche et la droite. L'enflure de l'une due à une mauvaise répartition des liquides corporels donne envie de crever l'abcès avec une aiguille pour voir couler l'eau en petite flaque par terre et assister à la réapparition des malléoles. Une dessinatrice comme Emina sait que du squelette dépend l'homme, le squelette, armature secrète qui pointe élégamment, parfois fait plus pour l'homme que la chair.

— On vaaa danser !

L'allongement sinistre des voyelles, les -on, les -a, les -an, les -é, donne à cette phrase une dimension menaçante. On dirait un clown criminel. Un ours. Et voilà qu'il tripote son smogging, dancing bear faisant osciller comme des cotillons les trois barrettes dorées qui ornent la face extérieure des cuisses. Ça gondole, Ça danse mollement sous la lumière de la lampe. C'est un show familial, plus intime que les concerts privés de l'Apollo ou de l'Olympia. Un striptease de baraque. Il gigote, tiraille, titille les petits cordons qui, une fois noués, évitent à la belle enveloppe noir et doré du smogging de tomber à bas, de se tirebouchonner autour des chevilles, crâne d'Adam posé au pied des deux colonnes blanches et velues qui montent vers l'azur du tee-shirt. Soudain c'est l'effet de style attendu, il défait le nœud et se déculotte en douceur, on sent le travail, le show business, l'influence du lap dancing. Le smogging glisse, deux grosses masses blanches ornées en leur centre d'un filet décoratif de poils roux apparaissent dans l'éclairage théâtral des lampes de contrôle. Pas de poursuite, il faut faire sans, à la guerre comme à la guerre. De toute façon, il est si paresseux qu'il préfère osciller d'un pied sur l'autre sans se mouvoir. Chaque pomme de son cul est ornée d'une figure tatouée, deux diables presque identiques, des diables de fête foraine, tout rouges avec une barbiche et les cornes. L'un des deux fume la pipe. Quand il écarte les fesses, on voit la fumée rousse. Bravo l'artiste ! Dommage qu'il ne puisse y avoir un bis, des fesses on n'en a que deux. Le nudisme est sa vraie nature. Il n'attendait que ça, que ses femmes rentrent, pour pouvoir se mettre en scène, montrer ses tatouages, faire bouger ses mollets, ses œufs, les faux muscles en graisse de porc qui sculptent son poitrail. Le public est restreint, la famille encore et parfois des amis, des académiciens, des silhouettes qui se dessinent à peine noyées dans l'obscurité des fauteuils confortables, fleuris, couronnés des lauriers d'or des grands hôtels. Ses amis sont légion mais nul ne le connaît. Ils ne sont pas là pour ça mais pour profiter du buffet, parasiter, sucer les pailles des grands verres et des miroirs. Ce soir il n'y en a pas, ou vraiment des petits, peut-être sont-ils assis tout au fond des antichambres secondaires de la suite ou dans le tiroir de la commode avec Polichinelle. Que fabrique Théodora ? On entend des glouglous, des froissements de papier de soie. La garce connaît trop bien la musique pour sortir maintenant. Elle n'aura pas besoin d'attendre longtemps avant qu'il ne s'écroule à nouveau, il n'est pas très autonome, surtout aux lendemains de show. L'hostilité lui est d'un bon secours. Le manque d'enthousiasme de son public peut lui permettre de puiser dans ses réserves. L'excellente stabilité de ses clapettes, la bonne position des pieds, l'équilibre grandiose de son estomac qui ressemble à une horloge, un coucou dont les glandes inférieures seraient les remontoirs secrets, tout cela en plus de la rage d'entendre Théodora, méprisant ses appels, qui continue à trifouiller dans la salle de bains, peut-être qu'elle range ou qu'elle fait le ménage et qu'elle va apparaître avec un torchon sur la tête et des gants de caoutchouc rouges, portés sur sa peau de métisse et ses bras maigres, aristocratiques comme des pattes d'insecte, une mante coiffée, une reine fourmi – toutes ces infimes manifestations d'indifférence –, il ne manquerait plus que les petites jouent dans leur coin au lieu de vénérer leur maître. – Où est passée Zizi ? Elle en a profité pour s'esquiver, se cacher sur le lit d'appoint ou dans l'alcôve ornée d'une gravure représentant la manufacture royale de cigarettes. Il reste la folle, la schizophrène, la plus modeste, la plus intelligente.

La jeune fille sait qu'il la voit maintenant grâce à l'œil de ses bottes dépassant des rideaux. Il regarde de son côté, il fixe les pieds d'une enfant qui joue à cache-cache avec un assassin. Dehors, derrière, c'est la nuit et il ne supporte pas la nuit, il ne supporte pas le jour non plus et encore moins le soleil, il ne supporte que l'électricité, les phares braqués sur lui, l'attention générale... Le soleil n'est pas assez attentif, le monde un peu plus, jamais assez.

Le silence du tapis, l'arrière-musique d'eau douce venue de la salle de bains, le vague chuchotis d'un jeu enfantin émanant d'un écran lointain (celui qui illumine discrètement l'alcôve), les grattements de l'extérieur, un roulement, des voix, un chant de sirène venu d'on ne sait où, l'alcôve ou la salle de bains, la mère ou la fille, avec toutes ces complicités involontaires, il avance doucement vers celle qu'il veut égorger ou plutôt ouvrir comme un poisson afin de la vider enfin de ses idées de folle et du patame qui les enveloppe, tel un papier de boue.

Elle, dans l'isolement affolé du rideau, elle accueille les petits cochons vêtus en collégiens d'autrefois : calot plat à cordonnet, costume de marin à culottes courtes et sandalettes en cuir qui ornaient les draps sanglants du lit de la chambre d'enfant à Salt Lake City à moins que ce ne soit à Savanna-la-Mar. Non, Salt Lake City plutôt, la maison de la prime enfance où se profilait dans le carreau guillotine de la lucarne l'ombre gigantesque de l'ange Moroni. Les petits cochons dansent suivant une chorégraphie simplette, celle des premiers dessins animés, des vieux Mickey en noir et blanc. La comptine accentue l'effet d'inquiétude, le danger porté par le vent nocturne, le rire silencieux de la porte, la poignée qui monte et s'abaisse, le battant qui heurte la gâche fragile dans son logement de bois craqué, fendu, réparé, déjà brisé mille fois. La porte de la chambre est une vieille pourriture fragile, un bout de caisse pourri, une lame de cageot, mais l'ange de bronze reste immobile en reflet sombre sur le papier mural, orné de bergers, de bergères et de fleurs en festons gris, de giclées brunes d'origine inconnue… une caverne.

Le malaise circule. C'est une des pires souffrances imposées par la maladie, ce libre jeu du malaise. Le passage ouvert entre les constructions imaginaires et le monde matériel. Que les rideaux s'agitent à cause d'un frôlement, ou plutôt d'un léger courant d'air suscité par la présence à distance de mouches, d'un membre étranger et peut-être menaçant, et c'est le cœur entier qui s'extériorise dans la trame du vieux tissu poussiéreux. Le rideau devenu cœur battant ou plutôt peau de sein blanche, téton fraîchement poussé de jeune fille, l'étendue du corps au rideau, en élargissant la sensibilité au grand tout multiplie à l'infini les risques de souffrance immédiate. Même le siège où l'homme se laissera retomber tout à l'heure sera devenu une partie noble de la jeune vierge, une bouche, une fleur de chair et de pur sentiment condamnée à subir l'outrage d'un cul. Quand tout fait mal, quand tout peut être molesté, il ne reste plus que le plan des miroirs. Là-bas, cet autre monde dur et frais, impénétrable, où vit la jeune fille ailée, celle qui ne se laissera jamais prendre. Il faudrait pouvoir s'y réfugier tout entière, mais c'est impossible, même le plus intense travail de concentration évasive, cette forme de méditation qui tend à faire évader la conscience du corps malade pour la faire passer dans une autre enveloppe, un papillon, un frêle organisme inaccessible à l'homme et à ses goûts pervers, seulement susceptible d'être écrasé et non pénétré, ne serait-ce que par un petit doigt ou une pointe de stylo, même la plus intense contemplation immobile, longue de plus d'un mois ne peut suffire à gagner cet autre espace. La prison se ferme aux miroirs, et elle est infranchissable.

Certaines glaces communiquent avec l'envers mais pour les mouvoir il faut arriver à faire pivoter de grandes poignées dorées au mécanisme silencieux. Tout doucement abaisser la garde en bec de canard, laisser remonter les deux gâches sans éveiller la fragilité du rideau. Pour y parvenir, la jeune fille doit bloquer son intimité et surtout le sphincter intellectuel, le plus difficile à verrouiller, celui dont la fermeture fait battre le cœur plus fort. Les petits cochons ne lui sont hélas d'aucune utilité, ils ne pensent qu'à chanter et danser leur stupide petite chorégraphie limitée aux dessins mécaniques et simplistes du temps de l'innocence. Ils la gêneraient même plutôt en défilant devant ses yeux, guirlande de papier découpée par la nurse des premiers temps. Le risque majeur est de faire envoler la présence ailée qui glisse dans l'ombre à mesure que la glace pivote et que l'air tiède de la nuit andalouse s'engouffre dans la chambre. La jeune fille n'est pas si mince et elle est encore loin de passer dans l'ouverture. Les deux pans de miroir doivent être écartés davantage mais ils sont gênés par les grands rideaux. Il faut forcer un peu, souffrir encore une fois. S'aplatir, souffrir.

Souffrir lui est facile, il suffit de lâcher prise, de laisser les idées folles entrer librement, sortir, crier, s'agiter. L'aplatissement aura lieu, naturellement l'enveloppe corporelle pourra alors glisser dans la nuit chaude et s'envoler entre les palmiers. Le temps d'un glissement de seconde, la jeune fille passe de l'atmosphère confinée et froide de la vie familiale à l'air chaud, odorant, au bourdonnement du monde extérieur. À cet instant, elle sent l'élan de la liberté, un moment suspendu où la barre d'appui du garde-corps oppresse à peine les muscles plats de son ventre. Elle se penche vers les palmiers et ce mouvement de balancier la transforme. Elle croit enfin être devenue l'autre, l'ailée, celle qui peut tout et ne souffre de rien. Ça ne dure pas. À peine a-t-elle senti la caresse rêche des palmes sur ses joues que le poids de sa tête l'entraîne dans sa chute. Elle ne criera jamais.

3

Nous autres métaphysiciens avons canonisé le réel.

Giorgio de CHIRICO

Qu'est-ce que l'amour, qu'est-ce que l'esprit, qu'est-ce que moi-même ? Le plus difficile au réveil était de me séparer de la peau d'Emina, du fluide qui émanait d'elle pendant notre sommeil. Elle transpirait la nuit et j'étais comme englué dans le drap poisseux, crocheté par son bras ou sa jambe. Une fois arraché du lit, il suffisait que j'ouvre la porte du motel. L'éblouissant soleil, le bruit de la route nationale, le passage d'un poids lourd ou d'une moto m'éveillaient complètement. J'étais de nouveau moi-même, vivant un été éternel, le dernier été croyais-je – à peine avais-je trouvé Emina que je ne cessais d'être persuadé de vivre les choses pour la dernière fois, tous les matins j'aurais pu dire : « Je vous écris de mon lit de mort. » Je sentais le gravier chaud sous mes pieds, au loin, je voyais un rond-point, la réclame du Toys"R"Us d'Algésiras. Je me retournais, je discernais dans l'ombre le pyjama d'Emina, le corps déchiré en deux par les draps, les fesses étroites rayées surélevées par je ne sais quoi, un oreiller ou un pli de couverture grise. Je voyais sa touffe de cheveux blonds sur l'oreiller, on aurait dit un muppet, une poupée désarticulée. Jusque tard dans la nuit, tenus éveillés par la tension qui nous agitait, nous avions parlé en regardant la télévision.

Après, dans son sommeil, elle me réveillait et me disait :

— Je vais essayer de chier.

Ou :

— Je vais manger un yaourt.

En crise de somnambulisme, elle ne pouvait pas manger vraiment, elle recrachait presque tout. Ses selles ne venaient jamais, elle pissait à gros bouillons et elle revenait se coucher, se lover dans mes bras avec son odeur et son haleine. Toujours endormie, elle recommençait à me parler ou à me questionner. Elle était obsédée par le travail qui nous attendait. Les scénarios, les synopsis. Je la calmais en lui pinçant doucement les bras. Elle se taisait. Je pouvais regarder son visage d'enfant. Seize ans au soleil, onze ans sous la veilleuse…

Neuf mois déjà que nous partagions tout. Neuf mois sous pression permanente. Depuis que je l'avais sortie de sa maison de repos, cette fuite en avant immobile semblait devoir durer toujours. Il n'y avait pas d'évolution, ou alors tellement lente qu'elle était invisible, masquée par l'agitation répétitive, les crises quotidiennes qui se succédaient par cycles réguliers.

— Ferme la porte, s'il te plaît.

Le matin, elle n'aimait pas le soleil. Les réveils étaient difficiles, elle ne voyait plus du tout qui j'étais. À cause des médicaments, de l'alcool et de tous les déménagements. Elle s'était renversée sur le dos et avait réuni la couverture sale et le drap médiocre sur elle. Je m'assis à son chevet, elle s'écarta. Ses rêves étaient toujours épouvantables.

— On va travailler aujourd'hui ?

Un ton de reproche, comme si on n'avait rien foutu la veille, et que c'était ma faute. Parce que j'aurais bien voulu sortir. Trouver un endroit plus agréable que ce motel en bordure de la nationale. Tout juste si elle consentait à aller acheter des trucs qu'elle ne mangeait pas dans un Aldi (elle disait Aldin ou Aladin ou Aladin Sane), à côté du Toys"R"Us. Elle ne mangeait rien, mais il fallait faire des courses. Pas énormes, mais quand même un caddie. Toujours en milieu d'après-midi vers quatre heures, au moment où on aurait pu aller à la mer, un projet souvent repoussé.

Elle se montrait très soucieuse des aliments, de leur conservation. Cet état d'esprit durait un moment. Le temps que nous soyons revenus du supermarché et encore un peu après. Elle me laissait ranger le contenu du carton, me demandait cinq fois si j'avais bien mis le lait ou les yaourts au frigidaire. Puis c'était fini pour la soirée.

— Tu crois que le lait est encore bon ?

Tous les matins, elle se persuadait que la nourriture de la veille avait pourri. Je n'arrivais pas à savoir si c'était une réelle inquiétude venue d'un trou de mémoire ou d'une phobie alimentaire, ou alors si elle cherchait à tester ma patience. Je lui répétais très calmement que oui je l'avais acheté hier. Je commençais une liste mais elle m'interrompait : « Ah bon. »

Une fois, au début, avant de prendre cette habitude d'aller faire les courses tous les jours à quatre heures, on avait laissé le lait dehors plusieurs jours. Il avait tourné. Elle l'avait bu sans même s'en apercevoir, tant elle était passionnée par ce qu'elle me racontait, encore un projet de scénario.

— Théodora t'a appelé ?

Elle était venimeuse soudain. Elle se leva d'un coup, cherchant ses godasses et son jean. Une jalousie féroce. Elle me parlait comme si j'étais son père. On aurait cru que c'était moi qui étais marié avec Théodora. Les choses n'avaient fait qu'empirer depuis que sa belle-mère ne donnait plus aucun signe de vie. J'avais l'impression qu'elle regrettait ce silence.

— Tu crois que le lait est encore bon ?

Changement d'humeur, elle avait sa petite voix douce.

On a pris notre café dehors, sur le pas de porte au soleil. Il y avait une table en ciment scellée dans le sol et deux bancs comme sur une aire de pique-nique. Un gros poids lourd manœuvrait sur le parking, crachant des vapeurs de gasoil. Elle regardait ses bras tatoués d'inscriptions diverses, très concentrée. Je n'avais jamais vu quelqu'un s'isoler autant de l'environnement extérieur. J'avais l'impression que le monde n'avait aucune prise sur elle. Elle se parla à elle-même :

— C'est dans un minigolf que la première attaque doit avoir lieu…

Elle leva le nez vers le soleil qui se reflétait dans les verres miroirs des lunettes de soleil de pacotille achetées dans une parapharmacie et qu'elle ne quittait plus. Dès le premier jour, elle avait cassé une branche en s'asseyant dessus. Il avait fallu retourner en voiture acheter du sparadrap alors qu'on était dimanche. La réparation tenait.

— Tu m'écoutes ?

Oui, j'écoutais, mais la plupart du temps cette écoute n'était pas une écoute normale, nous n'avions pas à proprement parler de conversations pendant la journée.

Tous les synopsis qu'elle avait envoyés chez Pixar avaient été refusés. Au début elle avait des réponses rapides par l'entremise d'une fille qu'elle connaissait là-bas, une ex-assistante de son père. Puis la fille avait cessé de la prendre au téléphone. Elle ne se décourageait pas. Le dernier projet était le plus réussi. Tout à fait détaché de ses obsessions familiales. Une femme, une vieille hippie canadienne, se retrouve à cinquante ans (mon âge) obligée de vendre sa maison et de se replier dans un camp de mobil-homes pour seniors comme il en existe en Floride. Elle découvre très vite que cette maison de retraite en caravanes est la proie d'attaques nocturnes. Ce sont des enfants avortés « par toutes les vieilles durant leur existence de merde » qui reviennent les piquer, leur sucer le sang sous forme d'insectes, de frites ou de petits oiseaux selon la taille de l'avorton à l'époque où il avait été éjecté. Pourquoi des frites entre les oiseaux et les insectes ? C'était dans sa tournure d'esprit… Elle devait avoir envie de frites à ce moment-là. Alors elle les incorporait à la fiction, il n'y avait pas de différence entre ce qu'elle disait, ce qu'elle vivait, ce qu'elle voulait manger mais qu'elle n'arrivait souvent pas à manger, alors ça passait dans la bouche autrement.

Je ne voyais pas du tout Pixar ou Disney s'intéresser à ce projet politiquement incorrect mais Emina ne lâchait rien. Sa capacité à se projeter dans l'imaginaire était formidable. Elle parlait sans interruption de ce camp imaginaire en Floride, reconstitué d'après ce qu'elle savait des camps de mobil-homes pour personnes âgées, et comme toujours dès qu'un sujet l'intéressait elle en savait long… Hier elle m'avait dessiné un plan de mémoire comme si elle avait toujours connu l'endroit. J'allais lui répondre que le minigolf était une bonne idée mais elle m'interrompit :

— Il faut que j'appelle mon avocat.

Suivant un chemin que j'ignorais, ses pensées l'avaient menée à un autre circuit d'obsessions : l'avocat spécialisé en droits d'auteur qui gérait un vieux litige avec la maison de production de son père.

Encore un qui ne répondait plus. Huit messages depuis une semaine. Rien. C'était comme son agent, ou la fille de chez Pixar, tout le monde se lassait d'elle. De ses mémos par mail, de ses appels en rafale, de ses messages vocaux interminables. J'étais le dernier des Mohicans. Elle me traitait en larbin, en personal assistant mais j'étais heureux. Même en rêve jamais je n'aurais imaginé la quitter. J'avais trouvé ma raison de vivre. Contrairement aux autres femmes elle justifiait entièrement mon besoin d'être au monde.

J'allai pisser contre un buisson. Je l'entendais laisser un message long comme toujours, jusqu'au bout du disque, jusqu'à ce qu'on lui coupe la chique. En anglais avec cette voix différente qu'elle employait pour les affaires. Il était question des droits d'auteur qu'elle réclamait. Une affaire qui remontait à 2014, quand elle avait écrit pour son père les paroles d'*Air, Trees, Water and Animals*, un succès important. Beaucoup d'argent était en jeu. Depuis que je la connaissais elle n'avait pas acheté plus d'un jean dans un magasin de soldes. Elle portait toujours les mêmes bottes western peinturlurées et ne montrait aucun intérêt pour l'argent. Seulement pour les scénarios et l'ésotérisme. Il y avait un sens caché à son histoire d'avortons vampires. Une parabole sur la décadence de l'Occident. Ce combat financier c'était pour la forme, pour le plaisir de harceler, de laisser des messages.

Quand je revins du buisson, elle me regardait. Du moins ses lunettes étaient-elles tournées vers moi car je ne voyais pas ses yeux. Elle ressemblait de manière frappante à un tableau de John Currin : *Rachel in Fur*. À l'expression de sa bouche, une torsion latérale, elle suçait sa lèvre comme une tétine, je compris qu'elle pensait à autre chose.

— Tu sais où est la photo de Betmar Acres ?

C'était le camp de vieillards dont nous nous étions inspirés, une photo découpée dans un journal. Enfin… découpée, on aurait plutôt dit qu'elle l'avait arrachée avec les dents.

Et puis tout de suite sans me laisser le temps de répondre ou de fermer les boutons de ma braguette :

— C'est quoi le nom du jeu ?

Il me fallut un instant de réflexion.

— Shuffleboard.

Un genre de palet que pratiquaient les retraités

dans l'espace jeux du camp de mobil-homes. L'instant avait trop duré à son goût :

— Tu t'en fous hein ?

Elle redevenait agressive, mais je n'en avais rien à faire.

— Tu es un grand artiste… tu es bien au-dessus de ça.

Elle n'avait de cesse de m'humilier avec mon passé de peintre car elle méprisait l'art, d'autant plus que son père était collectionneur et qu'elle associait ce goût au mal, à la décadence de l'Occident… Je vis qu'elle s'était emparée de mon portable, collant son nez dessus. Comme elle ne voyait pas clair parce qu'elle n'avait pas les yeux ronds, un défaut incorrigible par des lunettes d'après elle et surtout pas les lunettes d'Algésiras, elle posait son nez sur les livres ou les écrans et les tournait devant de manière comique :

— Tu as reçu un message.

J'essayais d'attraper le téléphone avant qu'elle n'ait tout effacé ou fait disjoncter la batterie, elle dégageait des ondes qui faisaient sauter l'électronique. Elle retira la main prestement.

— Tu attends quelqu'un ?

Elle m'accusait d'aller coucher à droite à gauche alors que je ne la quittais jamais. Un huis clos total… Les premiers temps j'avais commis la bêtise ordinaire de lui parler du passé. De la suite overdose…

— Non, donne-moi mon téléphone !

Elle me le lança avec une violence telle qu'il aurait pu m'assommer ou filer sur la route nationale à cent mètres. Je l'attrapai. Elle fonça s'enfermer dans la chambre.

C'était Alain Frappier. Il avait appelé trois fois. Visiblement il était à Tarifa, chez son frère. Quand j'avais extirpé Emina de sa maison de repos de Cordoue, il m'avait engueulé mais il continuait de prendre des nouvelles.

— C'est Alain.

Je rentrai dans la chambre, elle était assise sur un tabouret recouvert de peluche verte dans la salle de bains. En train d'osciller du buste.

— Arrête de faire la dingo. C'est Alain qui m'a téléphoné.

— Alain c'est toi…

— Non l'autre Alain, ton oncle…

— Ahaha mon oncle ahaha…

Elle parlait au lavabo tout en continuant d'osciller du buste. Les liens familiaux la faisaient toujours rire.

Je lui caressai la tête. Elle me répéta sur un ton sérieux :

— Il faut qu'on avance sur le scénario.

Elle avait compris à ma voix que j'avais besoin de sortir ou en tout cas de parler à Frappier et elle cherchait à m'accaparer. Elle ne supportait pas que je m'intéresse à quelqu'un d'autre, même si c'était pour parler d'elle, essayer d'arranger l'épouvantable chaos qui régnait entre elle et sa famille.

— C'est très important !

Elle avait relevé la tête, avec ses lunettes cassées et son pyjama elle ressemblait à une petite fille qui parle à son lapin en peluche.

— C'est très important, tu comprends !

J'allais répondre quand elle se leva pour m'embrasser. M'enserrant dans ses bras très fort elle se collait contre ma bouche. Une autre technique pour me faire taire. Pour que je reste à elle à jamais, jusqu'à ce qu'elle se lasse de me serrer et se remette à me parler du scénario ou des courses cet après-midi chez Aldi. Tout pour éviter que je lui parle, qu'une contrariété étrangère entre en elle par ma bouche.

— Il faut que je voie Alain.

— Embrasse-moi ! Embrasse-moi fort ! Mon amour !

Tout ça était dit sur un ton à la fois enflammé et un peu forcé. Tout plutôt que de m'écouter. Je la repoussai pour respirer.

— Tu ne m'aimes plus ?

Je sentais son petit corps sous son pyjama. Au toucher elle avait douze ans et pas seize. Problème d'hormones. Elle avait bloqué sa croissance volontairement par sa seule force mentale. Son appareil génital n'était pas terminé. Sans doute ne pourrait-elle jamais avoir d'enfant, et à dire vrai ça me plaisait. Emina n'était pas une femme. C'est pour ça que j'étais bien avec elle, malgré sa folie et tous les désagréments qu'il y avait à vivre avec quelqu'un d'aussi inadapté, pour qui la réalité ne devait pas exister par elle-même, en dehors de sa volonté.

— Tu sais, Théodora n'est pas une femme, c'est un insecte venu d'une autre planète.

Comment avait-elle deviné que je pensais aux femmes, à qui en était une ou non et à Théodora ?

La télépathie n'était pas le moindre de ses talents. Je savais que la « Chinetoque », comme l'appelait Emina, avait lâché DJMOmo pour un matador célèbre. Elle avait emmené sa fille. Elle était prête à témoigner contre son mari. Frappier avait envoyé un Espagnol de son réseau pour essayer de négocier avec elle.

— Tu penses à elle, elle te fait bander ?

Je la jetai sur le lit et je baissai la culotte de son pyjama. Je lui léchai l'entrejambe et je lui mis mon sexe devant, d'abord ventre à ventre puis après l'avoir retournée à quatre pattes comme un chien. En moins de trois minutes l'affaire était réglée. J'avais joui et j'étais étendu sur le dos en sueur. Elle se blottit dans mes bras.

— Des bisous, des bisous... Alain s'il te plaît.

Elle était douce et gentille, avec une petite voix. Je ne savais jamais ce qu'elle pensait, ni ce qu'elle avait ressenti réellement. Elle était calmée pour quelques instants. J'étais heureux autant que j'aie jamais pu. Moins d'une minute plus tard, elle s'écarta de mes bras, reprenant sa voix de scénariste :

— Il faut qu'on travaille. Tu veux pas nous faire un café ?

Un litre ou deux de café par jour suffisaient à peine à ses besoins. Dans le premier hôtel, juste après la clinique, on avait cassé la machine à espresso. En deux jours. Elle cliquetait comme un vieux dentier sans plus rien cracher. Il avait fallu acheter une cafetière électrique à filtre dans un supermarché. Et des paquets de café par six.

— Il faut que je voie Alain aujourd'hui.

— Tu ne veux plus travailler ?

— Si, mais il faut que je le voie.

— Tu n'as qu'à lui dire de venir chez Aladin à quatre heures.

Alain/Aladin, le jeu de mots suffisait amplement à ses yeux à justifier ce choix. Sans parler du côté pratique… J'essayai de lui expliquer que donner rendez-vous à quelqu'un qui a fait deux mille kilomètres en voiture depuis la Belgique dans un supermarché hard discount entre deux gondoles ou même à la caisse était un peu cavalier. Surtout quand cet ami était le frère de son père et qu'il s'échinait à régler des problèmes familiaux catastrophiques. Elle m'écoutait en silence, la petite voix douce s'était enfuie très loin. Elle était revenue avec une autre douceur, plus menaçante, le genre de voix faussement naïve qu'aurait prise une psychopathe armée d'un couteau.

— En fait, tu ne veux pas travailler.

— Si, je t'ai dit. De toute façon il est à Tarifa, on peut le voir en fin d'après-midi.

— Ah oui, il y a une cafétéria à côté du Toys"R"Us.

La proposition n'était pas extraordinaire. Mais elle marquait un progrès et je me hâtai de la saisir.

— Je lui dis à cinq heures ?

— Oui, tu veux que je vous laisse seuls pour parler de la Frisée ?

La Frisée c'était Poppée, « la mère de mes enfants » ou « la pute israélienne », une autre de ses obsessions. Aussi absente et désormais silencieuse que Théodora. À mon tour de prendre une voix douce de psychothérapeute.

— Je ne crois pas qu'il ait fait tout ce chemin pour ça.

— Non, mais c'est bien que tu voies un peu tes amis seul… C'est ce que tu veux, non ?

Sur cette perfidie je me levai pour remplir le réservoir d'eau de la cafetière. Je notai que le vase était encore plus sale qu'hier, il y avait de la sauce chinoise au piment près du bec verseur. La vaisselle n'était pas son truc, surtout dans l'évier du motel, déjà rempli de toutes sortes d'objets qui n'avaient rien à faire là, comme sa brosse à cheveux ou un vieux cahier de notes Clairefontaine qui avait servi pour un scénario.

— On va à la plage ?

J'avais l'habitude de ces changements de programme. Il suffisait que j'accepte de travailler pour qu'elle propose autre chose…

C'est au sud de Tarifa, à moins de vingt-cinq kilomètres d'Algésiras, que se trouve la plage de Bolonia. Une langue de sable battue par des vents constants. Ici la mer, ou l'océan selon le point de vue qu'on adopte, en surface ou sous-marin, est dangereuse, agitée de courants... Les passages de requins y sont fréquents. Par beau temps, de l'autre côté de l'isthme, on aperçoit les falaises de Tanger. Derrière le parking, se trouvent des bars avec quelques tables en terrasse.

— Elle est où la petite ?

— Je ne sais pas, sûrement encore en train de nager.

Frappier ne buvait pas sa bière alors que j'avais déjà fini mon café.

— Il faut qu'on monte chez mon frère avant la nuit, il y en a pour plus d'une heure de route.

Il portait un costume en lin, une chemise et une cravate. Il avait l'air décavé, affaibli par rapport à la dernière fois. Les ennuis de son frère lui avaient donné un coup. À nos âges, il suffit d'un rien pour laisser voir le vieillard sous l'homme adulte. Les nuits blanches ne comptent pas, les ennuis oui. Les fausses dents ressortaient. Le vent agitait ses cheveux qui flottaient de part et d'autre de son crâne dégarni. La dernière fois que je l'avais vu, le soir de la pizzéria Pino, il n'était pas aussi chauve.

Je cherchais des yeux Emina sur la plage, mais elle devait nager au loin, intrépide comme toujours. Elle avait pris son bonnet de bain et ses palmes de compétition. Le besoin d'exercice l'avait convaincue de sécher le supermarché pour la plage. Elle voulait aussi récupérer des cahiers chez son père.

À notre arrivée, Frappier nous attendait dans sa voiture garée en épi. J'avais reconnu la plaque belge. Il dormait à l'avant, si profondément qu'Emina l'avait cru malade.

— Il faut appeler la police…

Comme si la police locale n'avait pas déjà eu assez affaire à cette famille. À peine fut-il réveillé que nous dûmes chercher un tabac pour acheter des Tic Tac, l'aliment principal d'Emina en promenade. Un toc tellement puissant qu'elle pouvait en avaler deux ou trois boîtes en moins de cinq minutes. Puis elle avait filé sur la plage, nous l'avions accompagnée mais les rafales de vent sableux rendaient la position assise insupportable.

— Tu es sûr qu'on va pas lui piquer sa serviette ?

Avant d'aller plonger, nous voyant si mal installés avec ce vent aveuglant, elle nous avait bien recommandé de garder ses affaires, sûre que nous serions assez mal en son absence pour ne pas l'oublier dans quelque plaisir partagé sans elle, ne serait-ce qu'une conversation.

La serviette représentait deux squelettes en train de danser sur fond vert. Elle était trouée, avec une tache de mazout marronnasse en plein milieu. Je voyais mal les pêcheurs locaux s'en emparer. Je ramassai le sac Aldi contenant le cahier de notes d'Emina, ses feutres de couleur et quelques babioles qu'elle avait voulu absolument apporter à la plage et nous allâmes nous réfugier au café derrière la route et un paravent de canisses.

Alain convint qu'Emina se portait beaucoup mieux. Il m'en fit part sobrement. Très vite, il en vint à son frère, blessé par sa femme à coups de pistolet après qu'elle l'avait découvert dans le lit de sa fille Zibbedé. Théodora avait fui tout de suite avec l'enfant. Aucune plainte n'avait été déposée mais l'affaire s'était ébruitée et DJMOmo avait dû quitter l'Espagne.

— Il est en Allemagne dans une clinique pour se désintoxiquer. Il va mieux. Enfin, en tout cas il a maigri.

— Emina ne veut pas l'attaquer au pénal, elle est sur les droits d'auteur.

Frappier sembla soulagé un peu vite. Il était clair que les deux frères s'étaient réconciliés et qu'il avait fait toute cette route pour tâter le terrain. Mais il vit dans mes yeux quelque chose qui lui déplut. Il tira sur le col de sa veste comme un tailleur qui cherche ses marques tout en roulant des épaules. Un geste que je reconnus, il retenait un besoin d'action. M'attraper par le cou ou me mettre son poing dans la gueule. Il bougea sa chaise et se rapprocha de moi. Penché sur la table comme s'il inspectait le bois du plateau avant de l'acheter, il me fit un petit signe de la main. Je me rapprochai, nos deux nez se touchaient presque.

— Elle veut du fric ?

Je répondis que le fric ne l'intéressait pas, je commençai à parler d'elle comme je le faisais les rares fois où elle était absente. J'aimais parler d'elle, j'aurais pu tenir la jambe à n'importe qui à son sujet pendant des heures. Il plissa les yeux comme il avait dû le voir faire à des acteurs italo-américains au cinéma.

— Tsss tsss, arrête tes salamalecs... Qu'est-ce qu'elle veut ?

— Elle veut rien.

— C'est impossible, tout le monde veut quelque chose.

— Dans l'idéal, elle voudrait le tuer...

J'avais répondu du tac au tac sans réfléchir. Il recula d'un coup et sourit. Détendu.

— Eh ben voilà...

Il répéta suavement :

— Dans l'idéal, elle voudrait le tuer... Bon... Dans l'idéal, il faudrait qu'elle sorte de son bain pour qu'on puisse remonter avant la nuit.

Il regarda la mer grise, impénétrable. Le bonnet de bain noir rendait la nageuse invisible. Il finit sa bière, comme si ce geste pouvait nous forcer à partir. Je voyais le moment où il allait me dire... Viens ! laisse tomber cette fille. Les femmes, c'est de la merde. Et toutes les phrases que je lui avais entendu prononcer depuis notre adolescence. Il avait fait ça dix fois, laisser une femme dans l'eau, dans les WC ou dans une mare à crocodiles, monter dans sa voiture et partir. Je me rappelais ce qu'il avait dit d'elle à la pizzéria, qu'il l'aimait beaucoup plus que son frère. Elle était une enfant à l'époque. Peut-être est-ce moi qu'il voulait abandonner. J'étais rentré dans la famille. Un geste impardonnable. Les gens ont une famille, c'est pas pour qu'on rentre dedans.

— Jean-Claude regrette vachement.

S'il appelait son frère Jean-Claude, c'est qu'ils avaient reconstitué la fratrie. Le petit avait pris l'avantage sur le grand (le gros plutôt) grâce à ce qu'ils devaient appeler entre eux une « connerie ». Je les voyais d'ici, et le petit allait se faire avoir comme d'habitude.

— Arrête.

— Tu sais, on regrette tous quelque chose.

Je pense qu'il sous-entendait une vilenie à propos de Poppée et de ma fille imaginaire. Quand je lui avais annoncé pour Emina et moi par téléphone, avant de raccrocher, il avait ri jaune et m'avait proposé d'enlever la gamine de Poppée, comme ça on aurait un enfant. Une manière de me dire que sa nièce ne pourrait jamais en avoir et que j'avais des responsabilités que j'avais laissées tomber. J'avais tout de suite senti qu'il haïssait mon amour pour elle. J'allais lui demander où il en était de l'incendie de la fondation Brentano après un an d'enquête mais il me coupa :

— Tu t'éclates avec une fille très jeune et un peu dingue mais n'oublie pas que tu baises ma nièce.

Une petite silhouette verte apparut au milieu d'un vent de sable gris.

— Pourquoi tu es venu ?

— Son père voudrait bien la voir.

Je fis un simple signe négatif de la tête.

— Je l'aime et elle fait ce qu'elle veut.

Alain faisait partie de ces hommes qui ignorent l'amour. J'avais besoin de le lui dire. J'aurais aimé qu'il comprenne. J'étais devenu très courageux, j'avais envie de le convertir. Je croyais du fond du cœur qu'Emina était un ange venu libérer l'Occident chrétien.

Je lui ai dit rapidement ça. Ici, en face de l'Afrique. Lorsqu'il m'entendit je vis dans ses yeux qu'il était troublé. Mais il masqua à l'approche de l'ombre qui s'avançait vers nous, drapée dans une serviette mexicaine, enlacée par des squelettes.

J'avais changé trois fois de voiture depuis le début de ma fuite en Espagne. La dernière était une vieille Renault diesel couleur framboise, pourrie mais increvable. Depuis que je partageais la vie d'Emina, le désordre avait tout envahi et l'habitacle de cette poubelle était révélateur de notre mode de vie. On aurait dit une plage polluée où venaient baigner des déchets divers, mais une plage quand même… Le restant d'artiste en moi avait d'ailleurs fait quelques photos dont je tirais de fragiles dessins certains matins à l'aube, lorsque Emina dormait à force de médicaments.

Aussitôt engagés sur la petite route derrière la grosse BMW de Frappier, nous eûmes une de ces disputes violentes et brèves qui nous laissaient blessés et inchangés comme un orgasme à l'envers.

Elle m'avait questionné sur Frappier et je lui avais répété notre conversation. Elle m'avait accusé de la manipuler. Elle avait des montées d'inquiétude d'une brutalité extraordinaire. Battant de l'aile dans la voiture comme un animal au piège, elle hurlait que j'étais un salaud et que je voulais la faire enfermer. Je pense que la route que nous prenions la renvoyait à son passé. Je la laissai se débattre, j'étais sûr qu'elle allait se calmer. Elle devait récupérer ses cahiers de dessins et peut-être voulait-elle revoir cette maison pour d'autres motifs plus obscurs. Il me semblait que j'avais l'instinct de son bien, car l'amour qu'elle générait en moi était plus fort que ses propres erreurs. L'aveugle certitude l'emportait sur les illusions de la colère. En contrariant la volonté d'Emina j'accomplissais le désir que j'avais de la protéger. En route pour ce repaire, je me sentais sur la bonne voie, même si tout m'indiquait que le danger était proche. Je ne croyais pas que mon vieux camarade, malgré son incompréhension, aurait la force de nous nuire.

Une fois passé les banlieues de Tarifa, le paysage commençait à s'appauvrir. De temps en temps, une maisonnette d'agriculteur, souvent bordée d'un petit pré où se trouvait une vache maigre de couleur jaunasse, accompagnée d'un oiseau, un ibis africain qui piochait dans la bouse. Cette pauvreté n'était pas misérable. Notre position à l'extrémité de l'Europe, la présence du rocher de Gibraltar non loin donnaient à toute cette région un souffle britannique. Les quelques traces de la civilisation mozarabe ajoutaient une broderie raffinée, des lambeaux précieux à cette terre chrétienne hantée par les vents et les fées septentrionales. Emina s'était calmée, blottie dans le siège de la voiture elle avait posé ses pieds nus aux ongles ébréchés sur le tableau de bord. Ce geste de bonne femme m'aurait agacé chez une autre, mais le caractère enfantin de sa présence, la petitesse de tout cela, les ongles, les pieds m'attendrissaient. Dans sa hargne, Frappier avait vu juste. Il y avait un côté trouble dans mon amour, mais même cette perversité cédait devant la chaleur du feu qui me tenait au corps. Je l'aimais et l'aimant plus que moi-même, je visais la victoire du bien. Ce n'était pas une individualité que je voulais séduire mais un être que j'aimais même lorsqu'il se révoltait. Ce qui arrivait plusieurs fois par jour.

— Le problème avec toi c'est que tu es un menteur.

Oubliant qu'elle ne lisait pas encore à livre ouvert dans mes pensées, je faillis m'emporter devant son injustice. Mais je me retins. Elle continua :

— De toute façon, ce n'est pas un hasard si tu es ami avec ces ordures.

— Je n'ai jamais été ami avec ton père.

— Lui, il voudrait pas de toi, t'es pas à son niveau.

— Je veux dire avant.

— À l'époque où vous étiez jeunes ? Non, il m'a dit que tu étais un lâche. Lâche et menteur, ça va ensemble.

Elle donna un coup de poing dans la portière. Je me demandais à quel moment elle avait pu parler de moi avec lui. Sans doute quand Théodora venait de me rencontrer, juste après l'infarctus. Emina était alors en pleine crise et je doutais que la cervelle de son père ait gardé une empreinte très fraîche de mon existence.

— Ce que tu as de mieux à faire c'est d'aller sucer la chatte de Théodora.

Je n'avais plus qu'à rester silencieux et à penser à la route.

— Il t'a parlé de la Frisée ?

— Non.

— Tu mens !

— Non, j'ai oublié de lui poser la question.

C'était en partie vrai. Elle nous avait interrompus avant que j'en parle. Frappier avait lancé son enquêteur privé sur l'affaire des tableaux détruits. Près d'un an après, il n'avait toujours pas tranché. Quant à l'enfant, elle était tout à fait sortie de ma vie. Comme si elle n'avait pas existé. Mon erreur avait été de parler de cette histoire à Emina qui nourrissait une jalousie douloureuse envers les femmes. La route devenait de plus en plus escarpée. Les tournants se succédaient.

— La Frisée a raison, tu es une ordure.

Lorsque nous ne travaillions pas ou que nous faisions une entorse à l'organisation de nos journées, l'inquiétude d'Emina se trahissait par ce genre d'attaques violentes. À force, elles auraient pu m'user ou même me détruire mais j'étais si fort dans mon amour que je les acceptais, partant du principe qu'elle n'avait pas tort et qu'il fallait bien que je paye mes fautes passées, les torts que j'avais causés aux autres femmes d'une manière ou d'une autre. L'expiation passait par ces injures.

Les ombres s'allongeaient lorsque nous arrivâmes devant le portail de la villa Ligéia. C'était une bâtisse moderne construite sur la base d'une ancienne ferme. Le lieu semblait habité depuis longtemps… une villa romaine au pays des Hespérides.

Je fus frappé par deux grandes colonnes de pierre dont une montait jusqu'au chapiteau et l'autre était à demi tronquée. Les restes d'un temple antique transporté ici par un riche archéologue se détachaient sur le panorama grandiose de Gibraltar.

Je murmurai :

— Les colonnes d'Hercule…

— Pfu.

Emina venait de cracher sur le pare-brise et sa bave écumeuse coula le long de la vitre sale.

— Merde j'ai oublié mes clopes, il faut redescendre.

Le plus proche tabac était à vingt kilomètres par des chemins de douanier.

— Tu as regardé dans ta parka ?

— Putain, je te dis que j'ai oublié mes clopes… T'as juste la flemme de conduire ! J'en ai marre de ta gueule.

— Regarde dans ta parka, la poche extérieure gauche…

— Sac à merde !

Sa portière claqua. Je sortis à mon tour. On entendait le vent plus que sa voix. Mais elle criait si fort et je connaissais si bien la rengaine que je n'eus aucun mal à saisir ses mots.

— Je m'en fous, je vais redescendre avec le camionneur !

Un livreur de mazout manœuvrait sur le terre-plein devant la maison.

— Tiens, regarde.

Je brandissais un fragment de cartouche contenant deux paquets neufs que je venais de piocher dans la poche de sa veste militaire couverte de taches et de poils de chien. Emina me les arracha des mains.

J'essayai de la prendre dans mes bras mais elle s'écarta brusquement, refusant la caresse.

— Va voir ton ami, il te fait signe. Allez va…

Je me dirigeai vers Frappier qui gesticulait en notre direction. Près de lui se tenait un petit homme brun, le gardien qui surveillait les manœuvres du camion entre les jarres d'huile décoratives couronnées d'hibiscus.

— Vous voulez dîner ? Moi j'ai la dalle. Il y a des pizzas à la truffe et au homard, ou alors une choucroute au congélo. Mon frère adore la choucroute et Conchita, ou je ne sais comment s'appelle la femme de monsieur, est en vacances…

Frappier avait toujours besoin d'humilier les hommes de son âge. Lorsque Emina s'approcha de nous, le visage du gardien s'illumina d'une douceur paternelle et l'homme me fut aussitôt sympathique. Ils se mirent à échanger en espagnol, une des nombreuses langues qu'Emina parlait naturellement. Je compris qu'elle se renseignait sur l'état de la piscine et que l'homme s'appelait Pablo. Frappier m'attrapa le bras comme s'il voulait m'éloigner d'Emina.

— Viens, on va boire un coup…

Emina prit la main de Pablo, un geste de petite fille qui gêna l'homme, non sans m'avoir dit d'une voix redevenue très douce et un peu perdue :

— Je vais nager un peu.

Je marquai un temps d'arrêt.

— Tu nous rejoins après ?

— Je ne sais pas.

Puis voyant mon regard, elle remit ses lunettes au mercure.

— Oui oui ne t'inquiète pas, ça va aller.

Ça n'avait pas l'air d'aller du tout. Je supposai qu'elle repoussait le moment d'entrer dans la maison. Je la laissai à contrecœur, comme toujours. J'avais à peine tourné le dos que j'entendis sa voix.

— Alain ?

Cette voix était toute petite.

— Oui ?

— Il faudra qu'on travaille… Tu t'en souviens ?

Elle disait cela comme si j'étais capable de l'oublier ou de partir sans elle.

En entrant dans la villa, je tombai sur une photographie de Pierre Angélique. Elle représentait une fille nue allongée sur un drap en position de victime. Quelqu'un avait dû jeter un objet sur le verre qui était étoilé d'un réseau de fêlures. Dans le prolongement, posé au milieu d'un salon gigantesque qui ressemblait à une galerie d'art, se trouvait une œuvre célèbre de l'artiste italien Maurizio Cattelan. Le pape Jean-Paul II écrasé par une météorite. Je la croyais chez François Pinault.

Sur le mur de gauche, une installation lumineuse, des lettres défilaient : *Men are not monogamous by nature.* À l'opposé, des portraits photographiques d'adolescents en train de s'injecter de l'héroïne et, au fond, quelque chose que je pris d'abord pour une baie vitrée. C'était une feuille d'aluminium longue de plusieurs mètres, brillante comme un miroir, où était imprimé photographiquement un paysage de la planète Mars encombré d'éoliennes. En m'approchant j'aperçus au milieu du panorama, devant les éoliennes, une bulle translucide qui flottait là comme un vaisseau spatial. Une jeune artiste japonaise y avait imprimé une photo d'elle-même haute d'à peine quelques centimètres en tailleur blanc Courrèges.

Au milieu, des meubles confortables et un bar 1950 arraché à un dinner. L'armoire à alcools ressemblait à une pharmacie de Damien Hirst mais en m'approchant je m'aperçus qu'il s'agissait d'un vrai présentoir à alcools.

Il y avait aussi un autre invité assis au bar. Il me tournait le dos et ce dos me paraissait familier, un pressentiment désagréable, comme un cauchemar. Je reconnaissais cette nuque brûlée par le soleil, ces cheveux d'un roux clair. Il se retourna théâtralement à mon approche, c'était l'Américain du premier dîner chez Poppée, celui qui m'avait mouchardé à l'aéroport de New York, et que je prenais pour un agent de la CIA. Plus cool que jamais, il allait parfaitement dans ce décor avec ses clapettes, son short militaire et sa chemisette de tennis. Il me fit un check avec sa main rouge, poilue comme une araignée. Je ne me rappelais plus son prénom. Sa présence me mit tout de suite mal à l'aise. Je ne sais pourquoi je pensai à la prison de Guantánamo. Je me dis que ce genre d'homme pourrait mettre de l'art contemporain dans les salles de torture, pour montrer à ses prisonniers à quel point il est plus immoral et malsain de croire en Allah qu'en Maurizio Cattelan.

Frappier qui jouait les barmen nous regarda l'air étonné mais sans plus.

— Vous vous connaissez ? Geoffrey est venu visiter la maison de mon frère pour un acheteur.

Trois échanges me suffirent pour comprendre le piège. L'investisseur étranger qui voulait racheter la maison et la collection s'appelait Umberto Brentano.

L'intermédiaire n'était autre que Poppée qui débarquerait demain à l'aéroport de Malaga accompagnée de sa fille. Je tombai de haut, comment Frappier pouvait-il traiter avec cette femme, alors qu'il prétendait partager mes soupçons ? Pour masquer mon trouble, je m'approchai d'une baie vitrée ouvrant sur Gibraltar. On aurait dit une photographie éclairée par-derrière, ou plutôt une vidéo car sur les bois des oliviers centenaires plantés comme à la parade des oiseaux minuscules, à peine plus grands que des colibris, dansaient devant le ciel rose. La voix de Frappier m'arriva :

— Reste ce soir, tu t'en fous, tu n'auras qu'à partir demain avant qu'elle arrive.

Cette complaisance me déplut plus encore que le reste. Il n'était plus question d'Emina. Frappier semblait l'avoir cachée quelque part dans la maison. Il pensait peut-être que j'allais partir en l'oubliant. Il y avait tellement de cadavres derrière moi, tellement de fuites et d'histoires inachevées… avec un peu de culot, il espérait y arriver.

— J'ai un ami qui aimerait bien vous rencontrer avec Emina.

Tiens, Emina était de retour mais dans la bouche de Geoffrey. Lui il avait raté tous les épisodes, l'enfant, la petite vie cachée avec Poppée et Galatée… À moins qu'il ne sache tout, il avait des fiches. C'était peut-être lui le troisième ou le quatrième homme dans la vie de Poppée.

— Et pourquoi ?

— Il vous kiffe. Il est prêt à produire une image de vous deux.

— J'ai pris ma retraite.

Il souffla l'air las, soudain exaspéré par ma lenteur.

— Pas une œuvre de toi. C'est un plasticien, vous l'inspirez…

Le but de la manœuvre était de me déposséder. Le tutoiement soudain ressemblait à une arme qu'il aurait sortie de sa poche et posée sur le bar. En continuant de le vouvoyer, je refusai poliment. Puis j'attaquai Frappier.

— Pourquoi tu nous as fait venir ?

Il rabâcha les raisons officielles : se voir, les effets que la petite devait récupérer… et me fit comprendre qu'il y avait une autre raison, mais que Geoffrey ne devait pas savoir.

— Viens, on va faire la visite du propriétaire.

Le reste de la villa construite en U sur deux ailes était plus classique que le salon. Une grosse maison de plain-pied, confortable et banale, ancienne finca vernie par le luxe moderne qui aurait aussi bien pu se trouver à Marbella ou dans les Baléares. Les appartements de Théodora se composaient d'une vaste chambre, d'un salon d'essayage, d'un dressing impeccable ordonné comme une boutique de luxe et d'une salle de bains de palace en marbre avec une moquette blanche. Une pièce entière était consacrée aux chaussures. Plusieurs centaines de paires alignées, talons coincés sur des barres en inox. Par la fenêtre de la pièce aux chaussures, on voyait l'arrière, le tennis, les tables de ping-pong, au-delà la piscine, mais l'angle ne permettait pas d'apercevoir le bonnet de bain noir d'Emina. Elle me manquait, comme à chaque fois que nous étions séparés. J'en voulais à Frappier de nous avoir sortis de notre cocon du motel pour nous confronter au passé. J'avais peur qu'elle ne rechute et je craignais surtout qu'elle ne pique une crise de paranoïa à cause de Poppée.

— Tu viens ?

Frappier me surveillait. Je le suivis, j'attendais des explications. Au fond du couloir se trouvait une chambre d'enfant avec des jouets. Je crus voir une projection de sang noirâtre sur le mur, derrière un lit bateau.

Plus loin, s'ouvrait la dernière aile protégée d'une porte blindée. Frappier silencieux fouilla ses poches.

— C'est le studio du frérot. Un vrai bunker, tu le connais.

Quand il ouvrit la porte, une puanteur nous sauta au nez. Un mélange de vieille sueur, de cigarettes froides et de décomposition animale. La pièce était plongée dans le noir. Les fenêtres aveuglées avaient disparu derrière des meubles ou des enceintes. Frappier venait d'allumer tout un réseau de lumières indirectes, les consoles d'un vaste studio d'enregistrement. Il y avait une cloison vitrée où nous nous reflétions lui et moi comme deux fantômes. Un néon violet s'éclaira au-dessus de la vitre : *DJMOmo Candlelight & Dubonnet on Ice.*

Non, je ne le connaissais pas. C'est ce que je venais de découvrir à cause d'un article jauni épinglé sur un panneau de liège intitulé « Dalai Lama es mi ídolo ».

— Fraternité aryenne !

Ça m'avait échappé, Frappier me lança un bref regard de haine.

— Tu vois toujours ton copain pédé ?

Je le regardai sans comprendre, puis je me rappelai Pierre Angélique. Je fis un signe négatif, tout en continuant de détailler le panneau. Il y avait un article de *Stern*, une story sur DJMOmo illustrée de vieilles photos. Je découvris avec étonnement que Frappier aîné avait fréquenté le même milieu que moi à New York au début des années 1980. C'est vrai qu'il avait produit des rappeurs.

— Il a pris le parti de la Chinetoque contre nous.

Rien d'étonnant à ce que Pierre continue de voir Théodora, il était proche d'elle depuis longtemps. Quant à prendre parti, lâche comme il était…

— Il prétend aussi qu'Emina est devenue dingue à cause de trucs que mon frère lui aurait fait…

Je vis un portrait de DJMOmo en compagnie d'Emina. Il la serrait contre son ventre. Elle semblait presque morte, dix kilos de moins, les yeux perdus. Le visage marbré de plaques d'eczéma. Comment les journalistes avaient-ils pu laisser passer cette photo ? C'était la première fois que je voyais Emina dans les bras de quelqu'un d'autre. L'article en anglais évoquait la collaboration artistique du père et de la fille. On la présentait comme un génie précoce, l'auteur de *Air, Trees, Water and Animals*, un des succès du dernier album. Je détournai la tête.

Frappier était assis dans un grand fauteuil de cuir, derrière une table de mixage. Par terre, au milieu des assiettes pleines de mégots et de pansements sanglants, traces du coup de pistolet de Théodora, il y avait des magazines pornos, de vieux vêtements sales, des peaux de banane, de la merde… ou en tout cas des amas de matière marronnasse y ressemblant. Le camé dans ma tête nota la présence d'une pipe à crack dans une assiette d'aluminium noirci, près d'une télécommande sans piles et d'un godemiché. Une bouteille de Ricard ouverte puait l'anis à distance.

— Te frappe pas pour Brentano… C'est lui qui a contacté mon frère après le scandale. Je n'ai pas pu te prévenir, tu avais disparu avec la petite.

Je n'avais pas disparu, la preuve, il m'avait retrouvé.

— Mon copain a fini son enquête sur l'incendie, c'est un accident. Un ouvrier avait oublié un chalumeau en veilleuse dans la charpente. Un ivrogne de Polonais. Il avait filé sur un chantier en Allemagne mais ils l'ont retrouvé. Il a avoué. Le soir du sinistre, ta brunette, euh… Poppée était à Paris dans un dîner de gala. Cent personnes peuvent en témoigner.

Pourtant je la voyais bien dans mes insomnies manier la boîte d'allumettes et le bidon d'essence elle-même… Les romans sonnent toujours faux dans la bouche des gens brutaux. Cette histoire de chalumeau oublié, il me semblait l'avoir déjà entendue cent fois. J'en fis la remarque à Frappier qui me regarda d'un œil froid sans répondre. Les mauvais mensonges lui avaient toujours réussi parce qu'il n'hésitait pas à employer la violence. C'était une sorte de pourboire à prendre ou à laisser. Fais semblant de me croire ou sinon… Celui qui s'insurgeait prenait un mauvais coup ou une balle si besoin. À écouter Frappier,

Brentano était un bon Samaritain qui était intervenu pour protéger son frère au moment où celui-ci en avait besoin, après le scandale doublé d'une affaire financière aux États-Unis. L'homme d'affaires aurait convaincu les magistrats suisses de ne pas l'incarcérer. Il était condamné à résidence dans son chalet, comme Polanski...

Quant à Poppée elle se consacrait désormais à la nouvelle star de l'art contemporain, Zavatai Zevi, un jeune artiste israélien œuvrant sur le thème du réchauffement de la planète. Après avoir introduit un ours blanc dans l'église du Saint-Sépulcre à Jérusalem, il voulait planter des oliviers sous serre et des orangers de Jaffa en Antarctique.

Sous la table de mixage entre les jambes de Frappier, j'aperçus un matelas avec des draps imprimés de petits cochons de Walt Disney et une couverture militaire. Une sorte de paillasse ou de lit de douleur. Un lit d'enfant martyr... Une horreur. Je relevai les yeux sur mon ancien ami. Entre tous les hommes, le meurtre est toujours possible. Il n'y a pas d'amitié, juste une trêve. Il me regarda l'air amusé, il avait capté ma haine. Ça, il comprenait. Mieux que mes bla-bla. Je faillis lui demander si ça ne lui faisait rien que son frère traite ainsi sa propre fille, mais c'était inutile. Maintenant que son frère était en danger, il avait mission de le protéger, même contre sa famille... et je n'en faisais pas partie.

Mon cœur se mit à battre plus fort. Quelqu'un frappait à la porte blindée. Je reconnus la voix...

— Alain !

Frappier appuya sur un bouton qui déverrouillait le studio. Emina entra pieds nus, en maillot, drapée dans sa vieille serviette mexicaine. Elle avait retiré son bonnet de bain, ses cheveux blonds mouillés aux pointes avaient rétréci et lui remontaient aux épaules. Elle avait l'air d'un petit animal, un rongeur aux yeux rougis par le chlore. Elle me regarda l'air étonné.

— Vous faites quoi ici ?

On aurait dit que j'étais un étranger en visite et que la paillasse sous la table de mixage était un espace privé où je n'avais aucun droit. Je me sentis mal à l'aise. Sans raison particulière, le souvenir de mon atelier et de mes séances de travail d'autrefois à la campagne me revint brusquement. Ma vie depuis que j'avais cessé de peindre n'avait été qu'une fuite en avant, une folie. Le bout du voyage était à Algésiras, ces derniers temps, ce motel, le délire à deux… Les scénarios inachevés. Emina replacée dans ce qui était son vrai domicile, cette niche à chien entre les jambes de son père n'était plus rien. Une sorte d'illusion diabolique. Un hologramme. Elle aussi connaissait une période de stérilité. Elle avait choisi l'âge adulte avec moi pour sortir de sa prison. Tout ça pour finir au motel et chez Aldi… Il n'y avait jamais eu d'avenir dans notre relation, seulement un présent. Un délire, comme tous les présents pris pour absolu. Je savais en même temps qu'aucun retour en arrière n'était possible. J'avais coupé les ponts, ou plutôt on les avait coupés pour moi en brûlant les tableaux qui représentaient le visage d'Emina, d'une autre Emina que la vraie Emina ne remplaçait pas. Cette destruction avait rompu mon lien avec le passé. Il n'y avait aucune continuité entre celui que j'avais été et celui que j'étais maintenant. Je m'assis dans un fauteuil recouvert de zèbre. Mon effondrement se voyait-il de l'extérieur ? Je ne sais pas car on ne me regardait pas. Emina s'était perchée sur une jambe. Une drôle de position qui rappelait celle d'un oiseau ou d'une fillette jouant à la marelle. Frappier avait disparu, avalé par le fauteuil, enfoui dans les fils électriques, les méduses, le caca. Je crus le voir derrière la vitre mais c'était une méprise.

Je le cherchais partout même dans les moniteurs éteints dont les écrans reflétaient la silhouette d'Emina éclairée par la lampe de chevet de la table de mixage.

Emina vint s'asseoir sur mes genoux, blottissant tendrement la tête contre mon épaule. Le poids de son corps, ses baisers me réchauffèrent. Mon angoisse cessa. Elle était serrée contre moi, d'une manière différente de d'habitude. Elle ne jouait pas l'écran entre moi et la réalité mais pour la première fois depuis longtemps me laissait regarder derrière elle. Mes yeux se posèrent sur la paillasse, le lit de fortune qui se trouvait sous la table de mixage. Je notai avec un sens du détail non dépourvu de fascination, la manière dont la couverture était froissée et les motifs imprimés, la danse des petits cochons habillés en collégiens d'Oxford ou en peintres du XIXe siècle, des bérets, des toques, des blouses de peintre et aussi des tenues de marin. Sur un des marins, il y avait une grosse tache sombre. Cette tache se trouvait tout près de l'oreiller, elle disparaissait sous la bordure de celui-ci. L'oreiller n'était pas imprimé comme les draps, il semblait neuf, moins décoloré par les lavages en machine. Il était uni, d'une belle couleur rose. Il débordait hors de la couche sur un amas de fils et de méduses électroniques près d'une assiette brisée. En relevant tous ces détails je remarquai les spirales d'un cahier Clairefontaine.

— Des bisous, des bisous… Alain s'il te plaît.

Je l'embrassai, puis elle s'écarta de ma bouche pour s'emparer du cahier Clairefontaine, il était rempli de dessins en trois dimensions. Des esquisses préparatoires très poussées comme celles qu'utilisent les créateurs de 3D. Les dessins semblaient tracés à l'ordinateur tant ils étaient parfaits. Sur une pleine page, j'aperçus une grande figure ailée qui en terrassait une autre. Un archange qui aurait le visage et le casque de Jeanne d'Arc enfonçait une épée dans le ventre d'une sorte de Gremlin femelle aux lèvres épatées et aux yeux globuleux bordés de faux cils. Un démon aux oreilles pointues, ailé comme une chauve-souris et au dos nu nanti d'une crête. À la manière des vieux parchemins, on avait inscrit le nom des personnages en capitales flottant sur des oriflammes : Emina et Théodora. Au verso se trouvait une esquisse au crayon zébrée de coups de gomme. *Mater Tenebrarum*, le titre calligraphié, était plus net que l'ébauche où il me sembla reconnaître le travesti à l'enfant mort que j'avais peint à Mortefontaine.

Je levai les yeux, par-dessus la table de mixage la lampe de travail m'éblouit. Je détournai la tête et mon regard tomba sur une paire de clapettes en plastique Nike. Elles étaient énormes, aplaties par les cent kilos du propriétaire.

— Alain ?

— Oui ?

— Il faut qu'on travaille.

— Pourquoi as-tu arrêté le dessin ?

— Ça me prenait trop de temps. Je n'y arrivais que quand j'étais malade. Comme la composition musicale. C'est pour ça qu'ils préféraient tous quand j'étais dingue.

Dans l'épaisseur ouatée du studio, le mot « dingue » n'arrivait pas à résonner assez fort pour elle. Alors elle le répéta plusieurs fois... Je lui dis que je n'avais jamais compris le rapport entre les chiens chinois à crête et la mission qu'elle voulait accomplir, son histoire d'Occident chrétien.

— Les rapports entre les choses étaient différents. Un monde immatériel s'était tracé, toutes les ramifications qui sont cachées devenaient apparentes. Il suffisait que je me concentre et j'arrivais à faire apparaître ce réseau comme un laser. Mais c'était dangereux à cause du patame.

— Du quoi ?

— Le patame, regarde.

Dans un coin de la pièce un tas de détritus indistincts montait en motte. J'aurais pu aller voir de plus près et toucher du doigt pour savoir de quoi il s'agissait. Le dégoût me retint. Je repensais à mon atelier.

Aux matinées de travail à la lumière du jour. J'aurais aimé vivre là-bas avec Emina, dans cette ascèse recueillie. Je l'aurais peinte, nous aurions marché dans la forêt. Le soir, lecture et feu de bois. Mais je savais que c'était impossible. Ce monde réel était devenu virtuel, ma seule vérité était la folie en mouvement et les rites que s'inventent les gens perdus, les voyageurs, les sans-domicile. Aldi, Clairefontaine, le café Jacques Vabre… Emina colla son visage contre le mien.

— À quoi penses-tu ?

Je restai silencieux.

— Tu ne veux pas me le dire ?

Elle voyait dans mes yeux la flamme ancienne. La manière dont je fixais les choses.

— Il faut arrêter de regarder, Alain… Il faut agir.

Quand elle disait ce genre de choses, j'avais envie de la suivre.

Elle était debout. Entourée dans sa serviette squelette, prête à rentrer au motel pour travailler. Une séance de nuit pour rattraper tout le temps perdu. Quelque chose de froid, d'humide et d'un peu gluant me tomba sur la tête. C'était son maillot. Je m'amusai à faire le mort quelques secondes, respirant l'odeur du chlore. Qu'est-ce que j'étais heureux avec elle. Jamais je n'avais été mieux, peut-être parce que ça ne durait pas.

— Alain, lève-toi !

Je me débarrassai du maillot, elle était debout près du mur du fond. Elle avait jeté par terre un poster de son père et d'Amy Winehouse et manipulait les molettes d'un coffre-fort mural comme dans les films noirs. Elle sortit des enveloppes, des cahiers Clairefontaine et ce qui m'apparut être un Colt .45 automatique, le frère jumeau du pistolet de Mortefontaine.

Elle se retourna, attrapa un vieux sachet McDonald encore à moitié plein qu'elle vida sur un piano électrique et rangea les enveloppes dedans. Elle empila les cahiers et le pistolet.

— Tu peux prendre le cahier qui est près de toi, il doit y avoir aussi ma guitare sous le piano à queue. Je vais me changer et j'arrive.

Je me levai, étourdi, j'avais la tête qui tournait. Elle passa derrière la vitre qui séparait le studio de la cabine, ouvrit une sorte de vestiaire. Je la vis enfiler un jean, un tee-shirt Iron Maiden et une parka à peu près semblable à celle qu'on avait laissée dans la voiture.

— Tu peux ramasser ma guitare, s'il te plaît, Alain ?

Quand elle disait mon prénom c'était une marque d'agacement, une alerte avant la crise. C'est vrai que le motel était encore loin. Quant au lait du petit déjeuner…

— Il faudra prendre du lait dans le frigo. Je vais demander à Pablo qu'il nous fasse un doggy bag.

J'étais à quatre pattes sous le piano en train de dégager un ukulélé coincé sous une pile de déchets.

— Je crois que ton oncle voulait dîner avec nous.

J'entendis un bruit de xylophone, elle venait de donner un coup de pied dans un instrument.

— Tu peux bouffer avec ce connard si ça te chante. Vous n'avez qu'à faire venir des putes ! Ou alors vous enculer... Moi je rentre en stop, j'ai du travail.

Je me relevai souriant. Mon indifférence à ses crises était le meilleur moyen de la calmer. Je n'en connaissais pas d'autres à part obéir. Une combinaison des deux était la meilleure solution. Je savais que nous allions dîner ici et que nous rentrerions ensuite bien sagement au motel dans notre voiture rose.

— Tu connais Geoffrey ?

— Le rouquin, c'est un curé... Tu savais ça ?

Elle me regardait pour voir l'effet de ses paroles. Une fois, elle m'avait raconté que son père faisait presser des faux disques en cocaïne... Elle avait toute une pléiade de délires assez ordinaires que je n'avais pas envie d'écouter.

— Tu as pris ton médoc ?

Je la vis fouiller ses poches. Elle n'était jamais susceptible avec les médicaments. Toujours prête à reconnaître qu'elle délirait, elle avait eu tellement d'ennuis...

— Merde, je les ai oubliés au motel ou alors je les ai perdus sur la plage...

— Non, j'ai senti la boîte dans la poche de l'autre parka.

Elle me regarda l'air absent. Elle ne me croyait pas. Je la sentais terrorisée. Je la pris par l'épaule.

— Viens, on s'en va. Tu veux pas prendre ça ?

Elle me tendait le Colt.

— Tu es sûre ?

— Tu es un mec non ? Un mec doit toujours être armé. Mon père ne sort jamais sans arme.

Dit comme ça… Je le pris en main mais il était trop lourd pour ma poche.

— Mets-le dans un sac plastique. Tiens.

Elle attrapa un sac Darty qui traînait près d'un journal espagnol. Elle vida d'autres journaux couverts de taches de foutre sur le couvercle du piano. Elle entoura le Colt dans la serviette squelette et fourra le tout dans le sac.

Geoffrey n'avait pas récité le bénédicité sur la tourte au homard décongelée. Aussi bizarre que ça puisse paraître, il était pourtant vraiment prêtre anglican. Frappier me l'avait confirmé. Je me dis que cela pouvait arriver, qu'un type quitte la CIA pour entrer dans les ordres. Mais qui m'avait parlé de CIA ? J'avais inventé cette histoire. Quant au short et aux poils roux, ça ne voulait rien dire, au contraire. À y mieux regarder, sa tenue lui donnait l'air d'un scout. Emina ne semblait pas le tenir en estime, quoique… Il était parfois difficile de déceler ce qu'elle pensait des gens. Elle pouvait affecter de mépriser des personnages dont elle faisait grand cas et se méfiait, une oscillation du buste trahissait alors son manège. Une technique d'effaçage pratiquée avec une gomme magique dont elle usait quand elle était malade, et dont elle parlait souvent. Ce soir, le buste restait tranquille, son mutisme et sa manière de se tenir en arrière de la table, une jambe repliée sous les fesses, lui donnaient du détachement, une mine hautaine. Soudain, on ne pouvait ignorer qui était la maîtresse des lieux, en l'absence définitive de tout maître valable. On aurait dit la fin d'un acte de théâtre, quand le roi est déclaré fou ou assassiné…

L'infante et ses conseillers. Frappier, Geoffrey dans le rôle du chapelain et moi…

Les affaires courantes devaient être réglées. Le déménagement de la maison, une perspective encore lointaine. Après avoir perfidement suggéré de donner le dressing de Théodora à la Croix-Rouge, Emina affirma avoir vu la publicité d'un garde-meuble près du Toys"R"Us. Une manière comme une autre de revenir à sa marotte… Elle me regardait d'un air appuyé en disant cela pour me rappeler qu'on avait du travail. On avait pris du retard. Geoffrey n'arrêtait pas de jeter des coups d'œil au sac Darty qui contenait le pistolet. Je recommençai à soupçonner cette histoire de prêtrise d'être une couverture.

— Mina, calme-toi, nous allons nous remettre au scénario dès demain…

Je m'exprimais comme un psy, une voix douce et posée. En parlant, j'apercevais par la porte coulissante de la salle à manger la masse noire de la météorite qui écrasait le pape en polymère. Je me demandai si le météore était vrai ou s'il était lui aussi moulé en polymère. Pour meubler, je racontai ma rencontre avec Maurizio Cattelan, un farceur agressif qui m'avait embrassé les pieds comme si j'étais la réincarnation de Léonard de Vinci. Emina leva les yeux au ciel. Elle m'interrompit pour faire l'éloge du clergé polonais qui avait voulu « jeter cette merde à la poubelle ». Geoffrey la coupa à son tour, il avait le mépris servile de certains ecclésiastiques pour tout ce qui contredit l'opinion autorisée. Argument d'autorité : madame Brentano estimait l'artiste italien qu'elle trouvait « dadaïste ». Quel rôle tenait ce rouquin auprès des Brentano ? Directeur de conscience en tant qu'ancien aumônier de la CIA ? Je voyais bien un aumônier de la CIA féru d'art contemporain…

Il me fixa intensément :

— Pourquoi avez-vous arrêté la peinture ?

Emina m'agrippa le bras, tournant le dos à Geoffrey, elle me demanda, ou m'ordonna plutôt, de chercher sur Google le numéro du garde-meuble. Garde-meuble qui n'existait que dans son esprit, je le craignais. Geoffrey tourna les yeux vers elle, la manœuvre ne lui avait pas échappé.

— Laissez Alain répondre.

Mal à l'aise, je me réfugiai maladroitement dans mes propres mensonges…

— J'ai écrit un texte…

Moi qui ne savais pas écrire, j'avais à la demande de ma galerie rédigé une plaquette intitulée *La Fin d'une illusion*. C'était une lettre ouverte pour expliquer que je suspendais ma production d'œuvres « classiques ». J'avais décidé de collaborer avec Emina pour ses projets de 3D. Bref, j'avais dit la vérité. Ce texte avait été repris par certains sites spécialisés comme un geste artistique, une « déterritorialisation » pour employer le jargon deleuzien des critiques qui l'avaient commenté. La valeur de tout ça résidait dans la nouveauté. On n'avait jamais vu un artiste contemporain arrêter son activité pour devenir assistant d'une conceptrice d'images de synthèse schizophrène.

Pendant que je parlais, Emina me jaugeait d'un œil excédé. Dans cette agitation passive, elle perçait l'indice d'une stratégie. Tout ce qui me sortait du pur travail de scénario la rendait nerveuse. Nous avions d'incessantes disputes à ce sujet. Ma soumission était devenue à ses yeux une sorte de performance agressive et sournoise. Si je m'étais mis à son service, c'était pour mieux la dépouiller en faisant parler de moi. Elle me coupa la parole :

— Alain est devenu triste parce qu'il n'a pas eu d'enfant.

Silence général.

— La femme de ménage de monsieur Brentano la lui a volée.

Geoffrey, qui était du premier dîner chez Poppée, resta silencieux, me scrutant l'air interrogatif (l'air du type qui a un magnétophone dans la poche) et j'eus l'impression que le temps se retirait comme la mer avant un raz-de-marée. Soudain, les paroles d'Emina m'apparurent comme une fulgurance au milieu d'un tas d'incertitudes. Son apparente mauvaise foi cachait une vérité secrète. Face à moi, Frappier ressemblait à un morceau de bois… J'étais, comme cela arrivait souvent dans ma vie, le seul à ne pas y voir clair. Ma bêtise, l'épaisseur de ma bêtise m'apparut. Les vérités sont comme des épaves que la mer découvre en se retirant, avant de revenir dans une vague énorme qu'une forme sombre annonce à l'horizon.

— Tant mieux pour lui, les artistes sont de mauvais pères qui préfèrent leurs œuvres à leurs enfants.

Geoffrey avait pris un ton snob, une vieille femme.

— La dernière fois, je l'ai vu aux Champs-Élysées dans les jardins près du rond-point…

C'était moi qui me parlais à moi-même. Une petite voix pâle, empruntée. Mes yeux retombèrent sur la météorite. L'interruption de ma relation avec Poppée et sa fille avait-elle plus d'importance que je ne le croyais ? Je me sentais une fois de plus inapte à la vérité. J'étais conscient de ne pas être très intelligent, pas assez en tout cas pour interpréter certains événements. Ma bêtise était imputable à l'art, une sorte de trompe-l'œil, de monomanie qui avait masqué les vrais enjeux. Un peu comme Emina avec ses scénarios. C'est aussi pour cela que je l'aimais… J'avais l'impression de la comprendre, quand elle jouait en raccourci ce que j'avais vécu en plus grand, en moins clair, mais ce que je comprenais en elle, ce que j'aimais, c'était moi, ce qui me ressemblait, ma stérilité, mes angoisses… Donc j'oubliais une partie d'elle… La folie qui avait envisagé les choses plus largement avant de se refermer sur le plan restreint des scénarios. L'un comme l'autre, nous fuyions la vie, mais elle était plus consciente que moi de ses propres limites. Elle avait des fulgurances… Comme en ce moment, celle de se lever et de filer avant l'arrivée de la vague géante gluante pleine de patame qui allait engloutir Gibraltar si nous ne prenions pas les devants.

— Alain, viens, il faut qu'on travaille.

Là, j'étais d'accord. En attendant l'ouverture du Toys"R"Us, on pourrait avancer sur le synopsis. J'avais des recherches à faire sur l'existence de senior trailer camps naturistes… J'en parlai à Geoffrey mais il ne semblait pas comprendre à quoi je faisais allusion. Frappier lui ayant demandé pourquoi il était devenu prêtre, il s'était mis à raconter une histoire. Il avait perdu son fils de trois ans dans un accident de voiture. Sa femme était morte du sida à la suite d'une transfusion au CHU de Grenoble. L'histoire, triste, avait l'air fausse comme tout ce qu'il racontait. Frappier et lui avaient l'art des fables peu crédibles. En racontant ses malheurs, il plongeait ses yeux dans les miens. Il me fixait en parlant du sang contaminé comme si en tant que Français, j'en étais personnellement responsable. Ou alors c'était la mort de son fils qu'il m'imputait… En tout cas, cette confidence me parut plus sinistre qu'émouvante, une conversation de démons, de condamnés à perpétuité, où l'on s'invente des vies parce que rien n'est vrai et que plus rien n'a de sens.

Emina s'était déjà levée. Je lui demandai :

— Tu as pensé à prendre tes lunettes noires, ton téléphone et tes médicaments ?

Non, elle avait oublié son téléphone quelque part. Dans les toilettes ou dans la cuisine, à moins que ce ne soit sous le bureau de son père. Quand elle revint du studio d'enregistrement, j'ai vu qu'elle avait récupéré le drap avec les petits cochons imprimés et un gros album à spirale, celui des dessins que j'aimais bien.

« Take care », nous dit à tous les deux Geoffrey au moment de nous séparer, et cette formule ordinaire me fit l'effet d'une menace, peut-être parce qu'il avait repris sa langue maternelle, comme un vieux costume de flic.

En redescendant vers Algésiras, je surveillais le rétroviseur mais personne ne nous suivait. Je dis à Emina qu'il faudrait déménager, elle s'énerva une fois de plus, me soupçonnant de chercher à tirer au flanc et à saboter une journée de travail.

Cette nuit-là, je dormis encore plus mal que d'habitude. Angoisse alcoolique, question d'âge aussi… L'inactivité demande davantage d'optimisme que la routine. À plus de cinquante ans, la situation d'amoureux d'une fille de seize ans, esclave de son bon vouloir et de ses lubies, me causait des terreurs nocturnes, elle aurait été intenable, même dans la journée, sans la certitude de l'aimer jusqu'à la mort. Les positions désespérées sont les plus solides à partir du moment où elles s'ancrent dans l'absolu, comme la foi des martyrs. Mon amour pour Emina, la folie qu'elle avait suscitée était le rocher le plus dur que j'aie jamais rencontré. Cette pierre céleste valait mieux que toutes les reconnaissances. La vie matérielle, l'art, l'argent ne comptaient pour rien dans notre bonheur. Ils remontaient par contre dans mes insomnies. L'argent commençait à m'inquiéter. Depuis un an, j'usais doucement mes réserves. Après l'annonce de ma mort et malgré le démenti officiel de ma galerie ma cote était montée, moins haut toutefois qu'on n'aurait pu l'espérer. Une œuvre ancienne avait atteint une somme importante en vente de gré à gré. C'est sur ces fonds que je vivais. Récemment, chez Sotheby's, d'autres tableaux plus fragiles, datant de mes débuts, n'avaient pas crevé le plafond. Auprès de certains experts je passais pour un dilettante ou un fou. Le monde de l'art du troisième millénaire était très bourgeois, comme les collectionneurs, plus rien à voir avec les années 1970, la transgression devait rester dans les limites de l'oppression petite-bourgeoise à laquelle tout l'Occident était soumis. Mon histoire avec Emina avait fait l'objet de ragots… On disait que j'étais interné avec elle dans une maison de repos… Ou alors à Tanger dans la drogue… On racontait aussi que j'avais blessé DJMOmo avec une arme à feu… Tout cela entretenait une sorte de trouble qui n'aidait pas les affaires de ma galerie.

La terreur est un état plus stable que le confort, elle me rendait à la nature. J'étais proche des animaux, même des fourmis que j'observais dans le soleil rasant du matin. Elles envahissaient en colonne la table de pique-nique en ciment où j'avais appuyé mon coude.

Poppée devait atterrir en ce moment à l'aéroport de Malaga. Je pensai à Galatée, en même temps que je regardais les fourmis courir sur le ciment. Une fois, à Mortefontaine, je l'avais intéressée à leur travail. Elle s'était amusée de voir une toute petite bête transporter une énorme boule de mie.

Le soleil levant me réconfortait, je sentais sa chaleur sur ma joue. De temps en temps, je jetais un coup d'œil à la porte de la chambre que j'avais laissée entrouverte pour ne pas réveiller Emina avec le bruit du loquet. J'avais peur de la voir apparaître comme un tigre et troubler ma tranquillité. Depuis l'aube, je repassais cette phrase qu'elle avait dite à table, le lien entre le renoncement définitif à ma paternité et la décision d'arrêter la peinture. Dès avant la naissance de l'enfant, j'avais nié ma tristesse, ce refoulement n'avait fait que se renforcer avec les années. La présence de Galatée sur le sol espagnol, à peu de distance du lieu où je me trouvais, m'était pour le moment indifférente. Cette absence de souffrance était-elle une illusion ? Je m'étais si bien protégé que le mal pouvait œuvrer en dessous sans symptôme apparent, comme un cancer de l'âme. Je ne me tourmentais pas de son absence mais de l'inexistence à laquelle je l'avais condamnée. En avouant cette mauvaise conscience pour faire plaisir aux autres, aux femmes, je me révélais peut-être une vérité que j'ignorais. La question posée simplement se résumait ainsi : « La nature est-elle plus forte que l'art ? » Avais-je gagné à cette privation ? Le durcissement de mon caractère, renforcé par l'inactivité et les attaques permanentes de la folie intrusive d'Emina, était-il en train de céder devant une poussée contraire ? L'insécurité d'Emina était-elle due à sa folie, ou sa maladie l'avait-elle poussée vers moi parce que j'étais malade ? Cette nuit j'avais eu un rêve où je faisais l'amour avec Poppée. Elle m'avait semblé douce comme certains jours d'autrefois, à l'époque où elle venait à la campagne avec son bébé, l'époque où je peignais si bien et qui ne reviendrait jamais. Ce rêve m'avait réveillé vers six heures du matin.

Je préférais la terreur actuelle aux mensonges d'autrefois. La haine que me vouait Poppée me semblait plus enviable que les mensonges. J'avais peur, donc j'étais dans le vif de l'existence. En me faisant perdre mes dernières protections, Emina m'avait rendu à la vérité. La vérité était que j'aurais pu aimer ma fille même si elle n'était pas ma fille, que je m'étais censuré parce que je n'aimais pas sa mère et qu'elle me haïssait pour une raison antérieure à notre rencontre.

J'avais reporté une partie des sentiments éveillés en moi par Galatée sur Emina. Mon amour ressemblait à de l'affection paternelle. Au Toys"R"Us ou chez Aldi, on me prenait pour son père. À Bolonia, au café, un enfant français m'avait demandé pourquoi j'embrassais ma fille sur la bouche. La manière qu'elle avait de tout centrer sur elle sans jamais se préoccuper de mon état moral, son absence de compassion que j'interprétais comme un symptôme de sa maladie, tout cela relevait de l'attitude enfantine.

— Tu penses à quoi ?

Emina était sortie du lit sans que je l'entende. En croisant son regard je captai un éclair de cruauté.

— Tu sais je n'ai pas seize ans mais quatorze…

Je restai figé, toujours ce don de deviner mes pensées… Ce n'était pas la première fois qu'elle me disait ça. L'incertitude qu'elle entretenait sur son âge était un reliquat de son délire. Elle en jouait avec moi à des fins érotiques et aussi pour me torturer. Il est vrai qu'elle n'avait aucun papier sur elle. Tout était je ne sais où. Chez l'avocat d'après elle, mais lequel ?

— J'ai trouvé un extrait d'acte de naissance dans le coffre à Momo.

Le cœur battant, je lui demandai de me le montrer mais elle me répondit qu'elle l'avait perdu… Je fus soulagé comme si tout cela n'existait pas. Sa voix devint rageuse.

— J'étais sûre de l'avoir dans le sac Darty mais tu m'as pressée et alors je ne sais pas ce que j'ai fait, je l'ai perdu, sûrement sur la route quand j'ai pissé. J'ai descendu le sac Darty parce que je croyais qu'il y avait le rouleau de PQ.

Elle avait crié « PQ » très fort comme tout ce qui pouvait éventuellement troubler l'ordre public et me faire honte. Je dus prendre une tête encore plus drôle que d'habitude, car elle me regarda avec curiosité.

— T'as peur ? Ne t'inquiète pas, tu ne vas pas aller en prison.

Pourtant j'étais sûr que mes ennemis y veilleraient. Je répondis d'une voix mal assurée :

— Ta belle-mère m'a dit que tu avais seize ans.

— C'est pas ma mère, elle n'en sait rien, elle sait pas lire... Elle sait pas son âge elle-même, elle a truqué ses papiers parce que son père était général de police.

Elle avait hurlé le mot « police » plus fort encore que « PQ » ou « prison ».

— Monsieur Alain Leroy ?

Je me retournai, un jeune homme blond se tenait à quelques mètres de nous, dans l'allée qui menait à notre pavillon. Je notai aussi la présence d'une voiture grise garée derrière ma Renault comme pour l'empêcher de sortir. Emina, qui ne portait qu'une chemise à pan voilant à peine son ventre nu, s'enfuit dans la chambre, je restai seul avec le blondinet. Très propre, bien coiffé, une raie sur le côté, il avait l'air doux, sympathique et amical. Je lui donnai vingt-cinq ans. Il était habillé avec sobriété et recherche d'une veste seersucker sur un pantalon clair et de chaussures en toile écrue. Il ressemblait à un étudiant anglais dans un film de James Ivory.

— Pardonnez-moi de vous déranger. Je m'appelle Scott Mynott, je suis journaliste au *Time* et je cherche à rencontrer monsieur Alain Leroy.

Il parlait un français impeccable. Je lui souris avec je crois beaucoup de naturel, sans savoir pourquoi j'étais heureux de le voir. Sa présence masculine et juvénile, rassurante, me faisait un bien extraordinaire. Il dut le percevoir car il s'avança et me tendit la main. Je la serrai avec effusion.

— Ne vous inquiétez pas, vous n'irez pas en prison, votre amie a seize ans révolus et au vu des circonstances, la procédure d'émancipation va forcément aboutir.

Sans me poser de question sur cette indiscrétion, je sentis un soulagement tel que je crus rêver. Scott Mynott relâcha son étreinte pour me prouver le contraire, sa main alla à sa poche et il sortit une carte de visite d'un portefeuille bien soigné en toile écrue bordée de cuir marron. Comment savait-il l'âge d'Emina ? Il semblait détenir les réponses à toutes les questions qui m'angoissaient. Peut-être allait-il aussi m'aider à établir un bilan mental… J'espérais que la question de la réévaluation de mes œuvres anciennes chez Sotheby's ne lui serait pas non plus étrangère, il avait sûrement des solutions concrètes à la plupart de mes inquiétudes… Un cri sortit de la chambre :

— Alain !

La voix d'Emina indiquait qu'elle était passée en un instant de l'agressivité à l'angoisse totale.

— Viens vite, s'il te plaît, j'ai un problème. Tu m'as blessé la vulve.

Le mot « vulve » qu'elle prononçait pour la première fois à ma connaissance, mais avec une force extraordinaire, de manière à être entendue jusqu'au parking poids lourds, le mot « vulve » qu'elle répéta une deuxième fois en hurlant « J'ai mal, j'ai mal à ma vulve », ce mot magique destiné à m'ouvrir les portes du pénitencier ne troubla pas Scott. Pas un de ses cheveux bien peignés ne bougea. À peine si son visage s'éclaira d'un léger sourire.

— Allez-y, je crois qu'elle s'inquiète, nous avons tout le temps. Je vais m'asseoir au soleil, si vous le permettez.

— Mais bien sûr, je vous en prie…

Ce garçon m'entraînait à la surenchère de politesse. Avec lui j'avais l'impression de jouer une comédie très agréable pour un programme d'après-midi de la BBC. Derrière nous, la porte de la chambre s'entrouvrit, la voix d'Emina était devenue suppliante.

— Alain !!! Appelle les pompiers s'il te plaît, tu ne peux pas m'abandonner comme ça, espèce de salaud…

Je rentrai dans la chambre, le capharnaüm auquel j'étais habitué me rappela soudain le studio de musique de DJMOmo. Je l'entendais sangloter mais je ne la voyais pas. Hier, nous nous étions disputés en buvant une bouteille de whisky qu'elle avait piquée à la villa. Furieux contre elle j'avais ressorti sept vieux dessins au fusain improvisés à la hâte pendant les semaines qui suivirent notre installation. Des dessins grandeur nature, sombres, extraordinairement pornographiques. Ils la représentaient sous toutes les coutures avec une vigueur de possédé. Sans doute ce que j'avais fait de meilleur, avant qu'elle ne m'oblige à tout arrêter.

— Alain… Qu'est-ce que tu as dit au flic ?

Elle se cachait sous le lit. Ça lui était arrivé deux ou trois fois au début, quand l'homme de ménage du motel qui était aussi le gérant et que je surnommais pour rire « Norman Bates » voulait passer la serpillière dans la salle de bains.

Je me mis à quatre pattes et je la tirai par le bras. Elle glissa d'autant plus facilement qu'elle s'était enroulée comme un paquet dans la couverture sale.

— Ce n'est pas un policier, c'est un journaliste, il est charmant…

— Tu parles, c'est un des flics envoyés par mon père, ils vont te coincer… Il va dire que tu m'as violée, j'ai douze ans.

— Tu n'as pas douze ans, tu en as seize.

Devant son air incrédule, narquois malgré la douleur, j'ajoutai :

— C'est ce que m'a dit le journaliste du *Time*.

Invoquer le témoignage d'un journaliste pour démontrer à ma petite amie mineure, enroulée nue sous un lit dans une couverture sale, qu'elle n'avait pas douze ans me paraissait très naturel. La chose à faire. J'étais si confiant dans ce garçon que j'aurais presque demandé à Scott Mynott de venir examiner l'entrejambe d'Emina qu'elle refusait d'ouvrir, me griffant la main à mesure que je me cramponnais à elle.

— Alain, tu me fais très mal. Tu es brutal, tu es un salaud.

J'examinai son sexe saillant entre ses cuisses maigres, elle n'avait aucun symptôme apparent comme d'habitude. Emina se plaignait presque tous les matins de douleurs imaginaires, cela faisait partie des multiples symptômes résiduels que son traitement corrigeait. Elle prenait une bonne demi-douzaine de cachets, une véritable cascade chimique dont je voulais tout ignorer. La laissant gémir par terre j'allai chercher la trousse à chaussures contenant les cachets. Puis j'entrepris de rincer un verre sale dans l'évier. Au début je m'acharnais à nettoyer les tasses, les verres, maintenant à son exemple, je me contentais d'une ablution symbolique. Elle avala le contenu du verre crasseux avec une soumission qui me faisait toujours un peu de peine. Mais je me dis une fois de plus qu'elle avait raison, le mépris qu'elle avait du matériel et de l'hygiène avait une vertu ascétique.

— Tu crois que le lait est encore bon ? Il faudra faire des grosses courses tout à l'heure, il n'y a plus grand-chose.

J'avisai un paquet de carottes pourries et une pile entière de soupes japonaises sous vide qu'elle avait achetées sans jamais en goûter une seule. Elle avait deviné mon regard.

— Oui je sais que ça t'emmerde ! C'est pas grave on n'achète rien, on sort plus, on se laisse mourir de faim !

Sans répondre je jetai un coup d'œil sur la porte entrouverte. Je me demandais ce que devenait Scott. Je dis d'une voix douce :

— Tu devrais t'habiller, il faut que je m'occupe du journaliste.

Elle releva la tête, me fixant de ses yeux pleins de larmes.

— Ce n'est pas un journaliste. Chasse-le Alain, je t'en supplie.

Sa voix avait perdu des aigus, elle mâchait les consonnes, l'effet de la chimie commençait à se faire sentir.

— Il faut qu'on travaille… Dis-lui qu'on a un scénario à finir. On n'a pas que ça à foutre de répondre aux questions de la police.

— Habille-toi, je dois lui parler.

— Ne me laisse pas… on a du travail !

Elle s'était accrochée à mon bras, je me détachai avec la douceur qu'on emploie avec un chiot qui joue. Elle regardait un portrait d'elle jambes ouvertes, le dos cambré, sur un coussin rayé.

— Enlève ces dessins, je t'en prie. Tu m'avais promis de les détruire.

— Je n'ai plus envie de les détruire, je pense qu'ils marcheraient avec les tiens.

Elle me regarda d'un œil vague. Je n'avais pas

réfléchi avant de dire ça mais je continuai. J'avais l'impression de franchir un interdit, d'entrer dans un terrain inconnu.

— Ceux que j'ai vus hier dans ton cahier. La jeune fille ailée. On pourrait organiser une exposition à deux…

Ça je le lui avais déjà dit dans la nuit. Nous avions parlé de l'incrustation. Je pensai qu'elle allait protester comme à chaque fois que je lui proposais quelque chose. Elle refusait tout du premier abord, puis elle finissait par réfléchir. Mais elle ne dit rien. Je profitai de mon avantage pour retirer ma main de la sienne et la passer dans ses cheveux :

— Je vais voir le journaliste, tu ne veux pas préparer un café ?

Il était rare que je lui confie cette mission. En général, je m'y collais, mais là il y avait un étranger. Des restes d'éducation lui permettaient de se reconstituer sous forme d'une femme approximative, la maîtresse de maison. Elle me laissa m'évader vers le soleil.

Scott était venu pour me poser des questions sur mon passé. Mes relations avec les Frappier et l'extrême droite. Le *Time* avait lancé une enquête sur DJMOmo après le scandale du viol de Zibbedé et aurait bien aimé en savoir plus sur sa jeunesse. Les droites européennes intéressent beaucoup les Américains. Je lui répondis que je ne souhaitais pas parler de tout ça. Il eut un geste charmant, l'air de dire que ce n'était pas grave, qu'il admettait parfaitement ma réserve. Toujours souriant, il glissa sur notre rencontre avec

Emina, il voulait comprendre pourquoi DJMOmo m'avait confié sa fille aînée…

— C'est sa belle-mère qui a convaincu le père de la laisser travailler avec moi. Lui, je ne l'ai même pas vu… Emina était dans une maison de repos près de Cordoue.

— Travailler ?

— Oui, j'avais vu certains de ses dessins et j'envisageais une œuvre en collaboration. Je m'intéresse au domaine de l'animation.

Je me sentais d'autant plus convaincant que je venais de reparler de ça avec Emina dans la chambre. Scott semblait surpris :

— Vous êtes plutôt dans une veine classique…

— Les dessinateurs de 3D se rapprochent des maîtres anciens, plus que beaucoup d'artistes modernes. Ils travaillent sur la nature, se posent des questions de perspective, de fondus. Le rapport du sujet et du paysage qu'un peintre comme Bacon a complètement raté, ils continuent à y réfléchir…

Scott approuva de la tête, sortit une pipe de sa poche et la tapota sur le ciment de la table à pique-nique. C'était la première fois depuis longtemps que je voyais quelqu'un fumer la pipe. Une ligne claire… On aurait dit un personnage de Tintin ou de Blake et Mortimer.

— Donc depuis un an vous travaillez ensemble ?

— Pas un an, neuf mois… Emina a orienté notre travail sur la préparation des scénarios. Cela lui tenait très à cœur au moment de notre rencontre. Le dessin lui rappelait ses épisodes délirants. J'ai donc décidé de suspendre mon œuvre graphique…

— Je sais, votre galeriste m'a communiqué le texte que vous avez rédigé à ce propos. Et votre job de scénariste se passe bien ?

Je le regardais bourrer sa pipe. Il devait soigner son style BD 1950, les jeunes, même sérieux, se montrent tous très conscients de leur apparence extérieure. Il y avait un côté joueur chez lui qui faisait dériver la situation où nous nous trouvions vers un degré subtilement ironique. Ce recul correspondait à mon état moral, je me sentais à l'aise pour lui dire la vérité.

— Pas très bien… Nous changeons souvent de projet, le dernier me paraît difficile à réaliser… (j'avais la flemme de lui raconter l'histoire d'avortons vampires chez les retraités en mobil-home qui pourtant l'aurait peut-être intéressée pour des raisons de politique)… À vrai dire, je regrette que nous ne travaillions pas le dessin ensemble… C'est quand même ma partie, plus que les scénarios.

— La déterritorialisation (il prononçait ça à merveille, beaucoup mieux que moi) a échoué ?

— Je ne sais pas.

Il sortit un carnet de sa poche et nota quelque chose. Peut-être ma dernière réponse. « Je ne sais pas. »

— Si vous êtes d'accord, je voudrais que vous me racontiez vos journées de travail. En fait je m'intéresse à votre relation… En fait… En fait sans m'imposer, si ce n'est pas trop vous demander, j'aimerais passer une ou deux journées avec vous…

Il y eut un silence. J'ai cru qu'il allait ajouter : « En fait je vous aime » mais il a dit :

— En fait je voudrais aussi m'entretenir avec elle.

Il avait dit ça en désignant de la tête la porte de la chambre. Je remarquai qu'elle était entrouverte alors que j'étais sûr de l'avoir refermée derrière moi.

— Votre enquête concerne d'abord le père d'Emina, non ?

— Oui mais c'est un dossier approfondi. Je travaille dessus depuis plusieurs mois.

— Vous êtes journaliste culture ?

— Non non… Mon domaine c'est plutôt la politique, l'extrémisme. Mon dernier article était consacré à un ancien proche de Kadhafi réfugié à Istanbul.

De Kadhafi aux néonazis il n'y avait qu'un pas… J'avais compris depuis le début qu'il n'avait pas abandonné tout espoir de me faire revenir sur le passé. Mais ma sympathie à son égard ne faisait que grandir.

— Emina ne voudra pas vous parler. Elle m'a demandé de vous chasser.

— Pourquoi ne l'avez-vous pas fait ?

— Je ne sais pas.

J'entendais des glouglous. Je me levai pour chercher le café. La chambre était toujours dans le même état de désordre, tout semblait mort sauf le gargouillement de la cafetière électrique. L'odeur était délicieuse. Sans doute avait-elle piqué un paquet de bon café à la villa en même temps que le whisky car il ne sentait pas comme le robusta de chez Aldi. Je ramassai le pistolet qui était posé sur le lit en désordre.

Je m'agenouillai et me penchai sous le sommier à

lattes. Emina était au fond de sa cachette, enroulée dans sa couverture comme un cadavre.

— Tu ne vas pas passer la journée ici ?

Je dus répéter ma question plusieurs fois. Une voix lugubre sortit de la masse informe

— Chasse ce type, Alain, tu me fais du mal, je t'entends parler avec lui ça me fait souffrir tu le sais…

Je tendis le bras pour essayer d'attraper la couverture afin de la tirer comme tout à l'heure mais elle se rétracta en me griffant…

— Chasse-le, putain, chasse-le !! Ne me touche pas !!!

— Je te jure qu'il faut sortir. C'est un journaliste important, il peut nous aider.

Un crachement ironique jaillit de la couverture. Je repris d'une voix rendue calme par la bêtise. Je me sentais d'une bêtise extraordinaire. La douceur raisonnable de Scott était un tel antidote à la violence d'Emina que je me fichais de connaître ses motifs. J'avais seulement besoin de parler gentiment.

— Beaucoup d'articles malveillants ont paru depuis que nous sommes ensemble.

Elle éructa quelque chose de bien plus malveillant encore à propos de moi, des pédophiles, des nazis et de son père. Je répondis calmement :

— Ce n'est pas aussi clair et brutal que ce que tu dis mais c'est un peu ça qui est sous-entendu. Ça serait bien que tu parles, toi, à la grande presse américaine… Ce garçon m'a l'air honnête…

— Pfuu, comment tu le sais, pauvre con ! Depuis

quand as-tu du flair pour les gens honnêtes ? À commencer par toi-même !

Pourquoi montrait-elle tant d'injustice ? L'angoisse remontait. Si je m'étais écouté, je me serais allongé par terre pour pleurer mais la présence de Scott que j'apercevais par la porte ouverte accoudé à la table de pique-nique me força à tenir bon. Sous le lit, la couverture s'était entrouverte, je vis apparaître les cheveux d'Emina puis son visage. Elle avait mis du rouge à lèvres. Elle avait donc bien l'intention de faire des mondanités. Avec le pistolet peut-être... Je me relevai, rangeai l'arme dans un sac de voyage et m'emparai de la cafetière.

— Je prends les mazagrans, tu pourras apporter les sucrettes ?

— Je ne veux pas qu'il me cite dans son article de merde. Je n'aime pas qu'on parle de moi...

À sa respiration et au chuintement de la couverture, je compris qu'elle s'extrayait de sa cachette.

— Je n'aime pas lire ce qu'on écrit sur moi.

Je découvris deux mazagrans fêlés et sales dans l'évier sous un paquet de jambon entamé plein de marc de café. Elle avait dû avoir une petite faim cette nuit. J'entrepris de passer les mazagrans sous l'eau qui gicla désagréablement sur le jambon racorni, projetant un peu de marc sur ma chemise. Je soupirai d'irritation. Au silence qui régnait dans la pièce, je devinai qu'elle se regardait dans la glace de la salle d'eau. Je récupérai un verre par terre, le bol de la cafetière, je mis le tout sur un plateau en plastique rouge et j'allai m'occuper de notre invité.

Scott fumait sa pipe en contemplant l'orage qui pointait à l'horizon du côté de Gibraltar. Le ciel était gris-bleu et la verdure paraissait fluorescente.

— Emina veut bien vous parler.

J'avais repris mon rôle d'assistant personnel. Élevée dans le show business, Emina avait l'habitude d'être entourée de larbins. Insensiblement, dès que nous avions affaire au monde extérieur elle me remettait à cette place.

Scott se précipita pour m'aider. Il me remercia avec une politesse qui me fit regretter de ne pas vivre plutôt en concubinage avec lui. En imaginant sa petite toilette du matin et ses manies de vieux garçon, je me dis que je m'ennuierais quand même un peu.

Emina fit son apparition en même temps qu'un éclair orageux qui déchira le ciel gris foncé. Elle avait ses lunettes noires recollées au sparadrap, une chemise à carreaux couverte de taches, son jean qui sentait le pipi et ses bottes camarguaises crayonnées au Bic. Le rouge à lèvres, les hanches étroites et les cheveux blonds attachés en queue-de-cheval lui donnaient l'air d'une chanteuse de rockabilly. Scott la regardait comme une apparition. C'était la première fois qu'il la voyait en chair et en os.

La maladie lui avait laissé une pâleur particulière, ainsi qu'une froideur dans les premiers contacts qui décontenançait les interlocuteurs.

Elle parla de son père de manière détachée, comme toujours en public. Une modération de témoin extérieur sans trace de haine ou d'amour. Elle ne voulait pas évoquer leur collaboration artistique à cause du litige qui l'opposait à lui. Et comme d'habitude, pas d'anecdotes ni de détails, on aurait dit que son père était un musicien classique, qu'il travaillait dans un orchestre de chambre et qu'elle avait vécu une vie d'enfant normale dans un bel appartement tranquille.

— J'ai appelé mon avocat, il m'a déconseillé de vous répondre.

Scott lui posa une question sur sa mère.

— Maman est décédée.

— Pouvez-vous me dire dans quelles circonstances ?

— Je n'étais pas là, j'étais à Savanna-la-Mar.

Ce n'était pas la première fois que je l'entendais parler de Savanna-la-Mar. Je croyais à une ville imaginaire où elle se réfugiait par moments dans son délire. Quand je vis Scott noter le nom sans lui demander de l'épeler, je compris que le lieu existait vraiment, en Jamaïque, d'après eux. S'agissait-il du même Savanna-la-Mar ? J'en doutais car elle m'avait parlé d'une cité engloutie au XVIIe siècle. Elle m'avait décrit cette ville intacte qu'elle voyait en se penchant d'un bateau à travers la mer transparente et je savais qu'elle était à Paris au moment du suicide de sa mère. Emina avait une grande facilité pour noyer les choses du passé dans le vague. Sa voix changeait, son intonation restait suspendue sur les silences. Elle ne mentait pas mais elle effaçait le réel et insensiblement son buste commençait à osciller. Une vibration d'abord, comme si l'air extérieur l'ébranlait, puis une oscillation plus marquée quand elle scandait certains mots : Savanna-la-Mar…

Je me sentais bête. Comme souvent avec elle, d'ailleurs elle me le répétait souvent : « Mon pauvre Alain, tu es si bête. » Elle avait aussi une aptitude à glisser du réel à une autre dimension. Lorsqu'elle entrait dans ce genre d'état, je la voyais s'éloigner sans pouvoir la suivre.

Scott prenait peu de notes mais il avait l'air de la comprendre. J'en déduisis qu'il était hypocrite. Emina annonça qu'elle avait envie de se baigner sur la plage de Bolonia malgré l'orage. Scott approuva, trop content de nous suivre. Lorsque je le vis reculer dans sa petite voiture grise sur le parking, j'eus l'impression rassurante que nous avions engagé un garde du corps. Au moment où j'allais fermer la porte de la chambre, Emina insista pour emporter une vieille valise à roulettes sous prétexte qu'elle voulait passer au Toys"R"Us. Je l'attendis un moment dehors, tourné vers Scott qui semblait occupé à manipuler son téléphone au volant de sa voiture. Elle ressortit, je tirai la valise jusqu'à la Clio, elle était déjà assez lourde, elle avait dû emporter des affaires de travail.

Une fois dans la voiture, elle ne m'adressa plus la parole. Elle se recroquevilla sur son siège, tête baissée, regardant ses pieds qui remuaient mécaniquement. J'approchai la main pour lui effleurer les cheveux, je croyais qu'elle allait s'écarter mais elle resta immobile, insensible.

— Ça va ?

Elle ne répondit pas. Son silence n'était pas chargé de reproche. Il était aussi impersonnel que celui d'une chose inanimée. Elle était partie très loin en elle-même. Sa conscience avait glissé.

— Mina ?

Ce nom ne semblait plus rien lui dire. Seul son pied droit bougeait encore un peu. Comme je devais conduire, je ne pouvais pas la regarder. Heureusement, car ça ne m'aurait pas aidé à reprendre contact. J'avais déjà connu plusieurs alertes de ce genre-là.

Dans ces cas-là, je me sentais affreusement mal. J'avais envie de crier, de la secouer, tout en sachant que ce serait inutile. Cette présence noyée à côté de moi me plongeait dans l'anxiété. Elle m'avait confié que pendant les épisodes catatoniques, à l'hôpital, elle avait parfois une perception lointaine des autres, qui s'inquiétaient, mais qu'elle était si enfermée en elle-même qu'elle ne pouvait rien faire pour les rassurer.

— Dis-moi quelque chose, je t'en prie.

Le ton que j'avais pris était stupidement dramatique. Je ne pouvais pas m'en empêcher... Son silence me rendait coupable. Sans raison, poussé par l'affolement, je me mis à lui parler de Galatée. Je lui appris la visite de Poppée en Espagne, leur présence à quelques kilomètres et le peu d'envie que j'avais de les voir. Au moment où je disais « Je n'ai pas envie de les voir », l'idée me vint qu'au contraire, j'avais envie de les voir. Emina continuait d'agiter son pied droit avec une régularité d'horloge. Je cessai de parler. Je m'en voulais d'avoir perdu patience. J'avais prévu de lui parler peinture. Je voulais essayer de la convaincre de travailler avec moi. Ce matin, juste avant qu'elle ne s'éveille, je m'étais dit que j'allais y arriver. Souvent, quand elle dormait, j'avais l'impression que les choses pouvaient devenir plus faciles entre nous. Cette illumination qui m'avait conduit jusqu'à elle allait pouvoir s'exprimer.

Nous traversâmes un petit rio asséché, de rares plantes y brillaient, fluorescentes sous le ciel noir. Un ibis s'envola. Le monde extérieur, la sécheresse de certains lieux m'évoquaient sa manière si particulière d'intégrer les figures dans le paysage. Une nuit, elle m'avait raconté que sa folie lui permettait par une concentration extrême d'incruster ses visions dans le réel. Elle m'avait cité comme exemple de réussite l'incrustation du fromage de Gruyère dans le film en 3D *Ratatouille*. Pendant qu'elle m'en parlait, j'avais cru comprendre ce qu'elle voulait dire par « incruster », mais peut-être cette intelligence n'était-elle qu'un effet de l'alcool. En découvrant hier soir la créature ailée qu'elle avait dessinée dans son cahier, noyée dans ses arabesques, j'avais eu le même sentiment, mais j'avais bu du whisky…

— Emina, mon amour.

Plus rien ne bougeait. Elle ne respirait plus normalement. J'avais envie de crier sur elle mais ça n'aurait rien changé. Même si je m'étais arrêté sur le bord de la chaussée pour la secouer, elle n'aurait pas réagi. Elle était partie en elle-même si profondément qu'il lui était impossible de revenir à la surface. Je me demandai ce que nous allions faire sur la plage, avec ce journaliste dont je voyais la petite tête sérieuse et bien coiffée se pointer dans mon rétroviseur à chaque stop.

Souvent quand je croyais que les choses allaient s'arranger, Emina prenait une distance terrible. Le dernier épisode catatonique avait eu lieu après une conversation nocturne intense pendant laquelle nos esprits s'étaient rapprochés comme jamais. Le lendemain, douze heures de silence et d'immobilité absolus. Et puis elle s'était réveillée, ne sachant plus d'abord qui j'étais, mais la mémoire était remontée en une demi-heure avec une grande fatigue. Au réveil le surlendemain, tout était normal.

Les douze heures que j'avais passées seul, près d'elle mais plus seul encore que si elle avait été réellement absente de la pièce, restaient un des pires souvenirs de ma vie. Je ne savais plus quoi faire, je ne pouvais pas vivre. J'avais mangé un peu de pain sur le bord du lit dans cette atmosphère confinée, devant cet être sans vie qui respirait comme une plante. Je ne savais pas vers qui me tourner. Un médecin espagnol dont je ne parlais pas la langue, il l'aurait fait interner… J'avais appelé la clinique de Cordoue où l'on s'était occupé d'elle. La personne parlait mal l'anglais. Elle m'avait dit de venir avec elle… Pour quoi faire ?

Je pensai soudain aux médicaments. Les avait-elle pris ce matin ? Oui, je me rappelais les avoir eus en main, mais je posai la question pour essayer de rétablir le contact.

— Tu as pris tes médocs ?

Elle ne répondit pas, je sentis comme une vibration au niveau du buste. Puis hors délai, sans que cette réponse en soit une mais plutôt une phrase en l'air…

— Oui, c'est vous qui me les avez donnés.

Elle était revenue parmi nous. Qui était « vous » ? Moi et Scott ? Ou alors une entité mélange de moi et d'un aide-soignant avec qui elle me confondait momentanément ?

— J'ai oublié mon maillot violet ! Arrête…

Elle n'avait qu'un maillot de bain, un peu grand pour elle, il était violet et elle ne s'en séparait jamais. À chaque fois que nous allions à Bolonia elle créait toujours une fausse alerte au même endroit du parcours devant le même vieil eucalyptus après vingt minutes de route. C'est grâce à cet automatisme qu'elle était revenue à elle.

— Vous a-t-elle déjà parlé de Jeanne d'Arc ?

Scott revenait à l'objet de son enquête. En douceur, avec mille détours. Il commençait à m'agacer.

— Non, elle ne délire plus. C'est assez courant que les malades se prennent pour des personnages historiques.

J'avais attrapé son ton cauteleux et ironique. Il ne semblait pas s'offusquer de mes réticences. Il avait une patience de médecin. Je me dis soudain qu'il me prenait peut-être moi aussi pour un fou. D'où son calme. Les jeunes journalistes comme lui considèrent mes opinions droitières d'autrefois comme une maladie mentale menaçant tout Caucasien hétérosexuel. Je repoussai cette idée car le garçon m'était sympathique, quoique à bien y réfléchir son attitude me rappelait – flegme anglo-saxon en plus – celle des policiers français qui m'avaient mis en garde à vue pour mon histoire de drogue. Des stewards d'avion qui cachaient des menottes dans leur poche. Une fois de plus, Emina avait peut-être eu le bon instinct.

Une rafale secoua le brise-vent de la terrasse où nous étions assis, le même café où j'avais pris un verre avec Frappier la veille. Je me levai pour regarder la mer gris et blanc sous le ciel d'un noir-bleu. Emina était partie nager avant la tempête, laissant sa serviette sécher sur une chaise de la terrasse. Le vent l'avait fait glisser par terre et j'allais la récupérer, mais Scott me prit de vitesse, toujours empressé et charmant.

Je lui avais raconté le début de notre histoire, ma première arrivée de nuit en voiture à Tarifa. Théodora m'avait rejoint près du marché couvert, fermé à cette heure. Je n'avais pas précisé qu'elle s'était jetée sur moi et que je l'avais baisée debout, appuyée sur un mur qui sentait l'urine, ni qu'elle avait une langue charnue et poussait d'étranges cris rauques. Ensuite, me souvenant des conseils de la marquesa de S-C, je lui avais parlé directement d'Emina et de mon désir de travailler avec elle. Elle avait réagi tout aussi directement avec une générosité qui m'avait étonné. Sous des dehors brutaux, Théodora était charitable tant qu'on ne la gênait pas. Elle avait appelé son mari devant moi dans la voiture. Il était trois heures du matin mais Momo, comme elle l'appelait, ne dormait jamais. « Momo never sleeps, always taking drugs, watching porno and making music. » J'avais entendu sans la reconnaître, une voix métallique, éteinte, celle de mon ancien camarade. Momo trouva que c'était une bonne idée, le travail aux côtés d'un peintre célèbre ne pouvait que l'aider à s'en sortir. Il ne demanda même pas où nous étions, il ne fit aucun lien avec le passé, seule ma réputation était parvenue à ses oreilles. Je reçus l'adresse de la clinique de Cordoue, prévenue par mail de ma démarche. D'après Théodora, Emina était « ok ». Sa tentative de suicide à l'Alfonso XIII n'avait même pas provoqué un entrefilet dans la presse. Un mois plus tard, le scandale qui éclaterait autour de la petite Zibbedé serait d'une autre ampleur. Théodora voulait refaire l'amour dans un lit, nous allâmes dans un hôtel quelconque. Elle resta jusqu'au lendemain matin dans mes bras, mais ça non plus je ne le confiai pas à Scott.

— Comment avez-vous vécu l'affaire du viol ? Quelle a été la réaction d'Emina ?

À vrai dire j'avais complètement oublié les premiers temps avec Emina. Un brouillard total. Le choc de notre rencontre avait été si puissant qu'il avait effacé tout le reste. Emina se montrait indifférente au sort de sa demi-sœur. Elle ne semblait pas non plus étonnée des violences de DJMOmo. Elle était obsédée par Théodora, qu'elle haïssait d'une jalousie féroce. Lui, elle voulait le tuer mais elle avait prévu de le faire pendant sa tournée en 2018, c'était planifié, mais ça non plus je n'avais pas l'intention de le raconter à qui que ce fût.

Je demandai à Scott s'il avait rencontré DJMOmo. Non, me dit-il, il était prévu qu'il le voie en Suisse très bientôt. D'après ce qu'il savait, le musicien refusait toute question à propos de ses activités politiques de jeunesse. Scott me faisait de la peine à tourner ainsi autour du pot. Je lui lâchai une piste, sachant qu'elle ne mènerait nulle part :

— Vous devriez interroger son frère, Alain.

— Vous avez son téléphone ?

Je le lui donnai, il le nota prestement.

— Vous êtes toujours en contact ?

Je hochai la tête affirmativement. Une intuition me

déchira soudain, si ce n'était pas Frappier qui avait bavé… Qui était-ce ?

Je lui posai la question :

— Qui vous a donné l'adresse du motel ?

— Votre galeriste américain m'a renvoyé sur la fondation Brentano. Là-bas j'ai eu la directrice qui m'a donné votre adresse.

La directrice… Le souvenir de mon rêve provoqua une érection. Poppée devait bander à sa manière elle aussi pour me pourchasser comme ça. Sa présence à quelques kilomètres me donnait envic d'elle. J'essayai de chasser ce fantasme, une envie de violence le remplaça. Je me souvins du pistolet que j'avais caché dans le tiroir. Scott dut sentir que j'étais émotionnellement mûr pour les aveux, il posa son magnétophone sur la table :

— Comment avez-vous connu les Frappier ?

— J'ai rencontré Alain au collège Stanislas à Paris en 1976, Jean-Claude était au Liban.

— En formation dans la Phalange ?

— Non, il était favorable aux Palestiniens, il est parti à Beyrouth en week-end avec des copains et s'est retrouvé à se battre du côté des phalangistes à l'hôtel Holiday Inn. Ce n'était pas une formation…

— Il vous a parlé de ce qu'il avait fait là-bas ?

— Il n'est pas resté longtemps à Beyrouth, un mois ou deux peut-être. Je sais qu'il y avait un photographe de guerre américain très connu en même temps que lui ou peut-être juste avant.

— Don McCullin ?

— Oui c'est ça… Je me souviens que les Forces

libanaises ont chassé ce reporter parce qu'il avait photographié le cadavre d'une jeune fille palestinienne. Il m'avait montré la photographie dans un journal.

— Vous savez s'il avait participé à des exécutions de civils ?

— Il ne m'a rien dit. C'était le début de la guerre, bien avant Sabra et Chatila… Mais il a gardé beaucoup de méfiance envers les maronites et les chrétiens en général.

— Quel âge aviez-vous ?

— J'avais seize ans, Alain en avait dix-sept et son frère vingt-deux. Je m'ennuyais chez moi. Les parents d'Alain et Jean-Claude avaient une maison dans la forêt de Fontainebleau, je dormais chez eux le week-end. Jean-Claude est rentré de Beyrouth très vite après. Il m'en imposait à cause du Liban mais moi je ne fréquentais qu'Alain.

— Le père était mort ?

— Oui, dans un accident de voiture en 1965. La mère d'Alain s'était remariée avec un avocat.

— Un des fondateurs du groupe Occident.

— C'était une famille de droite, Jean-Claude militait au Groupe Action Jeunesse.

— Vous étiez donc très politisé…

— Oui et non… j'avais envie d'action et de me faire des copains marrants.

Scott releva le nez de son bloc, marquant la page avec le doigt, et me fit remarquer que tous les repentis d'extrême droite qu'il avait rencontrés disaient la même chose. Lui ne voyait pas ce qu'il y avait de si drôle à tabasser des lycéens. Caricature… C'était souvent nous qui finissions sur le pavé. Je lui rappelai une attaque des locaux de la compagnie Aeroflot sur les Champs-Élysées, le jour de la visite de Brejnev à Paris. Un fait d'armes resté dans les annales de la lutte contre le totalitarisme. Bien avant la chute du Mur.

— J'étais anticommuniste, comme vous je suppose…

Il rougit, je me rappelai qu'il y avait beaucoup d'Anglais rouges. Il serra les mâchoires, je devinai qu'il allait me poser une question gênante.

— Vous étiez proches des néonazis ?

— Vraiment pas, non. Ils étaient très méprisés. Jean-Claude avait envoyé à l'hôpital un militant de la FANE…

— Vous avez rencontré au moins un ancien nazi à Madrid en 1980, Léon Degrelle, le fils spirituel d'Hitler.

Il était bien renseigné.

— C'était pas un pèlerinage, on était allés à Madrid pour la fête de nos camarades espagnols du Frente de la Juventud et il y avait ce vieux con.

Il me regardait, l'air surpris.

— Nous étions là pour rendre hommage à Primo de Rivera, pas pour voir un nazi belge.

— Jean-Claude était avec vous.

— Oui, après un accident de moto, il se remettait d'un traumatisme crânien. Il est parti en Indonésie en juin 1981, juste après l'élection de Mitterrand.

— Pourquoi l'Indonésie ?

— Il avait rencontré une fille. Il a toujours aimé

l'exotisme et le régime de Suharto était anticommuniste.

— Vous avez suivi son parcours ensuite ?

— De loin, par son frère, mais ils se sont fâchés quand il a épousé la fille d'un agent de théâtre américain.

— Un juif ?

— Oui.

— Que pensiez-vous de ce mariage ?

— Rien, ça ne me regardait pas. On a tous tourné la page pendant les années de plomb.

— Les années de plomb ?

— Au moment des attentats au début des années 1980. On était dégoûtés de se faire contrôler et casser la gueule.

— Par la police socialiste ?

— Oh, c'était pire à l'époque de Giscard… mais franchement à partir de 1981 on a ressenti une usure. Surtout quand Mitterrand a trahi les communistes en 82-83 et déplacé la politique sur les débats de société : l'antiracisme, « Touche pas à mon pote », les homos, le sida et tout ça.

— L'extrême droite en a profité.

— Peut-être, mais nous n'aimions pas le Front national et les nationalistes en général.

Je lui racontai comment Alain s'était mouché dans le drapeau français pendant un défilé de Jeanne d'Arc.

— Vous êtes parti aux États-Unis. Vous viviez à New York, Jean-Claude Frappier aussi, vous ne l'avez jamais croisé ?

— Non, nous n'étions pas très proches.

— Entre nous, vous savez s'il a parlé à sa fille de son passé ?

J'eus un coup au cœur… Une heure au moins qu'Emina avait disparu. Elle ne nageait jamais plus de trente minutes. Je sortis sur la terrasse, la tempête venait de renverser un parasol et son pied en ciment, le sable me criblait la figure et les yeux. La mer et le ciel s'étaient mélangés, l'Afrique avait disparu. Aucun nageur, aucun pêcheur sur la plage battue par un vent violent. Je m'approchai de la grève, je criai son nom mais je ne m'entendais même pas crier. J'étais seul pour la première fois depuis neuf mois. Le sable me rentrait dans les yeux, dans la bouche, m'empêchant de rester là à attendre. Follement je tournais en rond sur la plage comme un chien, à gauche à droite mais rien nulle part. La mer avait la couleur du plomb. Je cherchai son petit bonnet noir, je crus le voir dix fois mais ce n'était qu'une illusion. Scott restait non loin les bras ballants, il scrutait la mer lui aussi, je lui demandai de m'aider, j'étais sûr qu'il voyait mieux que moi car je suis myope. Je me souvins des jumelles que je gardais dans la voiture. J'avançai péniblement dans le sable jusqu'au parking. En ouvrant le coffre, je sentis mon bras gauche devenir douloureux. La valise d'Emina avait disparu. Je pensai d'abord qu'on l'avait piquée. Je regardai autour, résistant à un désespoir qui me vidait de l'intérieur comme un ballon qu'on dégonfle. Mon bras me faisait de plus en plus mal. J'aurais voulu crever sur place d'un second infarctus.

Je perçus une présence derrière moi, elle était

retrouvée… Elle m'avait fait une blague… Non, c'était Scott. J'attrapai un démonte-pneu resté seul sans la valise sur la rabane tachée d'essence qui tapissait le fond du coffre et je me retournai. Il recula vivement, je vis qu'il avait pratiqué la boxe. Mes yeux tombèrent sur une enveloppe qui avait volé par terre, c'était le reste d'une invitation de ma galerie, poussée par le vent elle atterrit dans les pieds de Scott qui la récupéra avec une prestesse de sportif. Je m'approchai, au lieu de reculer il me la tendit avec politesse sans plus s'occuper du démonte-pneu que je tenais toujours à la main. Une fois de plus, il désarma mon agressivité par sa gentillesse. Je pris l'enveloppe et retournai jeter le démonte-pneu sur la rabane. Il y avait un papier déchiré à l'intérieur, une feuille Clairefontaine couverte de mon écriture, une liste de courses à faire chez Aldi et au verso l'écriture d'Emina, griffée, pleine d'arabesques :

Alain,
Je suis en crise
Je dois partir me faire soigner,
Emina
S'il te plaît Alain appelle mon avocat

Sa sécheresse douloureuse me donna envie de sangloter. La dernière phrase était une manière de dire que j'étais toujours dans sa vie. Sa façon à elle de montrer son affection. Je ne savais pas de quel avocat elle parlait. Elle en avait au moins trois. Je regardai Scott, je me sentais coupable de l'avoir laissé s'imposer au motel. Sans lui, elle serait encore là, nous pourrions aller chez Toys“R”Us. À cette idée les larmes me montèrent dans la gorge, même si je me doutais depuis quelque temps que ça ne pourrait pas durer toujours.

L'article du *Time* m'attendait en haut d'une pile de courrier quand j'ouvris la porte coincée d'humidité de la maison de Mortefontaine. Les travaux prévus à mon départ étaient achevés depuis longtemps. Je passai les premières minutes chez moi à découvrir des nouveautés déjà anciennes. Les embellissements, discrets, me plurent. Repeinte en noir, la verrière de mon atelier mettait aux carreaux la verdure extérieure avec plus de netteté qu'avant. Un nouveau poêle installé dans l'entrée découpait l'espace de son tuyau. L'électricité entièrement refaite fonctionnait enfin normalement et la toiture ne fuyait plus. Même l'assise de velours du fauteuil club de mon atelier avait été reprisée. Je m'y assis dos à la lumière de fin d'après-midi pour ouvrir mes lettres et d'abord, avant les papiers bancaires et les éventuels chèques, l'enquête de Scott Mynott.

Était-ce le silence de Mortefontaine ou l'entêtante odeur de moisi qui flottait dans l'air ? Je me sentais heureux comme un vampire qui retrouve sa sépulture. Autant que je puisse en juger, Scott écrivait bien et son anglais limpide me réconforta. Le passé politique revenait constamment en arrière-plan de ce long article. La figure de DJMOmo, l'ancien fasciste devenu star internationale de la musique pour finir dans une sordide histoire d'inceste, servait de fil conducteur à une fresque reliant les thèmes à la mode de l'extrême droite, de la pédophilie, de l'argent et du rock. Seul élément nouveau : Scott avait découvert qu'un obscur néonazi anglais avait travaillé quelques mois à la logistique des concerts géants. Quelques citations sans saveur d'Emina suffisaient à lui donner un faux air de femme normale. Mon témoignage, plus ambigu, éclairait ma démarche artistique sous un jour rétrograde. Nostalgique du passé (lequel ? Scott ne le précisait pas), j'avais choisi de me référer à la peinture classique pour restaurer le monde ancien. Il était clair que j'avais cessé toute activité politique mais les anecdotes que je racontais me rendaient peu sympathique et même inquiétant. Heureusement notre histoire d'amour avec Emina, lavée de tout soupçon pervers, ressemblait à de l'heroic fantasy, Emina était la princesse abusée par le mauvais ogre dont je l'avais sauvée. Un philosophe au double nom breton et juif, qui réfléchissait sur l'influence souterraine de l'esthétique totalitaire sur la scénographie de DJMOmo, comparait les concerts géants de Lagos et de Bangkok aux congrès de Nuremberg… Belle trouvaille qui me fit sourire. Une enquête sur les comptes Instagram et Twitter de DJMOmo n'aboutissait à rien de tangible. Aucun appel crypté au salut hitlérien ou au viol de mineure. Il restait la photo en gros plan d'un tatouage de croix celtique sur son avant-bras, et un autre évoquant vaguement la roue du soleil sur sa nuque. Comme il arrive souvent avec la presse anglo-saxonne, la densité de l'article, la précision des sources et la dramaturgie des photos donnaient une apparence de sérieux que ne fondait aucun fait nouveau important mais qu'amplifiait une habile mise en scène grâce à des témoins exclusifs et un ravaudage d'idées communes à l'idéologie dominante. Un préjugé sous-tendait l'enquête : le méchant fasciste aboutissait naturellement à l'homme d'affaires véreux (procès financiers à répétition) et à l'affreux violeur pédophile, sans pour autant que les accusations soient formulées, une relecture par le service juridique ayant ôté toute aspérité au sujet. J'arrêtai de lire pour rêvasser. J'avais l'impression de voir Scott avec sa pipe et sa raie sur le côté, assis près de moi, feuilletant les livres d'art dont les piles étaient plus ordonnées que dans mon souvenir. Une des photographies illustrant l'article me fascina. C'était celle dont j'avais parlé à Scott. Elle représentait des adolescents de la Phalange. Cheveux longs, en jeans, hilares... On aurait dit des gitans. Ils étaient armés de fusils d'assaut, sauf l'un d'eux qui une guitare à la main mimait l'aubade pour le cadavre d'une jeune Palestinienne défigurée.

Un an déjà ou presque que je ne m'étais pas assis dans mon vieux fauteuil de cuir.

Après les premières minutes de choc sur la plage de Bolonia, l'absence soudaine d'Emina m'avait soulagé. En relisant ce que j'avais dit à Scott, j'entendais l'homme que j'étais devenu pendant nos neuf mois d'internement à deux dans la chambre du motel d'Algésiras. Emina était la drogue la plus dure que j'avais jamais essayée. Aussitôt seul, j'avais compris que l'amour qu'elle m'inspirait n'avait rien à voir avec ceux que j'avais pu connaître. J'avais deux certitudes: la première était qu'elle me reviendrait, la seconde qu'il me fallait profiter de la liberté que son absence m'offrait pour me remettre au travail. Une troisième restait informulée mais s'affirma au fur et à mesure que la séparation prenait corps: j'étais libre de faire ce que je voulais, cela ne changerait rien. Un vœu nous unissait plus fort que les contingences. La fatalité n'avait plus prise sur moi.

Le soir de la disparition d'Emina, une semaine plus tôt, j'avais dormi au motel dans une chambre mal rangée. Après le départ de Scott, je m'étais couché dans nos draps sales. Je n'avais pas cherché à retrouver Poppée.

Le journal glissa à terre. Mes yeux tombèrent sur deux chevalets vides alignés le long du mur comme des outils délaissés depuis longtemps, un bois de justice attendant l'accusé.

L'abondance du courrier en attente me découragea. Le contact des autres m'était aussi désagréable en imagination qu'il se révélait facile ou insignifiant dans la réalité. Après tous ces mois d'isolement à deux, je ne me sentais pas sauvage mais aussi dur à émouvoir qu'un mort. Sans bouger de mon fauteuil, je retombai dans une rêverie qui m'obsédait depuis mon retour d'Espagne. Emina et moi nous étions morts tous les deux avant de nous rencontrer, moi à Bruxelles le soir de mon infarctus, elle à Venise l'après-midi qui avait précédé sa première hospitalisation. Nous en avions parlé plusieurs fois la nuit au motel mais le jour dissipait cette impression. Ou peut-être étaient-ce nos rapports physiques, le sexe, les échanges quotidiens, les courses chez Aldi et le travail en commun qui nous faisaient oublier ce que nous étions. Depuis que j'étais seul, enfermé dans mes souvenirs, plus personne ne venait s'interposer, et comme aurait dit Frappier, je délirais à plein tube.

Depuis ma mort, je pouvais ranger les gens en deux catégories : les démons et les anges. Les démons n'étaient pas méchants à proprement parler, seulement incapables de réfléchir, livrés à l'instinct, aux plaisirs immédiats. Leur entrain ou leur faiblesse les rendaient attirants, mais ils étaient dangereux parce qu'ils accaparaient l'attention le plus souvent afin de s'enrichir, mais aussi pour le simple plaisir négatif de transmettre le mal. Ces dernières années, ils s'étaient multipliés prodigieusement. Infiniment moins nombreux, les anges étaient difficiles à reconnaître.

Sans bouger de mon fauteuil, j'inspectai les traits de mon visage dans un petit miroir rond monté sur un pied de cuivre qui avait servi à des autoportraits. Ma peau me parut plus épaisse qu'avant mon voyage, striée de rides profondes. Elle ressemblait aux parois des grottes préhistoriques, avec de grandes fissures, des protubérances, des méplats rugueux. J'eus soudain envie de me dessiner en grisaille au fusain huilé puis à la sanguine. L'autoportrait est un exercice plus subtil que la copie d'antiques ou la nature morte. Il m'apporte un réconfort particulier et j'en ai toujours usé après les longues interruptions, lorsque tout semble à réapprendre. Le plus dur était de commencer et d'abord de me lever de mon fauteuil.

Je sondai le courrier pour trouver des chèques. Je fis deux bonnes trouvailles, dont une émanant de la compagnie d'assurances de la fondation Brentano à la suite de l'incendie. J'avais oublié qu'un des tableaux était un prêt permanent consenti au moment de l'exposition. Une autre lettre me fit plaisir, elle m'était envoyée par un cercle d'anciens camarades de jeunesse. Un formulaire d'adhésion doublé d'un courrier manuscrit du secrétaire de l'association. Ils avaient dû penser à moi à cause de l'actualité.

Je retombai dans ma rêverie. La couverture du *Time* entre mes pieds était consacrée à une personnalité de premier plan de la politique américaine dont j'ignorais tout. La photo bordée de rouge brillait dans la lumière du jour, bien plus lisse que mon visage préhistorique. Elle me donnait la mesure de la distance qui m'éloignait chaque jour du monde actuel. Tout à l'heure en visitant la maison avec l'énergie des premières minutes, j'avais décroché un tableau, *La Vierge travestie à l'enfant mort*, dans la salle télé du premier étage. Par mégarde en marchant sur la télécommande, j'avais allumé la télévision sur une chaîne d'information. J'avais eu l'impression de voir un film Marvel… Je ne reconnaissais rien, le niveau de son, très bas, renforçait mon éloignement. Visiblement, il y avait encore une guerre quelque part dans le désert. « The Fall of Califat » indiquait en bleu le titre du reportage à côté de l'horloge. J'avais eu le temps d'apercevoir la carcasse d'un bus brûlé et un jeune homme monté sur le toit qui faisait un selfie en tenant une mitraillette. Qui étaient ces gens ? La speakerine blonde coiffée à l'américaine parlait trop bas pour que je l'entende. À l'instinct, il ne me semblait pas que la vérité ait triomphé, ni qu'il faille se réjouir. D'ailleurs, elle ne se réjouissait pas, on aurait dit qu'elle parlait dans le vide à l'œil aveugle d'une caméra de studio.

Depuis ma jeunesse, je n'avais jamais pris le temps de réfléchir sur l'actualité ou la politique, je ne pensais qu'à ma survie et à mes intérêts. En lisant ce que Scott reproduisait de mes propos, j'avais mesuré ma légèreté. En mon absence, le monde avait basculé. Et même si je l'avais pressenti, je n'avais jamais voulu regarder les choses en face. La vie imposait des compromis dont la mort m'avait libéré.

L'Occident chrétien était sous la domination des démons. L'Asie n'était pas en reste, ni la plus grande partie du monde. La capitale de l'enfer se trouvait dans la Silicon Valley. La franc-maçonnerie démoniaque n'était pas tyrannique mais démocratique. Ne parlant que d'amour et de paix, ils étaient pleins de haine et de rivalité car leur royaume n'avait aucun chef. Ils avaient de faux idéaux : l'écologie, les droits de l'homme, la liberté des mœurs, la lutte contre la maladie ou la pauvreté… L'abaissement intellectuel, l'extraordinaire paresse moderne, se cachait derrière des trompe-l'œil : le réalisme économique, le jargon idéaliste ou sociologique, le papotage sur les stars, la médecine, le bien-être… Ils voulaient tous vivre le plus longtemps possible. C'est chez les enfants que se trouvaient les divisions les plus claires. La majorité écrasante des enfants étaient des démons mais ils recelaient aussi dans leurs rangs des anges de première grandeur. Durant un an après leur mort, les humains étaient libres d'hésiter entre les deux catégories puis ils faisaient leur choix. La maladie d'Emina provenait d'une scission intime due à cette prise de conscience et à l'incapacité de choisir à cause de l'amour pervers qui la liait à son père : une part d'elle-même, la figure ailée, vivait l'existence des êtres angéliques, alors que l'autre se noyait dans le patame en compagnie des démons.

Ces méditations m'occupaient de plus en plus l'esprit et depuis qu'Emina avait disparu, je pouvais rester de longs moments, immobile, à y songer au lieu de travailler. Les idées nouvelles paralysaient mon esprit comme si quelqu'un les y avait introduites chimiquement. Au début, j'y voyais une sorte de jeu symbolique, les mots « anges » et « démons » servant simplement à désigner deux types de caractères auxquels je me trouvais confronté. Un genre de manichéisme qui me rappelait celui de ma jeunesse. Très vite, le jeu était devenu sérieux et le système avait pris le pas sur ce que je croyais jusqu'ici être la réalité : un monde faussement nuancé où les êtres avaient soi-disant tous leur personnalité propre. Cette conception ordinaire que j'avais longtemps partagée avec mes contemporains avait pâli au profit du nouvel antagonisme binaire. La disparition d'Emina avait accéléré le processus. La seule question que je me posais et qui me rendait plus curieux que réellement inquiet était de savoir à quelle espèce j'appartenais moi-même maintenant que j'étais mort depuis plus d'un an… Ange ou démon ? Je n'avais pas comme Emina de double ailé en circulation…

Au bout d'un temps indéterminé, j'arrivai à m'extraire de mes rêveries et à peindre un peu, ou plus exactement à me préparer à peindre, en travaillant une petite série d'autoportraits que j'entamai le deuxième jour.

La Vierge travestie que j'avais retrouvée dans la salle de télévision et les grands nus érotiques d'Algésiras épinglés sur des panneaux de bois marchaient bien ensemble. Me vint un soir l'idée d'une série d'*Annonciations* composée d'une jeune fille nue, d'une nature morte au premier plan et d'une sorte de sphinx ailé à l'arrière. Les tableaux seraient d'un format de 170 × 120, soit à peu près la taille des *Victimes* disparues dans l'incendie. Les Vierges italiennes et certaines compositions du peintre anglo-suisse Füssli me serviraient de matrices.

Avant de me mettre à l'œuvre, j'avais besoin de racheter un peu de matériel et je décidai de passer une soirée à Paris, reprenant sans y prendre garde mon vieux rythme.

À Paris je découvris que l'Hôtel de Beaune était fermé. La préfecture avait fini par l'interdire pour des raisons de sécurité. Je levai les yeux sur la façade couverte d'échafaudages et j'essayai en vain d'apercevoir l'œil-de-bœuf qui s'ouvrait au-dessus de mon lit. Ce spectacle me rendit triste. Je me posai au café du coin de la rue du Bac pour passer des coups de téléphone.

Mes amis n'avaient pas changé mais ils n'étaient plus vraiment des amis. C'étaient des témoins d'autrefois qui me scrutaient bizarrement. Je pris un verre avec l'ancien monsieur Daladier (ils avaient rompu depuis longtemps) dans le café où nous avions nos habitudes, mais très vite il commença à regarder ailleurs, derrière moi, à gauche à droite. Il s'ennuyait. Dès que j'entrepris de lui parler des anges et des démons, il prétexta un rendez-vous. Quand sa place fut vide, je me vis dans un miroir en face. L'éclairage très différent de la lumière de Mortefontaine me donnait l'air d'un homme de la rue, le moi social reprenait le dessus sur la vision préhistorique. J'avais maigri, j'avais les cheveux gris, rares sur le haut du crâne, longs sur le côté. Avec mon bronzage incrusté, je ressemblais à ces vieux routards chassés du Maroc qui dorment dans les squares d'Almería ou d'Algésiras…

Un bip me fit fouiller ma poche. Pour la première fois depuis plus d'un an, le nom de Poppée s'afficha sur mes SMS. « *Mon chéri il paraît que tu es rentré en France où es-tu ? J'ai tellement envie de te voir… Pop* » Je me retournai brutalement, sûr de la trouver dans la salle, mais elle n'y était pas. Le cœur battant, j'allai m'enfermer aux toilettes du café, je baissai mon pantalon jusqu'aux pieds et je me masturbai pour la première fois depuis des années. Je mis du temps à bander mais une fois dur, l'orgasme vint tout de suite. Et je restai culotte basse, avec la tête qui tournait terriblement. C'était une expérience violente, plus brutale encore que l'infarctus à Bruxelles. Je me regardai dans le miroir, j'étais un vieil homme qui venait de se masturber dans les cabinets d'un café. Au moins j'étais débarrassé de ce succube.

Le soir même, je dînai avec madame Daladier. Nous avions rendez-vous à la Costa d'Amalfi mais elle changea d'avis deux ou trois fois et finit par me convoquer chez Kaspia. Elle aimait toujours autant décider, dépenser et inviter les hommes. En attendant l'heure, après mes courses de peintre, je traînais dans Paris et je décidai d'aller au Louvre. C'était ça ou l'église. J'allai revoir les tableaux de Philippe de Champaigne mais je me trompai d'escalier et je me retrouvai dans la salle de la peinture anglaise. En me dirigeant vers un grand Reynolds, je fus happé par le *Pandemonium* de John Martin. C'est un mauvais tableau mais le sujet, Lucifer convoquant les diables sur les murailles de Dité, la capitale des Enfers, me fascina de manière inaccoutumée. Un intérêt extérieur d'abord, puis, à force de la regarder en détail, la toile fut prise d'une sorte de clignotement. Les deux flambeaux que la figure de Lucifer tenait à la main éclairaient les murailles gigantesques et les perspectives infinies de la ville infernale. Rectangulaire, le tableau fait la taille d'une imposte ou d'un cercueil. Il avala petit à petit toute la réalité autour de moi. Je me sentais appelé moi aussi par le petit personnage de la hauteur d'un soldat de plomb. Je commençais à comprendre ce qu'Emina appelait l'incrustation d'une figure vivante dans une image fixe. Je dus résister de toutes mes forces pour ne pas être englouti. Voulant échapper à l'attraction diabolique, je m'écartai brusquement, bousculant un touriste et je me trouvai face à la *Lady Macbeth* de Füssli. Elle aussi tenait un flambeau, mais son flambeau grandeur nature penchait au-dessus de moi comme un fruit défendu.

La lumière chez Kaspia rappelait celle du tableau de Füssli. Quand madame Daladier jaillit de la pénombre sans flambeau à la main, elle n'avait pas changé. Elle était toujours mon amie. À l'époque overdose, nous avions dormi ensemble deux ou trois fois. Son imagination chimérique devait lui laisser croire que quelque chose était encore possible entre nous. Je savais qu'elle se rendrait compte de son erreur et m'en voudrait. Je ne pensais pas qu'elle attaquerait si vite :

— Qu'est-ce que tu fous là ?

— Je t'attends.

— Non, tu ne m'attends plus depuis longtemps. Je

n'attends rien de toi moi non plus… Pourquoi es-tu revenu ?

Pour être aussi cassante, elle avait dû boire. J'avais les yeux pleins de larmes. Elle faillit partir puis s'assit en face de moi, renversant une bouteille sur la table d'à côté. La femme, une Américaine, hurla. Le vin rouge s'était répandu sur sa robe. La Daladier commanda une autre bouteille et lui offrit de l'argent, jetant les billets froissés directement de son sac sur la table. L'autre balaya les boules de papier-monnaie comme des ordures et l'argent resta par terre un bon moment avant que le garçon ne le ramasse et ne le remette sur la table.

La colère méprisante des voisins la fit sourire. Cette joie se communiqua à moi. Je lui avouai que j'étais mort. Je dus répéter. Elle buvait de la vodka en me regardant fixement. J'avais l'espoir qu'elle me comprenne.

— Il faut se remettre au travail… Il ne doit pas se laisser aller.

Elle parlait de moi à la troisième personne, parce que j'étais mort ou parce qu'elle se sentait gênée de me donner des conseils. Je lui pris la main. Elle avait de longs doigts comme les femmes de la Renaissance, des poignets interminables, une peau blanche. La chaleur de sa chair me faisait tellement de bien.

Je me mis à pleurer. Elle retira sa main.

— Il ne doit pas se lamenter sur lui. On est des gangsters, on masque.

Son élocution était brouillée, elle avait du mal à prononcer le mot « gangsters » ou « masque », elle devait être encore plus ivre que je ne le croyais. Il y avait un tableau accroché au mur derrière elle, il représentait une troïka dans la neige. Bon peintre russe, début XIXe. Les gens qui avaient ouvert cet endroit dans les années 1930 avaient voulu reconstituer l'intérieur d'un palais moscovite. Pour changer de sujet, je lui demandai si elle avait des nouvelles de mes anciens camarades droitistes. Voyant qu'elle était perverse, gentille mais perverse, Frappier lui avait présenté nos copains d'alors qui se réunissaient dans ce cercle de l'avenuc d'Iéna et m'avaient envoyé un courrier. La Daladier s'était liée avec l'un d'entre eux, le seul aristo de la bande nommé Jeff.

— Ça fait longtemps que je ne l'ai pas vu. Tu veux qu'on l'appelle ?

Sans attendre ma réponse, elle envoya un message. Puis sans finir sa pomme de terre, elle bouscula une fois de plus les voisins, manqua de renverser la deuxième bouteille de la soirée, vint s'asseoir sur la banquette près de moi et se mit à m'embrasser. L'embrasser me faisait du bien. Les démons avaient leurs qualités, ils étaient chaleureux et gais, en début de soirée en tout cas. Son téléphone chromé bipa. Vingt minutes plus tard, nous étions sur le trottoir de la Madeleine. Là même où le taxi de Poppée m'avait déposé le jour où j'avais appris qu'elle était grosse.

Jeff arriva en Smart. Impossible d'y monter à trois. La Daladier décida de prendre un taxi et de nous rejoindre chez elle rue Cortambert. Elle me donna ses clés. Elle ferait les courses… Jeff était un petit homme frêle avec un grand nez osseux. Malgré son pseudonyme anglo-saxon, il était d'origine lituanienne. Une dynastie d'enfants malingres, râpés, désespérés. À la différence de Frappier, c'était un intellectuel fragile. Il me fit l'effet d'appartenir à l'espèce des anges, des petits anges acrobates comme la vieille marquise de S-C.

En dix minutes, nous avions parlé de tous les anciens. Un parlementaire, un gardien de château, un général dans l'armée cambodgienne, un druide, deux suicidés... En passant place de l'Alma, il me montra des fenêtres illuminées au premier étage de l'immeuble qui faisait l'angle de l'avenue du Président Wilson, ici vivait la sœur d'un copain, « la petite Chavassu », dont il était amoureux autrefois et que, me sembla-t-il, il aimait toujours trente-cinq ans plus tard, même s'il avait transféré un peu de son platonisme chevaleresque sur la Daladier.

Je lui parlai de la mort, des anges et des démons... Il ne tiqua pas. Au feu rouge de la rue de Galliera il me dit :

— C'est la théorie de Swedenborg.

Je répondis que j'ignorais tout de Swedenborg. Ce qui n'était pas vrai, car Emina avait cité plusieurs fois ce nom. Je croyais qu'il s'agissait d'un sorcier, du genre de Joseph Balsamo ou du comte de Saint-Germain.

— Non pas du tout, Swedenborg est un authentique savant qui a eu une révélation après un rêve à l'âge de cinquante ans...

En quelques mots, Jeff m'expliqua les arcanes de la vision swedenborgienne. Lorsqu'un homme meurt, il ne se rend pas compte qu'il est mort car tout ce qui l'entoure demeure identique. Il est dans sa maison, ses amis viennent le voir, il parcourt les rues de la ville, il ne pense pas qu'il est mort ; mais bientôt il commence à remarquer quelque chose, quelque chose qui d'abord le réjouit, puis l'inquiète : tout dans l'autre monde est plus intense que dans le nôtre. À commencer par les couleurs, les impressions, la jouissance des sens. Des inconnus s'approchent de lui, ce sont des anges et des démons… Cette vision ressemblait exactement à ce que j'éprouvais. Je l'écoutais avec avidité en même temps que nous passions place du Trocadéro. Ce que me racontait Jeff des autres doctrines de Swedenborg, notamment la théorie des correspondances, chaque parole, chaque objet du monde réel ayant au moins deux sens, me fit voir une fois de plus à quel point Emina avait lu et compris des idées qui se plaçaient très au-dessus de mes capacités intellectuelles. J'en fis part à Jeff.

Très sérieusement, il me suggéra qu'Emina n'était peut-être pas une femme mais une créature intermédiaire… Je lui répondis que je me fichais complètement de savoir si Emina était un être humain ou une émanation pneumatique. Avenue Georges Mandel, il tourna brusquement à gauche et se gara au coin de la rue Cortambert et de la rue de la Tour.

La Daladier arriva en taxi avec trois sacs d'alcool et de drogues et deux nouveaux compagnons, une hôtesse de l'air turque en tenue de travail et Octavio, le fameux écrivain, mon « double » dont m'avait parlé Maugis. Ce type nous fut d'abord antipathique à Jeff et moi parce qu'il se montra trop affable, clamant d'entrée de jeu par la fenêtre du taxi : « Alain Leroy je vous aime ! » À part Maugis, je n'avais aucun goût pour les écrivains. Celui-là avait une allure étrange. Atteint d'une maladie dégénérative, tordu comme un crabe dans son fauteuil d'infirme qu'il fallut extirper après lui de la voiture, il ressemblait à un personnage de *Freaks*. Déplumé, les cheveux longs sous un petit chapeau rond, une ou deux dents en moins sous des joues de hamster, je trouvais qu'il ne me ressemblait guère. Maugis s'était fichu de moi en nous comparant physiquement.

L'appartement de la Daladier occupait le premier étage d'un petit hôtel particulier, une ancienne banque. Beaucoup de boiseries, des miroirs. J'avais dormi plusieurs fois dans la chambre de son fils, un coffre-fort. La cuisine où nous allâmes déposer les sacs de provisions était ornée de vitraux 1890 comme les cuisines d'autrefois avec une hotte vitrée au-dessus d'un fourneau à gaz. Une grande salle de réunion éclairée au plafond par un oculus servait de salle à manger. Un long corridor circulaire bordé de penderies à vêtements et d'étagères à chaussures conduisait à un triple salon en enfilade qui devait autrefois rassurer les rentiers. Les livres de photos empilés partout, les canapés bas incitaient à la débauche et à la contemplation. Mon écrivain, très homme à femmes, bondit avec agilité de son petit fauteuil et se vautra sur les coussins avec la Daladier pendant que l'hôtesse de l'air servait le champagne. Il me regardait avec curiosité. Dérangé par sa présence, Jeff s'était refermé. Il s'assit avec raideur sur une chaise en bois à l'autre bout de la pièce comme quelqu'un qui ne va pas faire de vieux os. Octavio semblait indifférent à cette antipathie. Il raconta une anecdote farfelue sur Théodora qu'il avait croisée chez Pierre Angélique :

— Toute la soirée, elle m'a parlé de « Rotterdam » avec des larmes dans la voix. Je ne comprenais pas jusqu'à ce que je pige qu'elle confondait Rotterdam et Notre-Dame de Paris. Aha… Quelle belle barbare ! aucun respect pour le patrimoine de l'Unesco… *Mars Attacks !*

Nous découvrîmes en quelques minutes que nos existences se mélangeaient de façon troublante. Octavio était passé par l'hôtel de Beaune et il connaissait Poppée.

Je lui racontai l'incendie, il était convaincu comme moi que ce n'était pas un accident.

— Poppée est capable de tout. Elle t'aimait et tu lui as menti, tu lui dois des excuses et surtout tu dois lui pardonner sinon elle te poursuivra toujours. Pour elle, le temps n'existe pas…

La Turque vint s'asseoir en face de nous sur une ottomane. De loin dans la rue elle avait l'éclat de la jeunesse, de très beaux cheveux crêpés en choucroute et tirés par un bandeau bleu marine à la manière des chanteuses sucrées des années 1960, vue de près sous la lumière de la lampe, elle ressemblait à une femme de quarante ans très maquillée. Elle me demanda familièrement comment j'allais depuis la dernière fois. Je reconnus l'artiste suisse que j'avais rencontrée à mon époque western avenue des Champs-Élysées. Son nom me revint : Ursula Kubler. Maintenant basée à Istanbul, elle avait changé de couleur de cheveux, à moins qu'elle ne porte une perruque. Elle aussi s'était déterritorialisée, elle avait abandonné la vidéo pour créer un personnage d'hôtesse de l'air inspiré des films des années 1960, du genre *OSS 117*. Elle feuilleta un album consacré aux coiffures de Marie-Antoinette. Je reconnus un cadeau que Pierre le Chinois avait fait à la Daladier, tous les croquis aquarellés des chignons de la reine par un coiffeur qui s'appelait Léonard. Ursula s'exprimait toujours très bien, avec une candeur intellectuelle de très bonne élève. Elle arrivait à la fin de son cycle hôtesse de l'air, son prochain cycle de travail aurait trait au « beige ». En collaboration avec L'Oréal elle cherchait une coloration parfaite pour ses cheveux, un caramel tendre couleur banquette de café.

Cette douceur tranquille m'apaisa, j'avais de nouveau l'impression que l'art était plus fort que la vie. En vrai timide, Jeff avait un cœur d'artichaut… Je le vis tomber sous le charme d'Ursula au bout de quelques secondes.

Octavio observait aussi ce rapprochement. Il se pencha vers moi, je me penchai vers lui, et je sentis comme une décharge électrique :

— C'est drôle ! Le dernier pilier lituanien de l'Action française recyclé par une fausse Turque pour la foire de Bâle… Regarde-le, ton ami, il y a quelques secondes il était isolé, un prisonnier au secret depuis quarante ans, maintenant il a trouvé l'âme sœur.

La Daladier s'était levée. J'en profitai pour me rapprocher encore d'Octavio, nous étions la figure d'un jeu de cartes, un roi de cœur à deux têtes oublié par un joueur de bonneteau.

Il parlait de mieux en mieux à mesure qu'il s'échauffait. Il avait une manière ardente et sophistiquée de m'inclure dans ses réflexions comme s'il me connaissait depuis longtemps, qu'il voulait m'aider à mieux prendre conscience de moi-même et à faire le tri entre tous les événements advenus dans ma vie ces dernières années. Dans sa bouche, seule Emina comptait, c'était le récit principal du roman de mon existence, dès qu'il m'eut dit que je devais lui pardonner, l'histoire de Poppée fut dévaluée d'un coup. À l'écouter, sa fille était une créature de Dieu et le géniteur n'avait que peu d'importance. L'infirmité d'Octavio se doublait d'une force extraordinaire. Je sentais les vibrations électriques de son corps difforme près du mien. La rivalité fraternelle qui sous-tend les rapports masculins prenait chez lui une intensité particulière et bienveillante. On aurait dit que les limites de la chair étaient abolies. Il me confia qu'il avait écrit il y a quelques années un début de fiction sur une schizophrène, un livre inachevé portant le titre d'*Occident* et que son personnage s'appelait « Emina », allusion à un roman du XVIIIe siècle que je n'ai pas lu, le *Manuscrit trouvé à Saragosse.* L'auteur était le comte Potocki. J'avais vu ce nom sur la stèle de la sierra Morena, la nuit de l'orage qui avait suivi la destruction de mes tableaux. Je lui racontai en détail notre existence à Algésiras, il écouta avec attention, me posa des questions précises, s'enquérant du numéro du *Time* qu'il regrettait de ne pas avoir lu.

La Daladier nous coupa pour proposer d'en retrouver un exemplaire qui devait traîner quelque part. Le court silence qui suivit provoqua chez moi une inversion d'humeur. Une brutale paranoïa peut-être due à la drogue monta silencieusement. J'avais perdu l'habitude de la cocaïne et j'étais d'autant plus sensible à ses effets. J'avais l'impression qu'Octavio cherchait à s'inspirer de ma vie pour un livre ou même à m'influencer pour me pousser à agir dans le sens qu'il voulait donner à sa fiction. Quand il posa la griffe sur ma cuisse, rapprochant son pantalon du mien, mélangeant son haleine à la mienne comme pour me sucer la moelle, je m'écartai. Aussitôt il me lâcha et se béquillant des mains comme un cul-de-jatte, il sauta sur le coussin d'à côté près de la belle Suissesse. En feuilletant le précieux album d'aquarelles du perruquier Léonard, il relança la conversation sur Marie-Antoinette, sujet de son prochain livre. Je le soupçonnai instantanément d'avoir compris que j'avais compris et de noyer le poisson.

En entendant citer Marie-Antoinette, Jeff leva la tête. Je voyais son nez osseux en transparence devant la lampe. La chair n'est que peu de chose, le cadavre pointe à chaque instant. Près de lui, la Suissesse paraissait pleine et maquillée de carmin comme une poupée de cire.

Octavio parlait de Marie-Antoinette mais je me

persuadai aussitôt que ses paroles s'adressaient toujours à moi. Après avoir établi le contact, il voulait m'influencer à distance. Il parlait comme sous la dictée de l'au-delà, il évoqua une « royauté de fantaisie » dont la jeune Autrichienne isolée s'était entourée, sport, toilettes, jeux de hasard dangereux et interdits comme le pharaon, coiffures baroques, distribuant sous l'influence des Polignac les postes de pouvoir à qui l'amusait ou la séduisait. Assaillie de sorciers et de mauvais conseils, sa personnalité « très ferme et équilibrée » avait percé par une certaine sensibilisation infrarationnelle de l'imagination (je le cite de mémoire) qui avait construit petit à petit le thème archétypique de son destin (je crois que c'étaient ses mots) par la prise de conscience de ses goûts artistiques. Elle avait accompli sa vocation de « chevalière de la mort » pour expier la destruction de l'ordre du Temple par Philippe le Bel.

Il prononça ces paroles mystérieuses en me regardant. Était-ce la drogue ou mon état général, des mots comme « sensibilisation infrarationnelle » et « thème archétypique de son destin » me semblaient extraordinairement clairs, l'idée que l'être humain possède en lui une vocation qui est la présence de Dieu et qu'il l'accomplit de manière indépendante à sa destinée me fascinait. Jeff lui-même semblait grisé par l'allégresse verbale de l'écrivain. Ursula seule gardait son masque impavide de poupée turque. Octavio se tourna vers Jeff.

— Ça pourrait valoir aussi pour votre martyr, Primo de Rivera…

— Pour une fois, tu n'as pas tort. Il y a une soumission à l'inéluctable dans ses derniers jours qui indique chez lui la vocation au martyre.

Adouci par la présence abandonnée d'Ursula, l'incorruptible Jeff avait baissé sa garde. Octavio me regardait toujours fixement. Il dit d'un ton prophétique :

— L'amour que j'ai pour elle n'est pas une affection de la terre.

De qui s'agissait-il ? D'Emina ? Puis, sans transition il me parla de Bruxelles et d'une statue dans un jardin, le parc d'Egmont…

Savait-il que je devais retrouver Emina dans cette ville ? C'était un rendez-vous que nous avions fixé avant qu'elle ne disparaisse, au cas où… Je devais l'attendre à l'hôtel Métropole chaque premier lundi de chaque mois. Elle me l'avait fait jurer une nuit à Algésiras. Ce vœu resté secret s'incarnait soudain. La peur permanente que j'avais de devenir fou depuis mon retour en France, une peur qui annonçait toujours de grands événements, se dématérialisa, le calme m'envahit et je vis apparaître dans un miroir une forme vague qui me sembla au début le reflet d'une robe haute couture ancienne que la Daladier avait accrochée en décoration. Les plis multiples en bouillonné qui formaient la corolle d'une rose pâle en haut de la robe se transformaient à mesure que je fixais le miroir en une figure vivante, ailée, un oiseau, puis une femme oiseau, qui battait des ailes en silence. Peindre m'avait habitué à ce genre de métamorphose. Pour peu que je fixe longtemps un objet, il se changeait toujours en une figure anthropomorphique, végétale ou animale. L'univers, dont les apparences sont déterminées par l'habitude acquise dans la petite enfance, peut se déformer et subir toutes sortes de transformations à partir du moment où je cesse de le considérer avec l'œil rapide de tous les jours.

La statue dont avait parlé Octavio, une figure d'homme en pied, était d'une taille inférieure à la réalité. Exactement celle des héros de roman pour lui. Il me dit que lorsqu'il imaginait ses personnages, il se les projetait dans cette dimension-là, il fit un geste indiquant le manteau de la cheminée, environ un mètre dix, celle de beaux automates.

— Essaye de lire Balzac, par exemple, ou Flaubert et imagine que les personnages n'ont pas la taille humaine, mais celle de grandes poupées, tu vas voir, ça va changer complètement ta lecture de l'intrigue. Même Proust : une Albertine d'un mètre dix, un bel automate et non une jeune fille, toute la projection psychologique s'amenuise. N'aie pas peur, l'amour de l'écrivain est un joujou… C'est Guignol ! L'art est une boîte de soldats de plomb, un échiquier féerique…

En même temps qu'il disait cela, mon attention se fixa sur une corbeille de fruits frais qu'éclairait une lampe d'architecte. L'envie de peindre revint, comme si une main bienveillante m'avait rebranché sur la vie. J'avais envie de monter dans la Morris et de filer à Mortefontaine. Les grains de raisin jaune translucides, le croissant d'une banane, les joues carminées d'une pomme reinette, la langue verte, brillante, presque grasse d'une feuille de clémentine me réchauffaient l'esprit, m'appelaient au travail. Ma visite au Louvre, le Pandémonium de John Martin, la poupée de Füssli, les hallucinations de Swedenborg n'étaient plus qu'un rêve sophistiqué dû à une poussée de fièvre. J'étais libéré du temps. Sûr de retrouver Emina à Bruxelles, une fois achevé mon programme de tableaux.

Je me levai d'un coup en disant :

— Il faut que je rentre à la campagne.

La Daladier me regarda froidement. Elle m'en voulait de ne pas rester dormir ici entre la Turque et elle, mais comment aurais-je pu ? Pris entre cette vie sans objet à Paris et la promesse de devoir me rendre bientôt à Bruxelles retrouver Emina, je me sentais à nouveau obligé de peindre. La nécessité intérieure était revenue.

À l'instant où j'allais appeler un taxi, on sonna à la porte, la Daladier ouvrit, c'était Pierre Angélique.

Je ne l'avais pas vu depuis longtemps, j'étais obligé de passer un peu de temps avec lui, il était sûrement venu pour moi. Madame Daladier avait allumé des bougies et éteint quelques lampes. Pierre s'assit dans l'ombre, il portait un long trench-coat bleu nuit ou noir dont le col large lui dessinait deux ailes sombres autour de la tête. J'avais oublié qu'il était si beau. Il souriait en me regardant par joie de me revoir. Il avait maigri, la codéine et la morphine, dont il abusait depuis toujours à cause de douleurs lombaires, lui donnaient un teint gris, une séduction malsaine émanait de toute sa personne, jusqu'à ses mains fines et froides qui tremblaient. Tout de suite, il me demanda si j'avais des nouvelles d'Emina. Je me rendis compte qu'il était le premier à me poser la question depuis mon retour en France.

Je lui répondis que je n'en avais aucune, mais qu'elle se trouvait en Suisse dans une maison de repos où elle avait déjà séjourné plusieurs fois avant de me connaître.

— Tu l'as laissée partir ?

La perfidie, involontaire ou non, était corrigée par la faiblesse de celui qui posait cette question. Il tremblait comme un enfant qui a froid. J'avais envie de le réconforter. Mais c'était impossible car lui aussi, comme la Daladier, aurait voulu prendre la place d'Emina.

— Elle est bien plus forte qu'elle n'en a l'air.

Il resta silencieux à me regarder.

— Elle se rétablira mieux sans moi, je la laisse libre de décider.

— Mais c'est pour toi que je m'inquiète. Que vas-tu faire maintenant ?

La réponse à cette question se serait formulée à peu près ainsi :

« Je pars tout de suite réparer le tort qui m'a été fait par une femme, grâce à une œuvre plus belle encore que la première. Grâce à cette œuvre, j'accomplirai ma vocation avant d'aller achever ma vie avec Emina où bon lui semblera. »

Mais je ne dis rien.

Je regardai autour de moi, la Daladier et la Turque avaient disparu dans une chambre. Jeff s'était mis à parler du passé et de théories pour lui toujours présentes, car très isolé depuis la mort de ses parents il ne conversait qu'avec les cadavres de Maurras ou de Joseph de Maistre. Il expliquait à Octavio comment le monde aurait pu changer si nos efforts avaient porté. Restauration des monarchies européennes, retour à la chrétienté, lutte contre la franc-maçonnerie, ses propres thèses ésotériques et légitimistes n'étaient pas tout à fait les miennes autrefois, mais elles semblaient, dans cette ancienne banque d'affaires, transformée ce soir en lupanar, particulièrement vivantes. Octavio s'amusait visiblement beaucoup. En l'absence des femmes, ils s'étaient reconnu une grande sympathie. Je compris que l'avant-garde de la vie intellectuelle parisienne, représentée par cet étonnant infirme, était en train de passer à l'antimodernisme et aux idées qui étaient les miennes jadis. Les arts plastiques resteraient en retard sur la littérature à cause de la spéculation et des liens obligés du milieu avec l'industrie et la finance.

Je me levai, prétextant que je sortais de deux nuits sans sommeil.

Octavio semblait déçu que je parte, c'était le seul que j'étais triste de quitter, nous avions tant de choses à nous dire… Il aurait encore pu m'éclairer sur d'autres aspects de ma vie auxquels je n'avais pas accès. Il dut sentir mon hésitation car il proposa de me reconduire en taxi jusqu'au parking du Montalembert où ma Morris était garée. Je refusai, et pas seulement, comme il me le reprocha en riant, parce que j'avais la flemme de le porter avec sa chaise à roulettes dans l'escalier. J'avais peur qu'il ne me retire l'envie de peindre en la devinant ou en parlant de lui, ce qui m'aurait forcément révélé quelque chose de moi. Nous étions si proches, je voulais rester un inconnu pour moi-même, le personnage d'un roman dont je m'apprêtais à lire les dernières pages que je ne voulais à aucun prix déflorer. Je me doutais de la fin mais je ne voulais pas y arriver trop vite.

Pleins de regrets, nous nous donnâmes un baiser confraternel. Je sentis sa barbe qui caressait la mienne, une pression sur ses épaules tordues et tout fut dit. Sortie en peignoir, la Daladier me chassa sans vouloir m'embrasser, j'eus à peine le temps de serrer deux doigts de Jeff et de lancer un clin d'œil à Ursula, nue, qui tenait une bougie dans la pénombre du corridor. La nuit m'était comptée.

— Au revoir… me dit Pierre Angélique, interrompant un appel mystérieux qu'il donnait à voix basse de son téléphone. Je compris que c'était un adieu.

Je mentirais en disant que recommencer à peindre fut facile. En plus de mes achats parisiens extraits pièce à pièce comme des trésors de la Morris, il fallut réveiller tout mon matériel qui s'était empoussiéré dans un recoin de l'atelier. Je mis un bon moment à retrouver ce qui me manquait, et surtout un gros rouleau de toile vierge que la femme de ménage avait rangé dans une dépendance avec des tapis mités et le Oui-Oui en bois de Galatée qui avait échappé à la poubelle. Ces recherches m'amenèrent à déranger des peintures oubliées, pour la plupart mauvaises. Un fragment carré d'une section de quarante centimètres me sembla excellent. Je l'épinglai sur le mur. C'était une copie de tissu vénitien, un morceau prélevé sur une *Victime* que j'avais détruite. Je perdis une journée entière à ces préparatifs, sans parler du marchand de bois de chauffage qui avait cessé son activité, de la femme de ménage, etc.

J'eus un pincement au cœur en allant faire les courses. Je n'avais pas mis les pieds dans un supermarché depuis l'Aldi d'Algésiras et Emina me manqua soudain beaucoup. Je pensais à elle comme une enfant, sa faiblesse, l'absolue confiance que j'avais en elle me rassuraient et me faisaient de la peine. Je l'imaginai dans sa maison de repos, menant une vie de vieillard à seize ans.

Le deuxième jour, téléphone coupé, je commençai à travailler avec une allégresse extraordinaire. J'avais gardé toute ma maîtrise, perfectionnée par mes travaux de copiste et affirmée par la longue abstinence qui donne à chaque geste une intensité plus forte.

En une semaine, j'avais fini ma première toile. Ma nouvelle galeriste américaine, une lesbienne républicaine (espèce rare à New York) qui avait racheté la galerie X, aimait cette radicalisation formelle. Elle se disait que j'allais casser la baraque avec un retour à l'iconologie Renaissance, qui dans mon cas et vu ma réputation se justifiait pleinement. Ce qu'on savait de ma vie personnelle, cette disparition en Espagne donneraient à mon retour à la peinture à l'huile et à des sujets de tableaux d'autel une allure de performance, « tous les espoirs étaient permis ». Elle se montrait un peu trop enthousiaste, à tel point que je me demandais si Pierre Angélique n'avait pas raison à son sujet : elle avait dû se décoter à cause de ses positions politiques. Peu importait, ces espoirs-là n'étaient plus les miens. Je me fichais de l'argent et du succès. Le jugement intime que je portais sur ma première peinture allait bien au-delà. J'avais concentré mes forces, je m'étais enrichi et j'arrivais à une matière extraordinairement sensible. La toile dégageait une charge positive. C'était la vie qui renaissait sous ma main.

Avec la peinture et les promenades en forêt, je retrouvai un rythme d'autant plus précieux que je le savais éphémère. Mon rendez-vous de Bruxelles avec Emina aurait lieu dans trois semaines.

Certains matins sont extraordinaires. Le lever du soleil ne se produit que d'une façon diffuse derrière les brumes soulevées dans la campagne. Je peinais depuis trois heures sur une assiette de fruits à l'avant-plan d'une *Annonciation*. Les raisins, les citrons, les pommes entassés sur l'assiette bleue, une faïence de Montereau datant de la fin du XIXe siècle, se détachaient sobrement sur le bois taché d'une petite table de cuisine. J'avais laissé une serviette blanche froissée là où elle était tombée à quelques centimètres des arabesques dessinées à la main par un artisan mort depuis plus d'un siècle. La réserve de bois foncé entre le bord de l'assiette et la serviette me donnait du mal, à cause du blanc de la serviette qui aplatissait l'ombre vivante. C'est ce type de souci qui suffit à donner un sens à la journée. Je m'étais réveillé ce matin-là avec l'humeur de celui qui va trouver la solution. Une fois bu mon café, j'avais foncé dans l'atelier plein de cette excitation vierge qui n'avait pas encore subi la résistance du médium. J'étais calme, rusé, sensible, à la fois apte à imaginer la solution technique qui traduirait le mieux mon intuition profonde. Je travaillais depuis un bon moment quand j'entendis un bruit. Quelqu'un était entré chez moi sans frapper par la porte de devant que n'utilisait jamais la femme de ménage. Je pensai à son compagnon que je payais pour ranger le bois. Je fonçai dans l'entrée sans prendre la peine de poser mon chiffon et ma brosse.

Poppée portait un trench-coat bleu foncé sur une chemise ouverte assez bas pour découvrir les deux masses de ses seins, un jean serré sur ses hanches toujours aussi étroites qui descendait en bas des talons de dix centimètres. Un peu de boue s'était collée sur les chaussures. Elle avait sacrifié ses longues boucles noires d'autrefois pour une coupe courte à la garçonne qui accentuait son androgynie. Le visage avait rajeuni sous la magie de je ne sais quelle hormone. Elle avait de nouveau l'âge d'autrefois, juvénile avec ces sourcils d'encre de Chine, les grands yeux ronds et naïfs qu'elle levait vers moi avec l'expression vieille comme le monde d'une putain qui rentre au matin après une nuit de coucherie, propre et soignée comme si de rien n'était et qui lève les yeux vers l'homme qui l'a attendue en souffrant cruellement et va la frapper. Je sentais la présence de sa vulve à quelques centimètres, cachée derrière le tissu rêche du jean propre.

Elle respirait, j'étais devant elle comme un chasseur devant un animal qu'il doit tuer mais dont la beauté innocente, celle d'une créature vivante au matin, résiste par la seule force de sa vie. Toujours étrangère et sœur de l'autre, celui que j'appelais moi, celui qu'elle trompait et tromperait toujours, par jeu si le jeu devait continuer et non s'arrêter aujourd'hui, dans ce matin doré. Elle était vivante, rien à voir avec les autres, les anges, les démons…

Je lui pris la main, étonné de la sentir si chaude.

Elle s'approcha, je la serrai dans mes bras très longtemps. Elle voulait faire l'amour, mais je la maintenais contre moi. Puis je relâchai mon étreinte en gardant sa main dans la mienne :

— Je te pardonne.

— Tu ne trouves pas que c'est un peu ridicule ?

Elle avait dit ça avec la pointe d'accent qui revenait lorsqu'elle était troublée, répondant du tac au tac, dans cette langue qui n'était pas la sienne. Je vis dans ses yeux noirs qu'elle aurait préféré que je ne lui pardonne rien mais que je la déshabille. Non, la place était prise. Il fallait qu'elle m'explique qui était cette enfant. Elle s'écarta de moi, plus calme qu'avant quand je lui posais cette question, résignée… Le temps avait passé… et combien d'autres hommes…

— Je ne sais pas, Alain, je crois qu'elle n'est pas de toi. Elle ressemble de plus en plus à son père. Tu sais que tu m'as brisé le cœur ?

En disant cela elle souriait, ce qui était très étrange. Elle répéta :

— Tu sais que tu m'as brisé le cœur ?

En la regardant, je compris qu'elle m'avait aimé de tout l'amour dont elle était capable. Un amour mêlé d'admiration, rien à voir avec celui d'Emina. C'était pour cela qu'elle avait continué à coucher avec moi et qu'elle avait entretenu l'ambiguïté. Pensant que l'enfant allait nous séparer, elle s'était servie de Galatée, comme elle s'était servie de l'argent de Brentano pour m'attacher à elle.

— Pourquoi tu ne m'as pas dit la vérité ?

Était-ce elle ou moi qui avait dit cela ?

— Pourquoi m'as-tu dit que tu m'aimais alors que tu ne m'aimais pas ?

Là, c'était elle qui parlait. Je répondis sans réfléchir :

— Par lâcheté, parce que j'aimais faire l'amour avec toi et que je voulais que tu m'aimes. J'aimais que tu m'aimes.

— Mais tu ne m'aimais pas ?

— Non.

— Pourquoi m'as-tu menti si longtemps ?

— Au début, pour te faire plaisir et ensuite parce que j'avais peur de toi.

Je me tus, j'avais dit ce que j'avais à dire. Au fond j'aurais dû l'aimer, j'aurais été heureux avec elle. Elle se serait bien occupée de moi, elle aurait quitté Peter, nous aurions eu une deuxième enfant, diable ou golem, que j'aurais peut-être appelée Emina… Qui sait. Une autre vie. Au lieu de ça quel désordre… Mais mon amour pour Emina était la vérité, puisque j'étais prêt à mourir pour elle. Comme pour me donner raison après les premières minutes, Poppée s'était transformée. Elle redevenait la femme en colère qui me harassait. Mais je lui pardonnais. Elle ne pleurait pas, elle me regardait avec mépris, mais je savais que ce mépris n'était que la vieille haine des femmes pour les hommes quand elles ne trouvent pas l'amour qu'elles cherchent. Une magicienne déçue…

— Tu as eu le tort de rester avec ton mari. Tu l'aurais quitté plus tôt, tu te serais vite rendu compte que je ne t'aimais pas.

— Me retrouver avec toi, ici avec tes mensonges… quelle horreur !

— Tu savais bien au fond que je ne t'aimais pas, tu croyais me tenir et tu jouais pour voir comment j'allais m'en sortir.

— Et Galatée, tu y penses ?

— Elle, j'aurais pu l'aimer.

Était-ce vrai ? Je ne savais plus. Sa haine à elle brouillait tout comme autrefois.

— Ne dis pas ça, je t'en prie, tu mens…

Je vis dans ses yeux qu'elle était désespérée de partir. Malgré tout ce que je lui avais avoué. Elle regarda autour d'elle comme un noyé qui cherche à s'accrocher à quelque chose. Ses yeux tombèrent sur la glace qui reflétait le tableau dans mon atelier. Elle me poussa pour aller le voir. J'essayai de la retenir, elle comprit que j'avais peur qu'elle ne le détruise.

J'entrai dans la pièce, elle regardait le grand tableau en cours, l'*Annonciation* à la corbeille de fruits. Je devinai à son dos sans même voir son visage qu'elle le trouvait sublime, et cette admiration marquée par une simple raideur de la nuque et des épaules provoqua en moi un frisson d'orgueil. D'autant plus fort qu'Emina ne m'avait jamais donné même l'espoir d'un tel assentiment. Elle se tourna vers moi, elle avait à nouveau rajeuni. Elle ressemblait à la jeune fille qu'elle avait été avant de devenir une femme. Les yeux remplis de larmes elle se blottit dans mes bras. Le tissu souple de sa chemise, un simple coton, caressait mon bras. Sa chair était chaude, ses cheveux courts et rêches sentaient toujours aussi bon, j'avais envie de m'allonger dans un lit et de la déshabiller, de lui enlever son pantalon avec ces gestes familiers que nous avions autrefois, la femme qui s'offre et lève le bassin pour que le tissu glisse mieux sur ses cuisses. J'essayai de m'écarter mais sa main descendit sur moi. Elle défit les boutons de ma chemise avec cette maladresse qui renvoie l'amour à l'enfance. La ceinture lui résista un moment puis elle céda. Elle s'agenouilla sur le sol.

Le tiroir de mon meuble de peintre était ouvert, je reconnus les motifs de cartes à jouer d'un foulard qui dépassait. Je tendis la main et dégageai le pistolet, beaucoup plus lourd que mon sexe, qui reposait à l'intérieur. Je sentis d'abord le froid du canon puis le relief de la crosse. Quand je posai le canon sur son cou, puis sur son front, entre ses deux beaux sourcils de brune, elle me regarda avec des yeux rieurs. Une joueuse de roulette russe. Je baissai le cran de sûreté. Et le miracle s'accomplit, je me sentis échapper à la bouche. Je lui demandai de se lever, de reprendre son imperméable et de partir. Je dus remonter mon pantalon sous son regard. Je posai le pistolet près de ma palette à portée de main, je lui répétai les paroles d'Octavio : « Je te pardonne parce que pour toi le temps n'existe pas. » Elle eut l'air surpris, peut-être pour la première fois depuis que je l'avais rencontrée. L'excitation était complètement tombée. Maintenant j'avais peur d'elle, j'avais peur qu'elle ne s'empare du pistolet et me tire dans le ventre ou les parties... Mais non, mes paroles l'avaient découragée. Le pacte était défait. Nous retournâmes dans l'entrée, je me tenais derrière elle, l'arme à la main comme dans un film noir des années 1950. Angel face, ainsi que je la surnommais au début de notre relation, remit son trench et récupéra son sac de dame, qui avait dû coûter cher à un amateur. Elle s'empara aussi du Oui-Oui en bois que j'avais remis sur le poêle de l'entrée. Sans dire un mot, je l'accompagnai jusqu'au portail. Je la vis monter dans une voiture de location bleu vif métallisé.

Au moment de démarrer, elle se ravisa. Je me demandai ce qu'elle allait inventer. Elle réclama le siège bébé que nous avions acheté aux Emmaüs, je lui répondis « je ne l'ai plus ». Elle insista alors pour que je lui rende les photos d'elle et de Galatée que je possédais. Je refusai et je lui demandai une deuxième fois de partir. Elle me sourit :

— Tu es un paria, Alain, tu ne vendras plus un seul tableau…

J'avais mis le pistolet dans ma poche pour éviter que les voisins ne le voient. Elle me regarda longtemps, puis monta dans la voiture, claqua la portière et démarra. Elle fit marche arrière, demi-tour, traversa la place, tourna à gauche et disparut. Mon dernier regard fut pour Oui-Oui, posé sur la plage arrière, qui zigzaguait au rythme de la manœuvre sur ses roulettes en bois.

De retour dans l'atelier, je me remis au travail avec une joie sereine et appliquée. Le soir en rangeant l'atelier, je trouvai une enveloppe à fenêtre qui s'était glissée entre le coussin et le dossier du fauteuil de cuir. Un cadeau de Poppée, j'avais dû m'asseoir dessus par mégarde. La lettre émanait du service biologie d'un laboratoire de recherche israélien et elle était adressée rue Saint-Jacques. Je crus d'abord qu'il s'agissait d'un simple résultat d'analyse, mais les lettres ADN m'indiquèrent qu'il s'agissait d'un test de paternité. Il était en hébreu. Un seul prénom apparaissait en caractères romains, celui de Peter.

Emina dessinait des anges, c'était son thème unique. Je la mettais là-dessus et elle s'appliquait des après-midi entiers, la tête penchée sur la feuille, ses longs cheveux blonds caressant la table. Un petit chiot griffon que je lui avais offert mangeait souvent près d'elle dans une coupelle de camping en inox que nous avions trouvée avenue de la Toison d'Or. La lampe d'architecte de la table 1930 rapportée de la campagne dessinait leurs ombres sur le mur à mesure que la nuit tombait. Je passais des heures à lire dans un fauteuil bas, une occupation nouvelle pour moi. Le soir vers sept heures, nous allions dîner toujours à la même table au restaurant du coin de la rue.

Son caractère avait changé. Était-ce la conséquence des électrochocs ou d'un nouveau neuroleptique ? Elle faisait preuve d'un calme étonnant, elle parlait doucement, usant d'un vocabulaire étrange à la fois administratif et poétique. Je m'habituai à cette transformation au bout de quelques jours. Il me semblait qu'on m'avait rendu une autre jeune fille par erreur, mais que celle-là me plaisait aussi beaucoup, à tel point que je trompais la première avec la seconde sans aucun remords. D'autant que moi aussi je changeais un peu plus chaque jour, grâce à mes lectures.

Jeff, avec qui j'avais renoué, nous envoyait des livres comme à des prisonniers. Je lisais Joseph de Maistre avec plaisir, Swedenborg plus difficilement et quelques modernes comme Julius Evola ou un Roumain ésotérique dont le nom m'échappe.

Avais-je atteint l'âge de la sagesse ? Il me semblait avancer sur sa voie et la paix que je connaissais avec Emina m'aurait paru à l'époque d'Algésiras un rêve impossible. La vie m'avait plusieurs fois réservé d'accomplir ce que j'attendais d'elle, je pouvais m'estimer heureux. Le Brabant, surtout l'hiver, est un pays propice au bonheur familier, le même que j'aurais pu avoir à Mortefontaine, moins chargé de fantômes, plus urbain. Emina qui détestait les hôtels de luxe m'avait incité à quitter le Métropole et à louer une maison dans un ancien quartier ouvrier près de la gare. J'aurais préféré le Petit Sablon des antiquaires mais elle y trouvait les locations trop chères et trop bourgeoises. Elle réprouvait les dépenses inutiles, la grande vie, et se satisfaisait d'un coin de tapis, d'un feu de cheminée, d'un bon lit, de quelques livres, d'un papier et d'un crayon. C'est à peine si j'avais réussi à la convaincre d'abandonner dans un placard Bélisaire et Galitzine, ses bottes trouées, barbouillées de feutre, qui d'ailleurs la gênaient depuis que ses pieds avaient grandi. Sa croissance s'était débloquée et je voyais apparaître des nouveautés physiologiques, par exemple une paire de seins ravissants. Je n'étais jamais sorti avec une adolescente, en tout cas pas depuis le lycée, et j'avais un grand plaisir à faire l'amour avec elle.

Nous formions un couple louche mais à Bruxelles nous n'étions pas les seuls. C'est en public qu'elle se montrait plus nerveuse. J'eus droit à quelques crises au supermarché ou au restaurant. Ses écarts d'humeur restaient terribles mais comme elle souffrait moins, elle en riait davantage. Un fond d'humour noir hérité de son père lui donnait beaucoup de charme. C'était cette gaieté profonde, une forme d'élégance, qui la rendait adorable. Je décelai après coup une part de comédie dans les extravagances des neuf premiers mois.

Les principaux repères de notre emploi du temps demeuraient les mêmes. L'Aldi avait été remplacé par un minimarket situé assez loin de notre maison où nous devions nous rendre à pied au moins une fois par jour, à la nuit tombée à la fin de notre après-midi de travail. Emina avait fait l'acquisition d'un curieux caddie paré d'un tissu noir à pois blancs avec lequel nous faisions les courses. Ensuite, pendant que je rangeais, elle téléphonait à son père qui, exilé de Suisse après une campagne de presse redoutable dont l'article du *Time* n'avait été que les prémices, avait trouvé refuge dans une petite communauté religieuse de la banlieue de Liège. Il était malade, un cancer. Elle l'appelait « papa » et leurs conversations étaient toujours cocasses. Jean-Claude avait abandonné l'identité de DJMOmo mais s'intéressait de près à la question des droits d'auteur de son ancien personnage. J'entendais sa voix éteinte et querelleuse donner à sa fille des instructions détaillées à propos des avocats internationaux et des procès en cours, notamment aux États-Unis contre Dj Khaled, un producteur de rap indélicat. Toujours entreprenant, il s'acharnait aussi à lancer un jeune chanteur belge d'origine congolaise, Monsieur Donald, mais ses espoirs s'effondrèrent vite. Au début, son frère l'avait caché dans une maison de retraite mais la compagnie des personnes âgées avait déprimé Jean-Claude, surtout en plein sevrage alcoolique. Il préférait les « clochards », comme il surnommait les autres membres de la communauté Saint-Pierre. Je n'avais aucun rapport direct avec lui. Emina semblait avoir oublié ses griefs, ce qui m'étonnait mais je soupçonnais qu'il pouvait s'agir de dissimulation ou alors tout simplement la personnalité qui en voulait à son père était désactivée. Elle souhaitait même qu'il se réconcilie avec l'Église catholique dont il s'était séparé depuis son passage au Liban en 1976.

Le soir après dîner, nous avions de longues conversations à propos de l'avenir du monde et de l'au-delà. Malgré l'usure de mon capital et la faillite personnelle du père d'Emina, notre sort nous préoccupait peu. J'avais touché une avance de New York en attendant le vernissage, le retour à la peinture me rendait heureux et je me sentais très libre. Emina s'était détachée de ses projets de scénarios et de films en 3D, elle s'intéressait désormais principalement, en dehors des anges, à la géopolitique. Elle ne me reprochait plus de peindre le matin dans mon atelier, et dessinait beaucoup de son côté, dans le salon du premier étage ou dans une petite pièce qu'elle s'était aménagée tout en haut de la maison, une lucarne qui lui rappelait un grenier qu'elle avait habité enfant.

Elle avait retrouvé une bonne partie de ses facultés intellectuelles et quelques souvenirs du grand désordre de connaissances acquises avant la maladie. Autre nouveauté, nous avions rétabli le contact avec le monde extérieur, grâce à la lecture de la presse et de divers sites d'information. Les opinions d'Emina sur la politique internationale étaient proches de celles de Jeff. D'une prochaine apocalypse dont ils guettaient les signes avec avidité, ils attendaient le retour de l'ordre ancien. Les attentats, les scandales financiers, les astéroïdes, les catastrophes écologiques, tout ce qui pouvait ébranler le factice équilibre mondial la mettait en joie. Je n'arrivais pas à décider si cet état moral révélait un aspect morbide de sa personnalité ou si elle avait raison. Un de mes traits de caractère me pousse à épouser les opinions les plus bizarres, pour faire plaisir à ceux qui en sont convaincus, sans pour autant y croire vraiment. Je me laisse prendre au jeu, mais jamais au point de devenir moi-même prosélyte. Il en allait pour les apocalypses comme pour les avortons vampires, je participais, suivant son entrain sans jamais véritablement faire preuve de cet esprit d'initiative et d'analyse qui aurait marqué une adhésion complète. Emina devait s'en rendre compte, mais le climat de bonne humeur et la douceur du foyer reconstitué aidaient à ce qu'elle ferme les yeux sur ma réserve paresseuse ou perverse.

« Le secret de l'Occident, c'est qu'il n'aime pas la vie… » Cette phrase qu'aimait répéter Emina prenait certains soirs un autre sens. L'obsession de la mort revenait entre nous après quelques verres de vodka. Ce n'était plus le système de Swedenborg (un peu oublié depuis que j'avais essayé de lire ses livres sans parvenir à y entrer vraiment) mais une construction plus banale. J'avais le sentiment d'accomplir en ce moment ce pour quoi j'étais fait, cette « vocation » dont parlait Octavio. La plénitude me poussait doucement vers l'intuition que rien de meilleur ne m'attendait plus. La régularité désespérée dont Emina faisait preuve, ainsi peut-être que mon vieillissement dont j'étais aussi conscient qu'elle, la prémonition que notre différence d'âge allait forcément nous séparer, sans parler de la maladie de son père et des effets chimiques de certains médicaments mélangés avec l'alcool, nous conduisaient à élaborer des scénarios de suicide, tels deux adolescents. Un narcissisme funèbre avait remplacé le travail en commun de l'époque d'Algésiras.

Une ou deux fois, elle me réveilla la nuit en larmes. Elle confondait ses rêves et la réalité. J'avais peur qu'elle rechute. D'autant plus qu'elle regrettait ses visions et ces états que je n'avais jamais connus. Elle était nostalgique de sa folie et me parlait de certains délires comme si elle était allée sur la lune ou dans un pays où personne n'a accès et qui lui était désormais fermé, sauf pendant son sommeil.

Arriva la période de Noël. Nous achetâmes un sapin chez un fleuriste que nous décorions jour après jour. Je me souviens que nous fûmes obligés de dégarnir les branches du bas car le petit chien s'amusait à tirer les guirlandes, au risque de faire tomber l'arbre. Emina était très heureuse de ce sapin et il m'arrivait parfois la nuit de la trouver en contemplation devant une guirlande lumineuse, des cœurs entrelacés en plastique rouge qui lui plaisaient particulièrement. Le dimanche matin, très tôt mais sous la neige ou le grésil, elle voulait aller se promener dans les jardins et les parcs de Bruxelles qui sont ravissants. Nous avions une prédilection particulière pour le square du Sablon et le parc d'Egmont. Je garais la Morris dans ces grandes rues rectilignes bordées de maisons bourgeoises et nous marchions main dans la main, le petit chien en laisse.

Emina insistait pour aller voir d'abord la vitrine d'un antiquaire où se trouvait une relique qui la fascinait : le crâne blanchi d'un hippopotame. Puis nous remontions le square par l'allée du bord, longeant les colonnes qui soutiennent chacune la représentation d'un corps de métier sous la forme d'une effigie de bronze de la taille d'un pantin. L'un d'entre eux (un ramoneur ?) porte sur l'épaule une petite échelle dont les barreaux se détachent sur le ciel. À mi-côte, des bosquets vert foncé au feuillage persistant, buis ou simple houx, nous abritaient des regards et nous nous embrassions, seulement dérangés par le petit chien qui tirait sur sa laisse.

Derrière la fontaine des comtes d'Egmont, non loin de la pissotière publique, une porte grillagée ouvre la voie vers les régions supérieures du quartier et l'autre parc plus grand, un peu moins ordonné, bouleversé par des travaux de terrassement. C'était celui dont m'avait parlé Octavio, où se trouvait, seule sur le gazon, cette autre statue de petite taille, celle du prince de Ligne. Je n'avais pas oublié la théorie de l'écrivain à propos des personnages réduits, et je m'essayai en lisant à haute voix pour Emina *Les Soirées de Saint-Pétersbourg* à imaginer le Chevalier, le Comte et le Sénateur sous la forme de ces pantins de bronze aux attaches fines qui semblent danser le menuet des idées mortes, avec l'indifférence des fantômes, quelles que soient l'heure, la saison ou l'humeur du visiteur, malgré les révolutions, les complots et l'approche des temps derniers.

— Regarde, il a l'air de rire !

Le prince, ou plutôt son effigie, avait l'allure d'une gravure de mode. Le sculpteur avait travaillé la terre préalable au bronze avec la même allégresse retenue que les figurines peintes par le jeune Goya dans ses œuvres décoratives, de merveilleuses toiles bleutées que je n'avais même pas été visiter au Prado la dernière fois. Le chien courait sur l'herbe, Emina lui lançait une balle en mousse rouge qu'elle avait serrée dans la poche de son manteau.

Il faisait froid, l'heure venait d'aller prendre un café au lait sur la place du Sablon. Si nous nous étions levés à temps. Emina cachait le chiot dans son sac et nous pouvions assister à la fin de l'office dans l'église voisine près de la belle chapelle noir et blanc où sont les tombeaux de la famille Tour et Taxis. J'avais appris depuis peu, grâce à Jeff, que ce nom curieux venait de deux collines de Bruxelles, l'une surnommée Tour et l'autre Taxis.

Après la messe, nous rentrions à la maison pour le déjeuner, en général des œufs brouillés au jambon accompagnés de toasts et d'un thé. Emina lisait la presse du dimanche et surtout ce qui touchait à la Russie. Elle était séduite par Vladimir Poutine en qui elle voyait un homme religieux et même une possible réincarnation du tsar Alexandre Ier, une de ses passions de jeunesse. Ce goût avait été réveillé par Jeff, venu nous rendre visite car une partie de sa famille s'était exilée à Bruxelles pour des raisons fiscales. Par son aïeule directe, la Livonienne madame de Krüdener, née Vietinghoff, l'ennemie jurée de Napoléon, fée des neiges de la Sainte-Alliance, il était rattaché au milieu d'Alexandre Ier, le mystique disciple de saint Martin, d'Eckartshausen et de Franz von Baader. Autant de noms que je découvrais, autant d'austères lectures qui m'attendaient dans un petit carton que Jeff m'avait apporté lors de sa dernière visite.

En nous envoyant des cartes postales très bien choisies, Octavio avait réussi à devenir l'autre ami de notre couple. Son infirmité touchait Emina qui avait beaucoup aimé un recueil de poèmes décrivant ses souffrances physiques. Elle participait à la correspondance, d'abord prudemment par quelques mots ajoutés en bas de mes cartes. Octavio avait su se l'attacher par des formules dont il avait le secret. Lui donnant par exemple ce qui était pour lui la marque d'un grand politique : « Un homme capable de fournir un effort impérialiste à base d'hallucination. » Toutes les individualités de premier plan reposaient, à le lire, sur une hallucination préalable. Il était comme

Emina persuadé du caractère satanique des démocraties contemporaines. Toujours obsédé par Marie-Antoinette, il faisait remonter le mal à la Révolution française et avant elle à la sécularisation progressive du pouvoir royal.

Emina avait poussé l'excentricité jusqu'à construire une chapelle dédiée à Poutine dans une niche du hall. Elle y avait mis un portrait du président russe, une croix orthodoxe, une bougie rouge et une petite branche de houx. Elle y joignit bientôt, ressuscitée du placard, la vieille botte western (pied gauche) qu'elle avait surnommée Galitzine en souvenir d'un Galitzine grand initié de la loge maçonnique du Sphinx Mourant et favori d'Alexandre.

Elle aurait souhaité que je fasse la révérence à chaque fois mais je dois avouer que je me prêtais mal à ce rite un peu ridicule.

Le matin à l'aube quand je partais travailler, je négligeais mon devoir, allant même jusqu'à détourner la tête.

J'avais installé un atelier dans une ancienne écurie à quelques mètres de la maison. L'étroit bâtiment de brique prenait la lumière du nord par deux hauts vasistas posés par le propriétaire, un sculpteur. Cette extension m'avait décidé à louer notre petite maison plutôt qu'une plus grande agrémentée d'un jardin. L'atelier était parfait, beaucoup plus haut que le salon de Mortefontaine. Certains lieux vous conduisent aussitôt à progresser plus vite, comme un terrain en friche qui n'attend que d'être planté pour produire des radis gros comme des concombres ou le carrosse de Cendrillon.

Les trois toiles en cours, dernières de la série de douze *Annonciations*, étaient avancées à des stades différents. Chacune posant des énigmes que la lumière du matin rendait excitantes.

La première se présentait sous forme d'une ébauche en jus de terre de Sienne reproduisant un carton à la pierre noire. La mise aux carreaux qui avait servi à reporter le carton était encore visible sous le glacis jaunâtre. La seconde, beaucoup plus avancée, ressemblait à un tableau abstrait. Il s'agissait d'une esquisse recouverte de taches brutes balancées à la brosse large par-dessus quoi le motif allait peu à peu renaître grâce à un second report du carton originel. J'avais imaginé cette ruse pour échapper au piège de l'illustration, retrouver la violence de la peinture pure, abstraite, avant de renouer avec le motif grâce au second report. Gustave Moreau, bien meilleur artiste que simple imagier, a été le seul à utiliser cette technique de double report. Je l'ignorais en commençant. C'est Octavio qui avait découvert l'existence du procédé. Il m'avait envoyé plusieurs cartes reproduisant des œuvres de Moreau et il m'avait convaincu. La dernière, magnifique carton représentant Œdipe et le Sphinx enté sur son ventre comme un vampire, provenait du vieux musée de la rue de La Rochefoucauld. En le voyant je me souvins du catalogue de Khnopff acheté à Biarritz et oublié dans ma voiture de location.

Moreau, à la différence de Füssli, arrivait ainsi à tatouer de ses Salomé ou de ses grappes d'apparitions angéliques une vraie peinture boueuse et folle et non une de ces simples images peintes dont l'idée seule dégoûtait Francis Bacon. Les tatouages des idoles de Moreau me rappelaient ceux d'Emina, raison supplémentaire pour me rapprocher de lui. Je ne crois pas à la mort des génies, ces gens sont là dès qu'on a besoin d'eux.

La troisième *Annonciation* en était à ses dernières heures de travail. Elle représentait l'aboutissement de toute ma vie d'artiste. J'avais presque réussi. Les rapports du sujet, la jeune fille au premier plan, de l'ange du fond et de la petite nature morte à gauche, formaient une trame symbolique où rien n'était laissé au hasard et où rien pourtant ne se détachait de manière délibérée. La charge venait de la présence physique d'Emina, modèle vivant accaparé dans mon œuvre pour la première fois. L'innocence s'est si bien dévaluée dans le monde moderne que la simplicité de cette idée, peindre la femme que j'aimais, avait mis près de quarante ans à se réaliser. Qu'annonçait l'ange et qui était son modèle restaient deux questions insolubles. Elles excédaient mon intelligence. Et je me contentais dans la lumière du matin d'effectuer la mission qui m'était impartie.

Démentant mes craintes, Emina n'avait fait aucune opposition à poser pour moi. Le sujet lui paraissait bon. Elle y participait doublement, en tant que modèle et en tant que dessinatrice. Posant chaque matin, c'est elle qui travaillait l'ange chaque après-midi en esquisse avant que je ne le reporte. La figure inoubliable qui se dressait dans un drapé rehaussé de blanc d'argent était cette présence volante qui la poursuivait depuis l'enfance. Comme dans la peinture du Greco, les deux effigies appartenaient à deux ordres différents, mais la frontière entre le visible et ce que les vivants aveugles nomment l'invisible n'existait plus pour nous. L'amour créateur les avait réunis, si bien mélangés que la figure imaginaire, celle de l'ange, participait à la réalité au même titre que les pommes et les fleurs d'oranger du plat chinois, posé à gauche de la Vierge au premier plan.

Le vernissage était prévu pour la fin du mois de mars. J'appréhendais de me rendre à New York seul. Emina ne supportait pas l'avion depuis une crise en vol qui lui avait valu une hospitalisation. Au mois d'avril tombait l'anniversaire de la mort de cette mère dont elle ne m'avait jamais parlé. Au fond de moi, je savais que je n'irais pas, j'étais même persuadé que nous serions morts tous les deux à ce moment-là. Le suicide à deux était un sujet qui revenait de plus en plus souvent dans nos conversations, il était devenu un préliminaire de nos relations physiques. Nous pleurions la nuit en pensant à l'hypothèse d'une séparation définitive, ces larmes douces nous rapprochaient jusqu'à faire l'amour.

Après l'enthousiasme des premiers envois, ma galeriste ne répondait plus que rarement à mes messages. Je jugeai que le contenu ouvertement religieux de mes dernières œuvres heurtait les quelques critiques à qui elle les avait soumises sans m'en parler. La fondation Brentano n'était plus un soutien et les conservateurs de musée devaient se demander si ce recours à l'iconologie chrétienne était d'ordre postural ou idéologique. Fidèle à son obsession, Emina se montrait parfois naïve quand elle croyait devoir me consoler (alors que je n'en avais pas besoin), en fondant des espoirs sur les Russes. Elle semblait ignorer que la clientèle russe suivrait les indications du marché sans chercher dans l'art contemporain autre chose qu'un investissement. Pour la religion, ils avaient les icônes.

Je profitai d'autant mieux de ces moments que j'avais peur de l'avenir. Il n'y a rien de meilleur pour l'amour et pour l'art que de se savoir menacé de mort.

Quelques jours avant Noël, Emina entendit du bruit sur le toit. Un soir où elle se tenait dans la soupente, près de la lucarne où elle avait installé son cabinet de travail, un peu après la tombée du jour, elle fut dérangée par un grand vacarme de frottement contre les tuiles. Elle m'appela, je montai pensant qu'il s'agissait d'un chat ou d'un oiseau. Je dus forcer un bon moment avant d'ouvrir l'œil-de-bœuf coincé par l'humidité. Quand je sortis la tête je ne vis rien, à part le clocher de l'église voisine. La gouttière était sale, encombrée de branchages. Un oiseau, une cigogne de très grande taille, avait commencé d'y faire son nid au risque d'engorger la descente des eaux. Il aurait fallu que je dégage la salamandre mais le toit était trop penché sur l'abîme de la ruelle. Le carillon de l'église sonna juste à ce moment. Je levai les yeux et j'aperçus une forme sombre, une sculpture que je n'avais jamais remarquée jusque-là. C'était une figure ailée, gargouille ou ange qui ornait la base du toit du clocher juste au bord de la corniche.

Une pluie froide se mit à tomber et je rentrai la tête. Emina me regardait avec des yeux que je n'avais pas vus depuis Algésiras. Je m'efforçai de la rassurer en lui expliquant qu'il s'agissait d'un oiseau. Elle me répondit avec un petit rire sinistre :

— Oui oui un corbeau haha…

Toute la soirée, elle se montra silencieuse, revêche. Au restaurant nous n'échangeâmes que quelques mots. Je craignais qu'un nouveau délire ne se réveille. Mais elle ne me parla pas des services secrets américains ou israéliens, une de ses obsessions depuis qu'un site conspirationniste avait fait état des liens de son père avec la mafia israélienne, révélant qu'un des surnoms que ses nombreux ennemis lui donnaient était « DJMOssad ».

Le lendemain matin, un appel du supérieur de la communauté Saint-Pierre m'amena à revoir Jean-Claude Frappier pour la première fois depuis quarante ans.

Sa santé s'était dégradée.

Je ne sais pourquoi Emina avait imaginé que la communauté se trouvait près de Liège, elle était établie en réalité à l'opposé, au sud-est de Bruxelles dans les Ardennes, non loin de Luxembourg.

Nous partîmes en fin de matinée pour éviter le verglas. Ma Morris donnait depuis le dernier voyage des signes de fatigue, le moteur bricolé était fragile. Le bruit de motocyclette se transformait par moments en tambour inquiétant et les pneus usés rendaient sa conduite dangereuse.

Emina détestait les longs trajets en voiture et plus encore la Morris qu'elle rattachait à mes vies précédentes. Dès la première station-service, il fallut s'arrêter pour acheter des tablettes de chocolat qu'elle s'empressa d'écraser près du chauffage. Évidemment le chocolat fondu la rendit malade et elle annonça à plusieurs reprises qu'elle allait dégueuler. Pour se protéger du froid, elle s'était coiffée d'un chapeau-cloche déniché dans la cave de la maison. À mes côtés dans la zone floue de mon champ de vision, tassée sur son siège, on aurait dit Tatum O'Neal dans *Paper Moon*. Était-ce l'idée de voir son père ? Elle régressait à vue d'œil, jusqu'à faire des rots ou des pets sonores qui ne faisaient rire qu'elle.

Après Bastogne, il fallut s'aventurer sur de petites routes tournicotantes qui aggravèrent son mal au cœur. La communauté Saint-Pierre se trouvait dans un paysage chaotique qui devait être pittoresque par beau temps, il nous parut sinistre sous la pluie de décembre et le demi-jour jaunâtre de début d'après-midi. Un ouvrage de pierre semblable à un viaduc de chemin de fer, quoique trop frêle pour soutenir autre chose que des wagonnets de fête foraine, surmontait une vallée étroite où se trouvait un grand bâtiment semi-industriel, une brasserie. Il y avait une maison de maître, un petit château décrépi dont des persiennes se détachaient suivant un angle inquiétant. Une haute croix de ciment noircie par la pluie marquait l'entrée du domaine. Je reconnus, à quelques détails près, le paysage de rêve que j'avais dessiné à Mortefontaine trois ans plus tôt.

L'aspect nazaréen du site, que j'avais si bien rendu au crayon noir, perdait de sa définition dans la lumière vaseuse. À peine avais-je claqué la portière de la voiture, laissant Emina maugréer à la recherche de ses moon boots, que je vis apparaître un homme. Il portait une barbe blanche. Sa tête me disait quelque chose, le père d'Emina lui avait envoyé sa photo légendée d'une simple phrase : « Il s'appelle aussi Jean-Claude, il a mon âge :-) ». C'était l'intendant de la communauté. Au moment où il arrivait à portée de voix, deux gros chiens, des basrouges, sortirent d'une dépendance et coururent vers nous. Emina remonta dans la voiture en criant.

— N'ayez pas peur, ils ne sont pas méchants.

Le plus féroce des deux avait posé ses deux pattes avant sur la voiture. Je voyais le blanc de ses yeux, ses crocs et ses couilles noir et rose qui se détachaient entre ses cuisses comme celles d'un diable.

Le barbu l'attrapa d'une main et l'envoya valser d'une seule poussée vers l'autre chien plus timoré. Une grosse femme sortit de la maison et les siffla. Ils obéirent aussitôt.

La carrure d'épaules, le ton rude, les croquenots, la barbe jaunie par la cigarette aux commissures des lèvres indiquaient un ouvrier qui avait connu la dèche, un ancien taulard. J'eus le temps d'apercevoir les trois points bleus de « mort aux vaches » tatoués sur la main. Jean-Claude n'avait pas l'accent wallon, plutôt parigot.

— Votre papa va être content de vous voir.

Je lui expliquai que le malade n'était pas mon père mais celui de la jeune fille.

— La gamine ? Il faut pas qu'elle ait peur des chiens, ils couchent avec nous !

— Tu as entendu, mon amour, tu peux venir s'il te plaît ?

Emina baissa la fenêtre :

— On m'a volé mon bonnet !

— Mais non, regarde derrière sous le sac en plastique.

Elle finit par retrouver son chapeau et ouvrir la portière.

— Demande une couverture, j'ai froid !

Elle avait dit « j'ai froid » très fort comme une orpheline abandonnée et qui n'aurait pas été nourrie (par moi) depuis plusieurs jours. Elle avait dû encore s'empiffrer de chocolat car elle avait une croûte marron au bord des lèvres. Je crachai sur mon index pour la lui essuyer, elle se laissa faire puis recula, l'air dégoûté.

— J'ai froid !

L'homme se tourna vers moi

— Vous êtes de la famille ?

— Non, je suis un ami.

— Il est où mon père ?

Emina s'adressait à notre hôte comme s'il était l'auteur d'un kidnapping et qu'elle trimbalait la rançon dans son sac à dos plein d'anges coloriés et de paperasse. En serrant le cordon de fermeture en nylon j'aperçus la crosse du Colt .45, trop tard pour l'en retirer.

— Il est dans sa caravane. Vous allez voir, il est bien installé…

Emina le scruta, l'air soupçonneux. L'approche physique de son père la rendait nerveuse autant que l'aspect misérable de son refuge.

À peine passé le seuil de la maison, on nous introduisit dans un bureau. Les murs verdâtres étaient ornés d'un grand portrait sous verre du pape François, d'une pendule murale de fabrication chinoise en plastique et d'un poster de Klaus Nomi. La dondon qui avait rappelé les chiens trônait près d'un bureau en fer surmonté de casiers et de classeurs en bois.

Derrière elle, sous un crucifix, sur un panneau en liège, étaient épinglés quelques cartes postales, un calendrier, des notes de supermarché. Joufflue, les yeux bouffis, Rose (c'était son nom) portait deux petites tresses à la tyrolienne en rouleau autour du crâne. Si Jean-Claude avait l'âge de mon beau-père, Rose et moi nous aurions pu aller à la maternelle ensemble. Elle s'en était aperçue et me jeta un coup d'œil complice tout en nous annonçant à un troisième larron qui revenait des waters après un bruit de chasse d'eau.

Le nouveau venu s'appelait Daniel, une préciosité d'attitude le distinguait des deux autres. Un danseur lettré ou un bourgeois déchu, difficile de savoir. Il portait des moustaches cirées et un grand coupe-vent en nylon et polaire jaune vif orné du sigle Esso. Un estomac difforme de buveur de bière pointait sous un pull camionneur chiné coordonné avec une culotte de chasse en daim marron et des après-ski en phoque qu'arboraient les curés en classe de neige dans les années 1960.

— Alain ! On peut pas laisser papa crever ici avec ces clochards, on va le coucher dans la petite chambre au-dessus de ton atelier. Non ? Tu veux pas ?

Toujours aussi dépourvue de tact, Emina avait hurlé le mot « clochards ». Je m'imaginais mal partager mon atelier avec mon beau-père malade… Après un soupir exaspéré, Daniel prit ma défense sans le savoir.

— Mais il est très bien logé, il a son camion avec son personnel et ses installations.

Rose aperçut le museau du chiot qui pointait hors de la poche d'Emina. Son visage s'éclaira :

— Oh la petite mère… Comment qu'elle s'appelle ?

— C'est un mâle, il s'appelle Zéro…

— Zorro ?

— Non, Zéro…

— Allez, on va voir votre papa.

Daniel ouvrit une porte à soufflets en plastique. La seconde pièce était gardée par une Vierge en plâtre de grande taille qu'abritait un caoutchouc mal en point.

Une porte-fenêtre moderne en PVC à gauche de la Vierge ouvrait sur une cour intérieure donnant en contrebas sur une petite falaise percée de plusieurs caves. Il y avait les traces d'un jardin d'ornement, quelques buis mal taillés et un gros massif de thuyas dont les troncs rampants couraient comme des serpents couronnés de feuilles vertes et luisantes. Au milieu d'une pelouse boueuse trônait un gigantesque mobil-home entouré de plusieurs roulottes et d'un bloc électrogène. Il ne manquait qu'un chapiteau, une ménagerie et quelques calicots pour s'imaginer en présence d'un cirque ambulant. Le mobil-home surmonté de diverses antennes blanches en croissants et en boules ressemblait à un vaisseau spatial ou à la superstructure d'un yacht de milliardaire qu'un tsunami particulièrement violent aurait porté de Saint-Tropez jusqu'aux Ardennes. Je reconnus l'habitude qu'avait DJMOmo d'incorporer des modules autonomes d'habitation, comme une sorte de nid technologique, à l'intérieur de structures préexistantes.

Hôtels de luxe, palais royaux, parcs d'attractions, ruines de civilisations disparues. Ce nomadisme de super riche avait été longtemps son mode de vie et je découvrais Emina heureuse de retrouver ses habitudes. Elle tourna vers moi un visage éclairé d'un sourire, le premier depuis que nous avions quitté Bruxelles.

— Haha c'est papa !

Je lui souris, crispé par le trac. La porte du mobilhome s'ouvrit sur une femme blonde, portant un perfecto de cuir rouge et des lunettes fumées. Ses cheveux frisés à la lionne étaient réunis sur la gauche de sa tête par un chouchou. Je n'avais pas vu ce genre de chignon palmier depuis les années 1980. On aurait dit une choriste de Kid Creole, c'était Annette, une des anciennes belles-mères d'Emina.

Sous le lifting qui lui bridait les yeux, la chair brûlée par les peelings et les lèvres boursouflées, je reconnus une vieille connaissance du Lower East Side. Le contexte sinistre, la petite pluie fine, la falaise verdâtre contrastaient avec ses leggings brillants, son petit ventre de grenouille et sa silhouette de danseuse du Xanadu.

Elle rit d'un rire sans gaieté typique de jadis. Elle embrassa Emina et me salua d'un « Bonjour monsieur » chargé de la même réprobation glaciale qu'une vieille bourgeoise du seizième arrondissement aurait montrée à un individu d'âge mûr cherchant à s'immiscer dans un goûter d'enfants. Emina m'attrapa par la main.

— Alain ! Papa nous attend.

— Il s'est endormi, ne le réveillez pas.

Annette parlait en français avec cet accent américain de film qu'on ne trouve plus chez les jeunes. Puis s'adressant à moi :

— Monsieur, enlevez vos bottes s'il vous plaît…

Je me sentis en visite. On allait me faire chausser des patins, comme chez les parents de ma première petite amie.

L'intérieur du mobil-home ressemblait à un studio de mixage vidéo. L'éclairage était très bas, je distinguai une forme allongée dans un lit ultramoderne à matelas orientable. Le temps que j'ôte mes bottes, Emina partit s'allonger dans le lit près de son père devant un écran où défilaient des images d'un film expressionniste allemand, *Le Cabinet du docteur Caligari*. Un autre écran voisin projetait des images d'un concert de Klaus Nomi. Dans mes chaussettes, je me sentais faible et inutile, mais une femme en tailleur qui semblait sortie des coulisses d'un théâtre me fit signe de m'asseoir devant une table de camping, un genre d'infirmière ou de flic, une avocate en fait.

En quelques minutes, l'avocate m'expliqua à mi-voix la situation dont elle me considérait comme l'héritier et le coresponsable. Dans le lit, la silhouette allongée contre Emina restait silencieuse, les yeux fermés sous une lampe bleue. L'avocate parlait calmement, avec la même froideur que si son client était raide mort et qu'Emina fût une enfant de quatre ans incapable de comprendre la teneur de ses propos.

La déconfiture financière de DJMOmo était la

conséquence de ses imprudences. Il avait construit sa fortune sur une cavalerie, une banale chaîne de Ponzi. Des prêts très importants servaient sans cesse à alimenter de nouvelles affaires, des groupes ou des artistes qu'il produisait et dont il détournait les bénéfices, mais aussi des investissements divers : restaurants, compagnie de jets privés, licence de frozen yogurt, et même un groupe de strip-tease masculin type Chippendales… Après le succès de sa dernière tournée en Asie, il avait été incapable d'assainir ses finances, le trou était trop important et son état moral très bas. Suite à la rupture avec Apple qui avait produit la tournée géante *Candlelight & Dubonnet on Ice*, une dispute avec le nouveau patron de chez Warner, un Russe, à propos d'un projet de plateforme de téléchargement, avait accéléré sa chute. Comme par hasard, c'est à ce moment-là que les scandales avaient éclaté, sexuels d'abord, puis politiques.

Poursuivi par le fisc américain, il risquait vingt-cinq ans de prison, seul son état de santé, cancer du rein en phase 4 ou 5, lui évitait l'extradition. Une voix étouffée sortit de l'ombre bleue :

— Alain !

Le chevet s'alluma théâtralement. L'homme qui était allongé devant moi n'avait plus rien à voir avec celui que j'avais connu, et encore moins avec le poussah difforme aperçu en photo ou à la télévision. Il avait le visage creusé du comte d'Orgaz. Les dorures du coussin Versace qui entouraient cette face cireuse accentuaient la ressemblance. Il me salua d'un signe de tête.

— Comment ça va depuis le temps ?

— Ça va, ça va…

Je ne savais pas trop quoi lui dire. Il laissa un silence menaçant s'installer. Je me souvins qu'il était déjà comme ça quarante ans plus tôt. Des manières de chef de bande. Il caressa le visage de sa fille, qui l'embrassa, découvrant son corps amaigri. J'eus le temps d'apercevoir un slip échancré et un tatouage sur sa fesse. Il chuchota quelque chose à l'oreille d'Emina et elle se redressa avec une obéissance d'animal. Elle se leva et se dirigea vers une table de montage vidéo qui se trouvait près des moniteurs.

— Ma fille est un génie.

— Oui.

Je n'avais vraiment rien à lui dire. Je m'attendais à ce qu'il me demande de prendre soin d'elle. Mais il se désintéressa de la question, comme si le compliment n'était que pure formalité à la manière des artistes du show business.

— On va avoir des ennuis, toi et moi.

— Ah bon.

Je n'avais pourtant aucune responsabilité civile sur sa faillite. Il toussa, à moins que ce ne fût un rire.

— T'es pas très bavard. Visiblement, tu préfères parler aux journalistes…

Il m'apprit d'une voix chuintante que les ennuis dont il parlait n'étaient pas financiers mais politiques. « Mon ami » Scott Mynott avait poussé plus loin son enquête. Il avait fini par découvrir ce qu'il cherchait : l'affaire Joachim Peiper. Un SS allemand exécuté en Haute-Saône en 1976 par de vieux résistants communistes. Après l'assassinat, un « commando Peiper » avait menacé les cocos justiciers. Coups de téléphone anonymes, lettres aux journaux et une tentative d'incendie criminel des locaux du PCF… Le commando, c'était lui… Jean-Claude avec des copains. « Une blague de potaches » selon lui, dépistée par les flics, qui expliquait son escapade au Liban. Son frère m'avait caché cette histoire.

— Ils se sont procuré le rapport de police. Même si tu n'es pas cité, ils vont te compromettre.

Je lui répondis que je m'en fichais. Les enjeux étaient moindres, je n'avais pas essayé de dépouiller Apple.

— C'est Atchoum qui nous a balancés !

Atchoum ? Je l'avais oublié celui-là… Je dus froncer les sourcils de manière éloquente, il s'agita sur son coussin doré.

— Mais si, souviens-toi ! On l'appelait comme ça à cause de Blanche-Neige. Le nabot qui avait la collection complète des *Cahiers du bolchevisme*…

Je n'imaginais pas qu'après une vie pareille il ait gardé une aussi bonne mémoire. Nous parlâmes du passé, comme tous les mourants, il y avait des moments où il perdait le fil, ses yeux se posaient sur Emina qui bricolait à toute vitesse sur un clavier la vidéo de Klaus Nomi… J'entendais la voix d'outre-tombe du clown castré chanter la chanson : « *Let me freeze again to death* ». Il essaya de m'intéresser à ses projets. Il voulait organiser des concerts virtuels des artistes de new wave électronique de la fin des années

1970. Travailler avec des morts était une occupation tranquille.

Jean-Claude employait tout un vocabulaire professionnel technologique que j'ignorais, à part Klaus Nomi et les autres, il faisait référence à des noms que je ne connaissais pas. Nos vies s'étaient construites sur deux pôles contraires. Il avait plié l'industrie musicale à ses propres fins en se déguisant pour voler les naïfs mais en fin de compte il avait perdu en tout. Moi j'avais défendu mon ancien idéal, agi comme si le présent n'existait pas et j'étais en train de perdre aussi à mon tour. Il n'avait aucune amertume, moi non plus, nous avions joué comme nous avions pu. Il était devenu un homme trivial, direct qui n'avait plus jamais cherché la vérité. L'alchimie de l'art lui était étrangère. Un seul trait de caractère avait pris le dessus, plus saillant que chez moi et plus ambitieux que chez son frère, l'esprit d'aventure.

— Nous, fascistes, nous ne supportions pas la vie ordinaire.

Il avait dit ça calmement, une pensée mûrement réfléchie. C'était la première fois que je l'entendais prononcer le mot «fasciste» sérieusement, à force de fréquenter ses ennemis il avait attrapé leur langage. Il donna des indications à Emina sèchement, comme s'il s'adressait à une technicienne. L'avait-il violée ? La cocaïne rend fou mais je n'avais pas le sentiment que cela eût modifié beaucoup leurs rapports bizarres. Il ne parla pas d'elle mais il m'assura que Théodora avait inventé l'agression sur Zibbedé car elle était payée par ses adversaires. Il n'avait pas l'air de mentir.

Il voulait mixer des images de Caligari à l'intérieur du concert virtuel. Emina était la seule à réussir ce genre de bricolage. Elle accomplissait en une heure ce qu'un bidouilleur aurait mis une semaine à réussir. Il n'en parlait pas mais je compris qu'il n'avait plus les moyens de payer le labo. Je compris aussi que l'avocate attendait pour ses honoraires. Je lui dis d'envoyer la facture chez nous à Bruxelles, sachant que je ne pouvais rien faire. Emina avait de l'argent en Suisse, l'héritage de sa mère. Peut-être Jean-Claude voulait-il le numéro du compte, ce qui expliquerait sa gentillessc ? Non, il était juste au bout du rouleau, embêté même de me laisser ça sur les bras. Inquiet pour ses filles. Il me demanda d'intervenir auprès de Théodora. Emina mit Klaus Nomi en pause…

— Qu'elle crève, cette pute !

Je crus voir le malade sourire. Il n'avait plus la force d'argumenter. Il me répéta que c'était elle, Emina, le génie de la famille. Zibbedé était une… (il chercha le mot sans le trouver) comme sa mère. Il parlait d'une enfant de cinq ans avec le même mépris que s'il s'agissait d'une adulte. Je lui demandai où était son frère, il m'expliqua qu'ils étaient fâchés parce que Alain avait des soucis avec son casino-maison de retraite à Knokke-le-Zoute. Je compris que le *cash-flow* de DJMOmo lui manquait, à lui aussi… J'ironisai sur le concept de « casino-maison de retraite ». Il commença à ricaner mais il s'étouffa…

— Tu te rappelles quand j'ai braqué une cafétéria à Madrid pour dépanner Alain ? La fille voulait me donner le fond de caisse mais j'ai juste prélevé les 100 000 pesetas que je voulais...

— C'était après l'accident de moto ?

— Oui, je voyais trouble.

Sa voix se fatiguait. Il tendit la main, me faisant signe d'approcher, je me penchai sur lui, craignant que sa bouche sente une haleine de mort, mais il était parfumé comme une fille. Il chuchota, presque inaudible :

— Aide-moi... je veux voir les ânes.

Il me désigna un hublot près de son lit. Plus que tous les souvenirs, cette phrase enfantine sortait du passé, de ce que nous avions connu de meilleur. Les soirées avec les filles du Frente de la Juventud. Des surboums, seulement des surboums... Ce que les flics prenaient pour un complot... Des surboums.

Let me freeze again to death...

Klaus Nomi chantait. L'image mixée avec le décor du film allemand apparut sur un écran géant, il bougeait comme le mime de sa propre mort, symbole sublime du sida, les yeux fous, noirs, enfoncés dans l'au-delà, ceux de l'hiver d'Arcimboldo. Jean-Claude me crocheta le cou de son bras pour que je l'aide à le relever. Il était plus léger que Kate Moss.

Par le hublot on apercevait une quinzaine d'ânes serrés dans un enclos et derrière, des hommes qui se réunissaient dans le jardin devant une porte, pour la soupe ou pour la messe. Jean-Claude me caressa la joue :

— Lesquels tu préfères ? Les hommes ou les ânes ?

Puis, voyant que je souriais sans répondre, comme on fait avec un vieux, il me dit à l'oreille :

— Moi, c'est les ânes !

La voix d'Emina couvrit celle de Klaus Nomi :

— Papa, il faudra que tu te confesses à un prêtre avant de mourir.

Elle avait sa petite voix ferme de maîtresse d'école, celle qu'elle prenait pour parler à son chiot ou à moi.

Jean-Claude ne voulait pas mourir, ni se confesser. Emina refusait de retourner à Bastogne. Ils correspondaient par mail, principalement au sujet de Klaus Nomi.

À la fin du mois, l'argent commença à manquer. Je finissais les *Annonciations* dans cet état de suspension avant la catastrophe. Emina avait encore beaucoup changé depuis la visite à son père. Elle faisait moins de cauchemars. Je compris que le rapport que nous entretenions depuis notre installation en Belgique était du même genre, mais d'une espèce moins désespérante, que celui qu'elle avait établi avec son père après sa première crise. Les anges et Klaus Nomi la passionnaient, au point de me faire acheter toute une documentation sur Dada et sur l'expressionnisme. Il y avait un lien. Emina cherchait toujours une trame de fond, qui tenait à la tradition, au sens ésotérique. Face à la guerre, la mort, les grandes épidémies, les vrais artistes se tournent vers le nihilisme, donc la mystique. Cette voie conduisait quelque part. Très loin du profit. Depuis notre visite à Bastogne, j'avais pris l'avantage sur son père, en me regardant peindre elle avait découvert que le vase alchimique où je fabriquais mes élixirs se contentait de moyens pauvres et anciens. Le peintre fabrique lui-même son vaisseau. Son rejet de l'art contemporain épargna désormais ma peinture. Elle dissociait enfin les vains miroirs de la technologie de ce miroir des sages datant des premières fresques rupestres.

Une visite d'Octavio à la fin de l'hiver nous aida à mettre des mots sur ces pressentiments. En plus de son livre sur Marie-Antoinette, il nous apportait le catalogue d'une exposition Dada organisée quelques années plus tôt par Brentano à Milan. Un joli cadeau, ce catalogue étant vite devenu introuvable. Emina avait voulu préparer un dîner de fête, elle avait dévalisé le hard discounter le plus proche. Octavio, un gourmand comme moi, était arrivé avec des mets plus raffinés. Malgré son infirmité il s'était mis en cuisine. Il était joyeux et il avait l'air de nous aimer bien. Il parlait à Emina avec beaucoup de respect et prêtait une grande attention à ses propos, venant éclairer ce qu'elle laissait dans l'ombre de sa pensée toujours mystérieuse ou lacunaire. Emina n'était pas insensible à son intelligence ni au courage qu'il montrait face à la souffrance physique.

Le premier soir, il nous lut un poème qui enthousiasma Emina :

Les yeux tombent au fond du crâne, la langue enfle, elle sort de la bouche. Un filament glacé s'enroule autour des chevilles, un autre entaille les jambes, un autre les reins, le dos, un autre encore un autre.

Il pleut des barbelés. Suspendues à des centaines de

griffes, mes mains cherchent le souvenir de leurs gestes.

Je me penche pour vomir, m'étonnant de sentir ma maladie sur le flanc. Rien ne vient, j'avale de la boue.

Je suis dans un sac.

Il y a dans ce mal une intransigeance, une obligation de pauvreté qui me font l'intime d'une agression. Mais jamais je n'affronte ce qui me frappe. Je pense un repos où la pulsion de mort et la miséricorde se mêlent.

Rejoins cette plus juste personne que tu es dans la douleur. Soulage la détresse d'un amour qui ne peut te toucher sans te faire souffrir.

L'auteur était un poète suisse atteint d'une maladie bien plus douloureuse que la sienne. Il venait de mourir quelques semaines plus tôt. Octavio ne l'avait rencontré qu'une fois à Lausanne pendant une heure mais il en avait gardé un grand souvenir. Il nous en parla comme d'un saint.

Je lui racontai notre visite au père d'Emina. Il m'avait étonné en employant le mot « fasciste » comme nos adversaires. Octavio me répondit qu'il avait sans doute trop menti à tout le monde pour garder les idées claires.

En feuilletant le gros album, nous arrivâmes à Julius Evola. Octavio se moquait de la prudence de l'éditeur qui avait évité de citer le penseur fasciste ami de Tzara dans l'index, le rangeant pudiquement à la rubrique « Italie ».

Figure centrale, avec Guénon, de l'antimodernisme au XXe siècle, méprisé par les modernes (d'abord les marxistes et les sectateurs français d'Heidegger), Evola avait voulu créer un néopaganisme mystique en s'appuyant sur Mussolini puis sur Hitler. C'était un nom que je connaissais à cause de militants du MSI que nous avions reçus à Paris. Il y avait eu une soirée diapositives dans notre local à laquelle j'avais assisté. J'avais dû feuilleter son livre, *Révolte contre le monde moderne,* et je me rendais compte que cet ancien peintre dada m'avait influencé dans mon retour à la tradition. Sa métaphysique m'avait permis d'approfondir la démarche plus instinctive du Picasso ingresque, ou même de Dalí ou de Chirico. J'étais étonné d'avoir oublié ce qui était le point de départ de ma démarche artistique. Emina se moqua de moi. Octavio prit ma défense en expliquant que cette occultation intime d'Evola m'avait au contraire permis de peindre en toute liberté, tout en suivant une vocation secrète qui me conduisait dans la bonne direction.

— Par une démarche exactement contraire à la tienne, Evola cessa de peindre avant de se consacrer à des activités politiques. En 1921, il a écrit une lettre de rupture à Tzara lui annonçant qu'il est tombé dans un « état d'étonnement immobile » qu'il définit comme

« terriblement dada ». Après une tentative de suicide il s'est détourné de la peinture et n'en a plus jamais parlé. Défendant l'idée simple et positive dans son esprit que l'art n'était que liberté et égoïsme. À la fin de sa vie, Evola étendit son désintérêt à la politique, partant du principe qu'il fallait s'arranger pour ne pas laisser prise à ce sur quoi on n'a pas prise.

— Mes amis italiens l'avaient rencontré un an avant sa mort, ils me l'ont décrit comme un professeur de tantrisme qui vivait dans un grenier sentant l'urine avec une infirmière allemande.

— Il a été blessé par une bombe américaine à Vienne en 1945, il se baladait comme moi dans un fauteuil à roulettes. On ne peut confondre le fascisme d'avant-guerre, qui était un mouvement social révolutionnaire, et le néofascisme d'après-guerre qui procède d'une mystique du déclin. Ceux de 1923 croyaient en la victoire, ceux d'après 1945 se battent pour une cause perdue, même s'ils n'en ont pas toujours conscience. Les gens comme toi, nés en France dans les années 60, n'auraient jamais pu être des fascistes, même si vous l'aviez voulu.

Emina nous traita de « jumeaux maudits »... Nous rîmes beaucoup, ce qui lui arrivait rarement et j'étais heureux de la voir sortir de ce sérieux écorché et lugubre qui est le pire symptôme de folie. Un grand fracas nous interrompit. Le bruit venait d'en haut du cabinet de travail d'Emina...

Je pensai tout de suite à l'oiseau... La lumière s'éteignit, les plombs avaient sauté. Seule brillait la petite bougie rouge près de la photo de Vladimir Poutine.

À tâtons, j'allai chercher des bougies blanches dans un tiroir de la cuisine. Quand je revins dans le hall, je vis Emina blottie dans un coin. Un air glacial courait dans l'escalier, un bruissement provenait des étages supérieurs. On aurait dit qu'une présence, un oiseau ou un être humain, s'agitait sur le toit. Octavio avait disparu. En voyant la lueur blanche de l'éclairage municipal qui se reflétait dans un miroir, je m'aperçus que la porte d'entrée était ouverte. Octavio apparut dans la ruelle, il tenait notre pistolet familial à la main. Par quel bond avait-il descendu dans son fauteuil la marche du perron ? Il avait plus de mal à remonter, je dus poser le bougeoir pour descendre l'aider.

— Il n'y a personne sur le toit.

Le canon de l'arme était pointé vers moi, il s'en rendit compte et le baissa, sans mot dire je lui désignai le guéridon où nous avions l'habitude de laisser nos clés et la laisse du chien. Il y déposa le pistolet. Je lui tournai le dos dans l'intention de monter l'escalier quatre à quatre. Au dernier moment je me ravisai et je le pris dans mes bras. Emina se chargea de son fauteuil. Octavio était léger mais il me griffait le poignet de sa main déformée. Le temps de grimper les marches sans faire tomber le petit chapeau qu'il gardait en permanence vissé sur la tête ou la bougie qui branlait sur le bougeoir, le bruit avait cessé. L'air s'était réchauffé. Tout en haut des marches, derrière la porte entrouverte, le bureau d'Emina était éclairé d'une lueur verdâtre. On aurait cru une chapelle colorée par un vitrail. Je poussai le battant. La pièce était en ordre, la lumière de la lune traversait une feuille de gélatine photo de couleur verte qu'Emina avait scotchée sur le carreau.

J'allai à la lucarne, j'eus toujours autant de mal à ouvrir la gâche coincée par l'humidité et la rouille. Monté sur la chaise d'Emina, non sans l'avoir débarrassée d'un coussin en tricot, cadeau de nos amis de Bastogne, je penchai la tête à l'extérieur. La lune faisait luire l'ardoise humide. Au coin du toit pointu, la gouttière disparaissait sous un nid énorme, un enchevêtrement régulier de bois sec, de chiffons, de débris divers de papier bulle ou de bâche déchirée. L'oiseau avait travaillé depuis la dernière fois. Enfoui au milieu du nid, il y avait un objet que je pris d'abord pour un crâne humain, celui d'un hydrocéphale au vu de la forme ovoïde de l'os surmontant deux orbites vides. En me penchant davantage, serrant pour me hisser le zinc glacial qui couvrait le chéneau du toit, je compris qu'il s'agissait d'un œuf. Ce que j'avais confondu avec des orbites étaient des taches sombres.

— Attention, tu vas tomber !

C'était la voix d'Emina, affolée comme toujours.

— Il y a un œuf énorme sur le toit…

Je descendis pour qu'elle le voie à son tour. Je lui tenais les jambes serrées pendant qu'elle se hissait dehors.

— Il faut appeler les pompiers !

Elle redescendit, je hissai Octavio qui passa à son tour la tête par le carreau. Quand je le reposai dans son fauteuil, il dit à Emina :

— Tu vas pouvoir le faire sertir chez Fabergé et l'envoyer à Poutine.

Je n'avais pas envie de rire, une force inconnue me poussait à m'emparer de cet œuf. Je me souvins qu'Emina gardait dans son fatras de gros élastiques de sport très solides, un cadeau de Théodora, qui avaient dû lui servir à une époque à faire des exercices. Emina finit par les retrouver sous une valise vide. Je fixai l'une des extrémités à mon poignet, confiant l'autre à Emina et Octavio et, enjambant la lucarne, je m'aventurai sur la gouttière qui craqua mais résista à mon poids. Le plus dangereux était d'avancer en reptation, plaqué contre le toit. Ma chemise adhérant à la paroi pentue se froissait et je sentais le froid mouillé de l'ardoise contre mon ventre. Pour parer au vertige, je fixais des yeux le nid et l'œuf qui brillait sous la lune. Mes mains qui cherchaient prise sur les tuiles rencontrèrent un objet de métal rouillé solidement boulonné sur un épi de faîtage. C'était une de ces vieilles antennes de télévision qui ressemblent à des râteaux renversés. En la tenant fermement, je pus soulager la gouttière de mon poids et gagner plus d'un mètre. Mes pieds entrèrent en contact avec les branches du nid. Je me rendis compte que j'allais laisser tomber l'œuf si j'essayais de le prendre dans mes bras. Vu sa taille, il devait peser une dizaine de kilos. La coquille sans aspérité le rendait difficile à transporter et encore plus à le saisir d'une main. Si je lâchais l'antenne et que j'arrivais à plier les genoux tout en restant le dos collé au toit, je n'oserais jamais, pour des questions d'équilibre, tendre mes deux bras vers le vide afin d'attraper cet énorme objet lisse et glissant. Au mieux, je risquais de chuter la tête la première dans le nid. Malgré ses deux mètres de circonférence et son épaisseur, je craignais qu'il ne s'effondre sous mon poids. Le sac à provisions en plastique que j'avais fourré dans la ceinture de mon pantalon ne servait à rien. Impossible de faire glisser l'œuf à l'intérieur sans prendre de risques. J'allais faire marche arrière quand mon pied glissa. Je venais de lâcher le piton de l'antenne, je m'affalai le long du toit le flanc griffé par les clous qui fixaient les ardoises. Je chutai mollement dans le nid qui résista. J'avais peur d'avoir écrasé l'œuf mais le moins qu'on puisse dire c'est qu'il avait l'air solide. Le nid était confortable, en dépliant mes jambes je les posai sur les rebords extérieurs, me laissant couler au fond avec l'œuf dans mes bras. J'avais l'impression d'être un gros oiseau à une dizaine de mètres des pavés luisants de la rue. Je vis la tête d'Emina apparaître par la lucarne. Elle riait comme une enfant.

— On va appeler les pompiers, ils vont venir avec la grande échelle.

Je me mis en colère. Je ne voulais pas des pompiers car ils risquaient de nous confisquer cet œuf qui était devenu très important pour moi. Plus important que tout le reste… Je réclamai l'aide d'Octavio qui hissé par Emina la remplaça à la lucarne. Je tirai le sac à provisions en plastique de ma ceinture, je mis l'œuf à l'intérieur, je défis le caoutchouc rouge qui me serrait le poignet et j'y attachai les anses du sac solidement. Puis je posai le sac contenant l'œuf sur la gouttière afin qu'Octavio le hisse à l'intérieur de la maison. Mais je me ravisai. Je craignais que le sac se coince dans un piton de la gouttière, qu'Octavio en tirant trop fort sur l'élastique le fasse basculer dans le vide et que, catapultée par le caoutchouc, la nacelle improvisée se projette contre la façade, brisant l'œuf. Je décidai donc de me retourner dans le nid, de me mettre à quatre pattes et de guider le sac jusque sous la lucarne en rampant. La difficulté venait du manque de souplesse de mes articulations rouillées par l'âge, le froid et l'humidité. Je dus ramener mes jambes une par une en forçant avec l'aide de ma main droite, la gauche s'appuyant sur le flanc extérieur du nid à l'aplomb du vide. Une fois mes pieds réunis à mes cuisses, je me retournai sur le flanc puis me redressai sur les genoux en m'agrippant au rebord de la gouttière qui plia sinistrement. Je me retrouvai à genoux les fesses en l'air, comme un pèlerin en adoration. Il fallait maintenant que je fasse un tour complet à l'intérieur du nid pour me retrouver face à la lucarne. En levant les yeux j'aperçus le clocher de l'église. La grande gargouille ailée avait changé de place et se tenait face à moi. La créature avait l'air de me surveiller comme si le nid lui appartenait et que j'étais en train de lui voler son œuf. Je baissai la tête pour échapper au vertige et opérer mon délicat retournement. Les fourches des branches mortes dont le nid était tressé n'arrêtaient pas de se prendre dans la boucle de mes bottes et je dus à plusieurs reprises les décoincer à la main. Ce qui m'amenait à poser ma joue sur le fond du nid, tapissé de duvet soyeux qui sentait une odeur âcre et fade de fiente. J'arrivai enfin à me retourner face à la lucarne. Octavio avait disparu. J'imaginai qu'il se reposait sur la chaise à l'intérieur et j'étais déçu de voir qu'on s'inquiétait aussi peu de mon sort.

— Octavio !

Je chuchotai car je ne voulais pas attirer l'attention du propriétaire de l'œuf. Sans attendre la réaction des deux autres je commençai de ramper en poussant le sac devant moi sur la gouttière bouchée, pleine d'une boue noire qui me pénétrait jusque dans les os.

— Octavio !

Il apparut enfin, il avait ôté son chapeau, il était décoiffé, les joues en feu. Une bouffée de jalousie me saisit même si je n'avais aucun doute quant à la fidélité d'Emina. Il tira doucement sur l'élastique comme je le lui recommandai. Le sac s'éleva vers la lucarne et je le surveillai avec une attention douloureuse jusqu'à ce qu'il soit passé dans la maison.

Cette aventure nous occupa tout le reste de la soirée. Octavio affirmait qu'il s'agissait d'un œuf d'autruche déposé sur le toit par une main humaine. Je compris qu'il soupçonnait Emina sans vouloir l'accuser ouvertement. Je songeai à l'antiquaire du Sablon où se trouvait le crâne de l'hippopotame, il vendait aussi me semble-t-il un œuf d'autruche posé sur un présentoir, un tripode conçu à cet usage. Il fallait trouver un support à celui-ci. Emina avait cherché un moyen de le faire tenir sur son bureau, optant finalement pour un vase à col large qui le mettait en valeur mais risquait aussi au moindre choc de l'envoyer valser par terre. Posé devant la lucarne gainée de gélatine verte, il ressemblait à un objet de culte pythagoricien. La vidéo de Klaus Nomi, qui défilait en boucle sur le moniteur depuis que j'avais rétabli l'électricité, renforçait la majesté contemporaine de l'objet. Emina rapprocha un fauteuil de cuir de manière à amortir sa chute. Le fauteuil massif occupait l'espace et rendait le bureau d'Emina inaccessible. Le dérangement causé par cette présence nous troublait tous les deux. Je révélai une fragilité plus grande qu'Emina, refusant de quitter la pièce en laissant l'œuf sur le vase. J'insistai pour redescendre avec lui dans le salon. On se moqua de moi, je cédai à contrecœur.

Je racontai à Octavio l'histoire de l'ange de pierre, Emina garda le silence, mais son mutisme était si chargé qu'il n'échappa aucunement à la sensibilité de notre ami. Il nous parla de ces anges déchus, qui selon la tradition sémitique descendirent sur terre pour s'accoupler avec des femmes et leur enseigner la magie. Il opposa cette volonté de contrôler la nature à l'art qui n'est qu'un désir amoureux de prodige immédiat, puis il cita un vers de Dante :

L'amor che move il sole e l'altre stelle

Un long silence suivit, au bout duquel Emina déclara qu'elle avait sommeil.

Ce matin-là, alors qu'Emina dormait, j'ai trouvé un mail de New York. Mon exposition était reportée sans date ultérieure. J'ai essayé d'appeler la galerie X mais on ne m'a pas répondu. La froideur inaccoutumée de la directrice aurait dû m'alerter depuis un moment, mais le plus important était de finir et je n'avais pas cherché à en savoir plus. D'ailleurs, je n'aurais eu aucun moyen d'y parvenir. Pierre Angélique avait disparu et mes contacts new-yorkais, journalistes ou curators, n'étaient pas sûrs. Je ne pouvais confier mes inquiétudes à personne. En entrant mon nom sur Google, je découvris que j'étais cité dans un grand article sur « La contre-révolution artistique et les extrêmes droites ». Un certain nombre d'artistes contemporains, écrivains, plasticiens ou réalisateurs de cinéma étaient recensés comme appartenant à une internationale antiprogressiste proche de la droite radicale, des ultra-catholiques, des ligues néofascistes européennes. DJMOmo avait l'honneur d'un petit article à part où était évoquée la nouvelle accusation le concernant. Une photo de Joachim Peiper en compagnie d'Himmler illustrait l'encadré.

Ça sentait le sapin, me dit Octavio que j'avais

réveillé pour lui montrer ce nouveau volet cosigné par Scott et plusieurs autres rédacteurs.

Le sujet était repris par un grand nombre de journalistes européens. Même la presse conservatrice française relayait les accusations aux côtés des journaux de gauche. Sur l'un d'entre eux, ma photo illustrait la page d'ouverture.

Mes collectionneurs n'allaient pas aimer ça, à commencer évidemment par Brentano qui s'était séparé récemment d'un créateur suisse sous prétexte qu'il avait tenu des propos racistes dans son bain (au téléphone sans doute ou alors parlait-il tout seul à son canard en plastique), une scène filmée par une main inconnue, devenue aussitôt virale sur Internet.

En cherchant la vidéo en question, Octavio tomba par hasard sur un autre document posté quelques jours plus tôt. Il s'agissait d'une exécution publique commandée par des enfants. Des hommes agenouillés présentés comme des agents de la CIA recevaient chacun une balle de fusil dans la tête. Je crus reconnaître parmi eux Geoffrey, le soi-disant prêtre rouquin. Lorsque son bourreau tira, sa tête explosa comme un melon. La scène me parut irréaliste, je ne ressentis rien. Cet homme avec qui j'avais dîné quelques mois plus tôt était pour moi comme un acteur de film d'horreur. Octavio me repassa la vidéo pour que je m'assure de son identité. La deuxième fois me parut encore moins vraie que la première. Sa tête en éclatant lançait tout autour une projection de peinture rouge.

Je racontai à Octavio les deux dîners que j'avais passés en sa compagnie. C'est vrai que l'Américain parlait beaucoup de missions humanitaires et qu'il était toujours bronzé. J'avais beau en parler, aucune émotion ne montait en moi. « Bon débarras », dis-je à Octavio qui me mit en garde : « Méfie-toi de ne pas devenir celui qu'on veut que tu sois. »

Je lus la notice biographique de Peiper, elle était sobre mais très parlante. Ce jeune aide de camp d'Himmler, héroïque au combat, avait participé aux plus graves exactions, assassinats de masse en Pologne, en Italie, crimes de guerre en France, en Belgique et même en Allemagne où il avait fait pendre trois jeunes soldats allemands de seize ans accusés d'avoir volé du pain. Lui-même n'avait pas été pendu mais avait fini par travailler chez Porsche après sa libération anticipée dans les années 1950. Il s'occupait de l'exportation aux USA…

— Nous venons de trouver le responsable de la mort de James Dean !

Octavio se trompait… Libéré en 1956, l'Allemand n'était pas encore en poste en 1955… À part James Dean, c'était vraiment le monstre parfait… Il avait fait gazer son frère homosexuel en 1942 afin de ne pas gêner son avancement.

Le facteur sonna pour une lettre recommandée, le cabinet d'avocats réclamait sa note… une autre mauvaise nouvelle émanant de mon beau-père.

Pendant que je signais la décharge du facteur, Octavio avait fait glisser le canope qui cachait la dernière *Annonciation*. Celle qui ne partirait sans doute jamais à New York.

Ce tableau n'était pas le meilleur de la série. L'avant-dernier qui séchait derrière avait un charme particulier qui lui venait de la nature morte du premier plan. Les fruits qui m'étaient apparus chez la Daladier avaient fait l'objet d'une transfiguration. Une lumière sans temps ni date les portait dans la corbeille d'osier, comme le pain ou les raisins dans une peinture vénitienne dont j'avais recréé la suspension magique sans arriver à retrouver le nom du peintre.

— Peut-être ce peintre n'existe-t-il pas, me dit Octavio. Peut-être aurait-il pu exister et ta mémoire l'a-t-elle fait remonter des limbes ? Peut-être est-il toi-même. L'âme qui était la tienne avant qu'elle soit venue au monde ?

Je ne répondis pas, je regardai la dernière toile, *Annonciation XIII*. Il me semblait tout à coup qu'elle n'était pas finie. Il manquait quelque chose, un objet au premier plan qui aurait remonté la perspective différemment. La masse blanche de l'œuf m'apparut comme une hallucination translucide. Je repensai à un tableau de Corrège ou de Vinci. Une Léda… J'avais vu ces grands œufs quelque part…

Je m'assis dans un fauteuil bas et je me pris la tête dans les mains. J'avais du travail pour plusieurs heures. Je demandai à Octavio la signification symbolique de l'œuf pythagoricien. Il me répondit qu'il lui fallait faire des recherches dans sa bibliothèque. Il ne voulait pas s'avancer.

— Ce n'est pas si pressé…

À peine avais-je dit ça que je pensai à la mort. Quel jour étions-nous demain ? Quelle importance. Si le chiffre… Octavio se tenait en face de moi. Par-dessus un superbe pyjama rouge, il avait revêtu une vieille robe de chambre en soie à motif cachemire qui drapait son fauteuil à roulettes comme une dalmatique. Il me regardait fixement dans un silence complet. Je pensai qu'on était dimanche. Mais le carillon de l'église voisine semblait cassé, telle l'horloge arrêtée sur le mur de briques peintes en blanc…

— Je vais écrire un livre sur vous. Je vais retaper l'ancien, où il y avait déjà une Emina comme la tienne… Je garderai mon titre, *Occident*.

— C'est un bon titre. Tu vas parler du déclin de l'Occident chrétien ?

— Oui, mes héros seront des morts vivants amoureux perdus dans un empyrée éteint qui est l'Occident. Mais la mort n'est pas une fin, tu le sais comme moi.

— Il faut que tu expliques que l'art n'est pas seulement une chose drôle, égoïste et un peu assommante mais une issue sur l'autre monde.

— Je déteste les romans à thèse.

— Tu te débrouilleras, mon vieux… Profite du fait que la littérature ne rapporte pas d'argent pour dire la vérité.

Je me levai pour aller chercher l'œuf. Octavio ne bougea pas. Il me regardait toujours fixement. On aurait pu croire qu'il attendait des engagements, un pacte peut-être. J'eus la certitude à ce moment que j'allais bientôt mourir. Un suicide au pistolet, mais sans Emina. Bien que devenu personnage de roman, j'aimais l'idée d'une certaine souplesse, celle de la laisse que Joseph de Maistre donne à la Providence. Je n'avais pas l'intention de le laisser décider quoi que ce fût.

— Va tenir compagnie à Emina, il faut que je travaille.

Le temps de pousser le fauteuil à roulettes jusqu'à la maison, de monter la marche du seuil et de le mettre au chaud près de la cafetière électrique, le soleil brillait dans l'impasse.

Peindre l'œuf m'apporta du réconfort. Je n'ai jamais aussi bien travaillé que ce jour-là. Les contours grisâtres de la coquille épousaient le fond de la toile comme par magie alors que les rehauts d'un blanc d'ivoire à peine fumé de terre d'ombre ressortaient de l'arrondi en trompe l'œil. J'imaginais de hachurer les volumes intermédiaires après les avoir tamponnés au chiffon. Cette méthode donnait à la nature morte – était-ce une nature morte car l'œuf signifie la vie – un grain particulier *a la fresca*. C'était mon tableau le plus sobre et le plus moderne. Les trois niveaux de plan, l'œuf, la vierge et l'ange, se détachaient comme un collage de Schwitters ou de Max Ernst. La vérité métaphysique née de l'union mystique entre Emina et moi, figurée par cet œuf, restaurait ce qui avait été corrompu par la souillure que Poppée avait fait subir au mystère de l'enfantement.

Une fois que j'ai eu fini de le peindre, l'œuf cessa d'avoir la moindre valeur affective pour moi, je le posai dans un coin près des vieilles assiettes et des pinceaux durcis. Même Emina se fendit d'un compliment. Je me sentais gai et léger malgré la situation.

— Venez, on va à l'Enfer !

L'Enfer était un bar modeste situé non loin de la

maison. Une clientèle d'ivrognes, mais deux télévisions. L'une sur le mur d'entrée, l'autre au-dessus du bar. Les tables alignées dans le sens de la profondeur permettaient de suivre les actualités courantes sur la télé d'entrée, ou des clips sur l'écran au-dessus du bar. La chaîne musicale était spécialisée sur les vieilleries, enchaînant Frankie Goes to Hollywood, Duran Duran, Billy Idol ou Boney M...

Emina restait fascinée par un clip de Boney M pendant qu'Octavio s'intéressait au programme de la chaîne d'information. Toujours sur mon nuage, j'avais envie de boire... L'idée de mourir était de plus en plus floue et présente en même temps, tel un objet posé trop près de l'œil. Je pris mon téléphone.

— Salut Scott, comment allez-vous ?

En dépit de son flegme, le jeune homme marqua une légère surprise mais très vite il retrouva sa voix chaleureuse et polie. Il affirma qu'il m'avait téléphoné à plusieurs reprises pour me poser des questions à propos de Joachim Peiper avant de boucler son papier. Je lui dis que je n'avais eu aucun message de sa part et que j'étais étonné qu'il me mêle à cette affaire.

— Et pourquoi ?

— Parce que je ne savais rien sur cet Allemand.

— Vous n'étiez donc au courant ni de son exécution ni de l'existence d'un commando ayant pour projet de le venger ?

— Non.

— Pourtant c'est un fait divers qui a fait du bruit à l'époque.

— Vous insinuez que je mens ?

Il resta silencieux.

— Vous ne savez pas que la guerre est finie ?

— De tels crimes sont imprescriptibles.

— Oh, la barbe ! Ce type est mort il y a quarante ans. J'ai lu qu'il avait été jugé en 1946.

Il me répondit que Peiper avait été jugé en 1946 pour les crimes de guerre commis dans les Ardennes... Pas pour les massacres de populations civiles, les déportations de juifs de Pologne et d'Italie... Je lui demandai en quoi cela me regardait.

— DJMOmo, qui appartenait au même groupe que vous, est bien mêlé à l'affaire, non ?

Je lui dis que son article dénonçait un certain nombre d'artistes pour leurs liens avec des partis ultra-conservateurs, ce qui n'était plus mon cas depuis longtemps. Et que même dans l'hypothèse contraire (je pensais à mes conversations récentes et je voulais me montrer honnête), l'amalgame avec les crimes des nazis était forcé. Pourquoi me mêler à cette chasse aux sorcières en s'appuyant uniquement sur mes relations d'il y a quarante ans avec quelqu'un qui avait fait une menace téléphonique ou tenté d'incendier un local communiste ?

— Vous pouvez demander un droit de réponse.

Le ton devenait moins aimable. Au fond je m'en fichais. Je voulais seulement le prévenir que son enquête n'était pas très sérieuse. Que les nazis, c'était comme le noir en peinture, difficile à manier. Que ça plombait tout de suite beaucoup. Que Gertrude Stein pensait que les peintres ne devraient pas s'intéresser au passé mais à ce qu'ils voyaient. Que mon seul tort était de ne pas avoir suivi ce conseil. Que j'étais dangereux pour ceux qui le payaient car je croyais en la métaphysique de l'art.

Comme il se taisait, le silence narquois d'un jeune type sérieux qui écoute un vieil ivrogne s'empêtrer dans des grands mots, j'ajoutai que je n'étais pas sûr que le sort des victimes le préoccupât vraiment. Là, il protesta d'une voix beaucoup moins douce.

Je rajoutai que de la part d'un ancien « fasciste », cela pourrait paraître étrange, mais que je lui conseillais quand même d'éviter de mêler les fantômes des camps de concentration à des querelles d'épiciers. Que, pour employer son vocabulaire, il banalisait le mal et que cela allait finir par lui retomber dessus.

— Arrêtez de me menacer ! Je vous préviens que vous êtes enregistré.

Le masque était tombé. Scott avait perdu toute la gentillesse qui m'avait plu à Algésiras. Au fond, je me fichais complètement de ses calomnies mais cette petite voix outragée m'attristait. Emina tendit la main vers moi. Si j'avais dû encore craindre pour ma réputation, j'aurais pu m'inquiéter mais je trouvais ça drôle. Je me tournai vers l'écran. Le chanteur des Boney M, celui qui a la grosse voix, me visait avec une mitraillette… Emina s'empara du téléphone avec son meilleur ton de collège suisse :

— Vous savez Scott, nous ne sommes pas du tout intéressés par votre article. Le combat ne se livre plus où vous croyez. Il y a dans le monde, en Russie par exemple, des gens pour qui vos fausses indignations n'ont aucune importance, des gens qui se fichent complètement de savoir si les Allemands ont commis tel ou tel crime il y a presque cent ans. Et encore moins de savoir ce qu'en pense mon père, Alain ou la jeunesse occidentale corrompue… L'Allemand dont vous parlez a travaillé chez Porsche, peut-être cette marque de voiture a-t-elle plus de responsabilité dans cette affaire qu'un peintre français né en 1960 ?

Scott et son magnétophone devaient vibrer à l'unisson. Pendant qu'elle parlait, je découvris qu'elle n'était plus la même Emina que j'avais connue à Algésiras. Les imprécations avaient laissé place à la froideur d'un tempérament plus tranchant que le mien. Je compris qu'elle grandissait, qu'elle allait devenir encore quelqu'un d'autre. Le scénario du suicide à deux n'était qu'un scénario. Si je devais mourir, ça serait seul.

Octavio et elle s'amusèrent de la tête de Scott… Ils l'imaginaient allumer sa pipe en réfléchissant aux implications de telles paroles… Qui allait-il pouvoir dénoncer ? Les concessionnaires Porsche ? Peu probable… Les Russes ? C'était déjà fait… S'il savait pour la petite chapelle à Poutine.

Mon téléphone sonna, un indicatif étranger… Un autre journaliste peut-être… une voix anglaise, une femme. Je me levai pour répondre et je sortis de l'Enfer.

Dehors la nuit était tombée. L'Anglaise me parlait de mes peintures, qu'elle avait vues à New York. Elle me suivait depuis longtemps ; c'était une vraie collectionneuse, rien à voir avec Brentano. Les quelques phrases que j'arrivais à comprendre dans cette langue trop élégante pour mes pauvres connaissances me parurent très simples et très profondes. J'avais l'impression de parler avec William Beckford. Aucune référence aux contemporains, elle semblait vivre dans un monde qui avait rompu tout à fait les liens avec le présent. J'avais besoin de ça... Surtout aujourd'hui.

Elle voulait acheter les treize nouveaux tableaux. Je compris qu'elle les avait négociés avec la galerie X avant l'exposition. À quoi bon les montrer ? Je n'avais rien à gagner à un scandale de plus, le secret me convenait mieux désormais. Lorsque j'avais prononcé le nom de John Currin, elle avait soufflé d'agacement, surprise de mon défaut de jugement. Elle m'invitait chez elle en Écosse à Boleskine avec mes trois derniers tableaux C'était un genre de marquise de S-C, plus intelligente. Je raccrochai, égayé. J'ai toujours eu le don de sentir quand il fallait bouger, changer d'air. L'Écosse me ferait du bien, le Brexit me plaisait beaucoup. En retournant vers l'Enfer, j'étais anglomane. Je regardai par la vitrine du bar : Emina tenait la main d'Octavio. La pluie coulait sur la vitre et je restai un moment à observer le tableau qu'ils formaient.

Boleskine, le 21 mai 2018

Cher Octavio,

J'ai relu ton livre Occident *avec intérêt, surtout les passages concernant la peinture où tu as rendu mes états d'âme. Sinon je constate que ma vie n'est qu'une suite de péripéties. Quoi de plus français que ce goût du renouvellement et cette infidélité permanente ? Incapable d'élever un enfant ou même de garder mes amis.*

J'ai lu avec attention la manière dont tu as exprimé les pensées de notre chère Emina… Cela ressemble à ce qu'elle m'a raconté durant ces nuits d'Algésiras qui me paraissaient si dures alors. Les fragments qu'elle disait avoir gardés de cette clairvoyance folle pendant laquelle elle n'a jamais approché de si près la vérité.

À elle d'en juger maintenant.

Non, je n'ai pas son adresse actuelle, je crois qu'elle est partie vers la Baltique visiter une église, une secte ou quelque chose de ce genre. « La Sainte Armure »… Je ne sais pas comment ça se dit en langue lettone. Notre ami Jeff doit en savoir plus ou peut-être la Daladier qui l'a fait poser récemment en Jeanne d'Arc dans la revue de mode Dazed & Confused. *J'ai vu ça dans mon ermitage écossais. Elle me reviendra après le printemps.*

Arabella est charmante pour ses quatre-vingt-treize ans.

Trois petits défauts : elle est trotskiste, elle fume des Gauloises bleues et elle boit trop de champagne… Mais nous passons de bons moments. Bien sûr, elle voudrait coucher avec moi mais j'ai passé l'âge, je préfère le whisky.

Je peins dans une tour qui n'est pas d'ivoire mais qui ne manque pas de fantômes et je pense souvent à toi cher ami, cher frère…

En la relisant racontée par toi, j'ai trouvé l'histoire de l'œuf extravagante. Je ne sais pas si le lecteur appréciera. Quel mystère ! Je finis par croire que tu as raison, Emina y fut pour quelque chose… Arabella a posé cette Annonciation XIII *au-dessus de son lit, je ne la vois donc jamais mais j'espère qu'elle est aussi bonne que tu l'écris.*

En ce moment, je peins des fleurs, c'est de saison. Je t'en envoie un bouquet dès qu'il est sec. Je t'envoie aussi un dessin de mon Colt, très ressemblant.

Fraternellement,
Alain

PS 1 J'ai fini les travaux sur la Morris, les garagistes écossais sont incomparables pour rafistoler les vieilles voitures.

PS 2 Arabella me suggère qu'Evola ne vaut pas grand-chose comme métaphysicien. En revanche, elle se demande dans quelle mesure un matérialiste moderne traitant René Guénon comme Marx et Engels ont traité Hegel ne parviendrait pas à remettre sur pied une philosophie respectable.

PS 3 J'ai découvert dans les caves de Boleskine toute une littérature héritée d'Aleister Crowley. Le démonologue Balthazar Bekker dans son grand ouvrage en quatre volumes édité en français à Amsterdam en 1694 : Le Monde enchanté ou Examen commun des sentiments touchant les esprits, leur nature, leur pouvoir, leur administration et leurs opérations *donne la recette d'une fabrication d'enfant golem à partir d'une « matière qui se trouve sous la Lune et qui ne sert à rien ». J'espère que ma petite Galatée, la fausse, celle qu'on m'a laissé imaginer pour me perdre, ne fut pas formée dans ce moule-là !*

À toi,

A

Je remercie les amis d'*Occident* : Isabelle Chazot, Régis Descott et Jean-Noël Orengo pour leurs lectures attentives,

Juliette Joste, Chloé Deschamps et Olivier Nora pour leurs conseils éditoriaux,

Teresa Cremisi et Gilles Haéri qui ont été les premiers à soutenir ce livre voici déjà quelques années,

Antoine Flochel qui m'a reçu si souvent et avec tant de générosité dans sa belle résidence d'écriture en compagnie d'Eva Ionesco.

Du même auteur :

Anthologie des apparitions, Flammarion, 2004.

Nada exist, Flammarion, 2007.

L'Hyper Justine, Flammarion, 2009 (prix de Flore).

Jayne Mansfield 1967, Grasset, 2011 (prix Femina).

113 études de littérature romantique, Flammarion, 2013.

Eva, Stock, 2015.

California Girls, Grasset, 2016.

Les Rameaux noirs, Stock, 2017.

Les Violettes de l'avenue Foch, Stock, 2017.

Les Démons, Stock, 2020.

Le Livre de Poche s'engage pour l'environnement en réduisant l'empreinte carbone de ses livres. Celle de cet exemplaire est de :
420 g éq. CO_2
Rendez-vous sur
www.livredepoche-durable.fr

Composition réalisée par MAURY-IMPRIMEUR

Achevé d'imprimer en octobre 2021 en France par
MAURY-IMPRIMEUR – 45330 Malesherbes
N° d'imprimeur : 258084
Dépôt légal 1re publication : novembre 2021
LIBRAIRIE GÉNÉRALE FRANÇAISE
21, rue du Montparnasse – 75298 Paris Cedex 06